SF沼の地図

Science
本書で紹介したSFを、科学読み物
Fiction
フィクションの視点（タテ軸）で

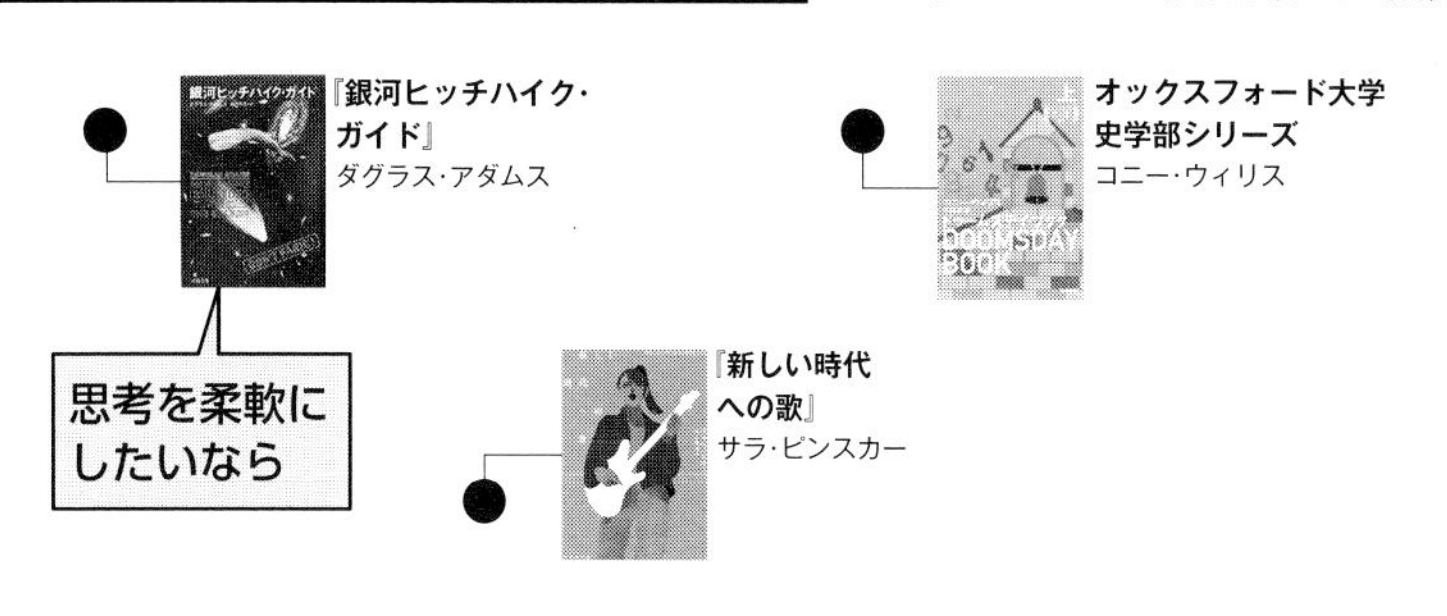

(Speculative)

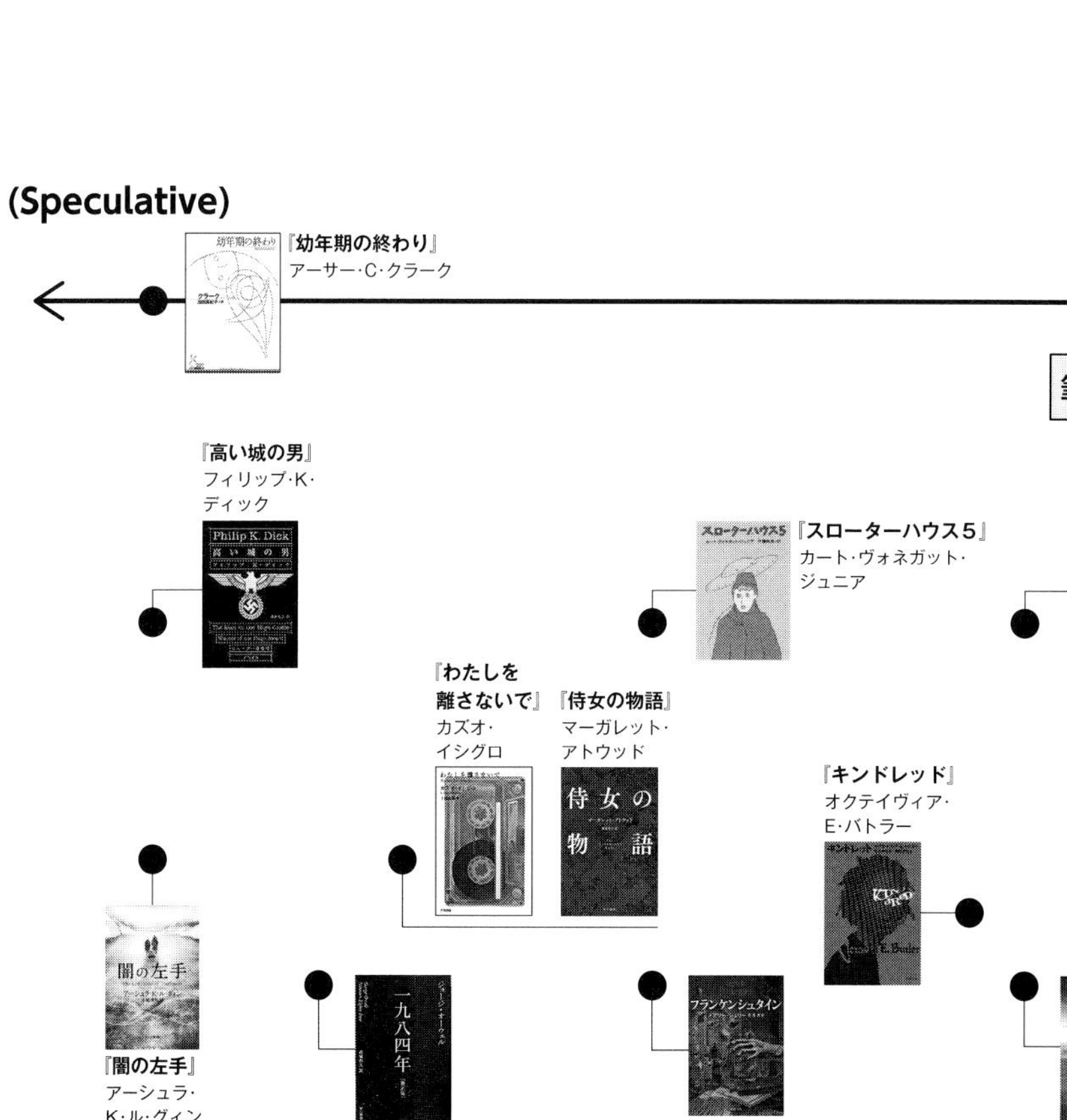

『フランケンシュタイン』
メアリー・シェリー

い

会・未来の政治

ル『一九八四年』（早川書房）

084　世界の終わり』（河出書房新社）

監獄ウイグル』（新潮社）

氏451度』（早川書房）

ー『すばらしい新世界』（早川書房）

脳科学　「完全な人間」をつくる』（文藝春秋）

紀の人類のための21の思考』（河出書房新社）

・サークル』（早川書房）

資本主義　人類の未来を賭けた闘い』（東洋経済新報社）

ンダー

・グィン『闇の左手』（早川書房）

ィン『所有せざる人々』（早川書房）

五の季節』（東京創元社）

路』（東京創元社）

ウッド『侍女の物語』（早川書房）

ド『誓願』（早川書房）

パワー』（河出書房新社）

新潮社）

ーニー＝ビアード『男たちを知らない女』（早川書房）

＝ペレス『存在しない女たち　男性優位の世界に

クトを暴く』（河出書房新社）

ン『エヴリデイ』（小峰書店）

ンド・アップロード

『ゼンデギ』（早川書房）

械の意識　脳神経科学の挑戦』（中央公論新社）

いるのか　知能の謎を解く「1000の脳」理論』

『順列都市』（早川書房）

ル　廃園の天使〈Ⅱ〉』（早川書房）

ンヴィンシブル』（国書刊行会）

ンの時代　人工超知能EMが支配する世界の全貌』

ク『都市と星』（早川書房）

『都市』（早川書房）

クスフォード大学史学部シリーズ

イムトラベル　「時間」の歴史を物語る』（柏書房）

ンブル　ＳＦ世界は実現可能か』（NHK出版）

トラー『キンドレッド』（河出書房新社）

の他に敵なし』（竹書房）

渦巻く不満の根源』（岩波書店）

ック『高い城の男』（早川書房）

ッハ『NSA』（早川書房）

ツ・オブ・ジャパン』（早川書房）

Chapter 16　ファーストコンタクト

劉 慈欣『三体』（早川書房）

キース・クーパー

『彼らはどこにいるのか　地球外知的生命をめぐる最新科学』（河出書房新社）

陳 楸帆『荒潮』（早川書房）

スティーヴン・ウェッブ

『広い宇宙に地球人しか見当たらない75の理由』（青土社）

ピーター・ワッツ　『ブラインドサイト』（東京創元社）

アーカディ・マーティーン『平和という名の廃墟』（早川書房）

ピーター・ワッツ『エコープラクシア 反響動作』（東京創元社）

アンディ・ウィアー『プロジェクト・ヘイル・メアリー』（早川書房）

アンディ・ウィアー『火星の人』（早川書房）

デニス・E・テイラー『われらはレギオン』（早川書房）

アーサー・C・クラーク『幼年期の終わり』（光文社）

キース・トーマス

『ダリア・ミッチェル博士の発見と異変　世界から数十億人が消えた日』（竹書房）

クリフォード・D・シマック『中継ステーション』（早川書房）

劉 慈欣『老神介護』（KADOKAWA）

Chapter 17　地球外生命・宇宙生物学

スタニスワフ・レム『ソラリス』（早川書房）

ジョナサン・B・ロソス

『生命の歴史は繰り返すのか?　進化の偶然と必然のナゾに実験で挑む』（化学同人）

ジェフ・ヴァンダミア《サザーン・リーチ三部作》（早川書房）

チャイナ・ミエヴィル『言語都市』（早川書房）

エイドリアン・チャイコフスキー『時の子供たち』（竹書房）

ジョーン・スロンチェフスキ『軌道学園都市フロンテラ』（東京創元社）

スー・バーク『セミオーシス』（早川書房）

坂永 雄一『無脊椎動物の想像力と創造性について』

（『新しい世界を生きるための14のSF』収録、早川書房）

ロバート・L・フォワード『竜の卵』（早川書房）

アーサー・C・クラーク『宇宙のランデヴー』（早川書房）

カール・セーガン『コンタクト』（新潮社）

アダム・フランク『地球外生命と人類の未来　人新世の宇宙生物学』（青土社）

ダグラス・アダムス『銀河ヒッチハイク・ガイド』（河出書房新社）

ダグラス・アダムス《ダーク・ジェントリーシリーズ》（河出書房新社）

神林 長平《敵は海賊シリーズ》（早川書房）

円城 塔『エピローグ』（早川書房）

オラフ・ステープルドン『スターメイカー』（筑摩書房）

オラフ・ステープルドン『最後にして最初の人類』（国書刊行会）

グレッグ・イーガン『ディアスポラ』（早川書房）

草野 原々『最後にして最初のアイドル』（早川書房）

文藝春秋)
川書房)
書房)

すず書房)

を夢見たのか』(作品社)

(紀伊國屋書店)
新潮社)

章』(筑摩書房)
ュタイン』(集英社)

性たち』(地人書館)

傑作選』(早川書房)
書房)
ー

ンの実力と未来』

社)

のマグマ』(講談社)

)
た人々』(早川書房)

マイケル・オスターホルム、マーク・オルシェイカー『史上最悪の感染症　結核、マラリアからエイズ、MERS、薬剤耐性菌、COVID19まで』(青土社)

小川 一水『天冥の標Ⅱ　救世群』(早川書房)

小川 一水『天冥の標』全10巻(早川書房)

アイザック・アシモフ『ファウンデーション　銀河帝国興亡史』(早川書房)

サラ・ピンスカー『新しい時代への歌』(竹書房)

リン・マー『断絶』(白水社)

チャック・ウェンディグ『疫神記』(竹書房)

サラ・ピンスカー『いずれすべては海の中に』(竹書房)

Chapter 9　気候変動

マヤ・ルンデ『蜜蜂』(NHK出版)

ダイアン・クック『静寂の荒野【ウィルダネス】』(早川書房)

M・R・オコナー『絶滅できない動物たち　自然と科学の間で繰り広げられる大いなるジレンマ』(ダイヤモンド社)

デイヴ・グールソン『サイレント・アース　昆虫たちの「沈黙の春」』(NHK出版)

パオロ・バチガルピ『神の水』(早川書房)

パオロ・バチガルピ『ねじまき少女』(早川書房)

オマル・エル＝アッカド『アメリカン・ウォー』(新潮社)

フランク ハーバート『デューン　砂の惑星』(早川書房)

ジェームズ・ローレンス・パウエル『2084年報告書　地球温暖化の口述記録』(国書刊行会)

ビル・ゲイツ『地球の未来のため僕が決断したこと』(早川書房)

Chapter 10　戦争

スタニスワフ・レム『地球の平和』(国書刊行会)

スタニスワフ・レム《泰平ヨンシリーズ》(早川書房)

スタニスワフ・レム『完全な真空』(河出書房新社)

スタニスワフ・レム『虚数』(国書刊行会)

ネヴィル・シュート『渚にて』(東京創元社)

コーマック・マッカーシー『ザ・ロード』(早川書房)

エドゥアルド・ヴェルキン『サハリン島』(河出書房新社)

東山 彰良『ブラックライダー』(新潮社)

神林 長平『戦闘妖精・雪風〈改〉』(早川書房)

神林 長平『先をゆくもの達』(早川書房)

ポール・シャーレ『無人の兵団　AI、ロボット、自律型兵器と未来の戦争』(早川書房)

谷 甲州『航空宇宙軍史』(早川書房)

カート・ヴォネガット・ジュニア『スローターハウス5』(早川書房)

テッド・チャン『商人と錬金術師の門』(『ここがウィネトカなら、きみはジュディ　時間ＳＦ傑作選』収録、早川書房)

テッド・チャン『あなたの人生の物語』(早川書房)

Chapter 11　宇宙災害(隕石の衝突、太陽フレア)

アーサー・C・クラーク『神の鉄槌』(早川書房)

宮西 建礼『もしもぼくらが生まれていたら』(『宙を数える　書き下ろし宇宙ＳＦアンソロジー』収録、東京創元社)

キム・スタンリー・ロビンスン『2312 太陽系動乱』(東京創元社)

山本 弘『地球移動作戦』(早川書房)

劉 慈欣『流浪地球』(『流浪地球』収録、KADOKAWA)

山本 弘『プロジェクトぴあの』(早川書房)

伊藤 瑞彦『赤いオーロラの街で』(早川書房)

柴田 一成『太陽 大異変　スーパーフレアが地球を襲う日』(朝日新聞出版)

宮原 ひろ子『地球の変動はどこまで宇宙で解明できるか　太陽活動から読み解く地球の過去・現在・未来』(化学同人)

Chapter 12　管
ジョージ・オーウェ
ブアレム・サンサル『
ジェフリー・ケイン『
レイ・ブラッドベリ『
オルダス・ハクス
ローン・フランク『闇
ユヴァル・ノア・ハラ
『21 Lessons　21
デイヴ・エガーズ『
ショシャナ・ズボフ『監

Chapter 13　ジェ
アーシュラ・K・ル
アーシュラ・K・ル・
N・K・ジェミシン『第
アン・レッキー『叛逆
マーガレット・アト
マーガレット・アトウ
ナオミ・オルダーマン
田中 兆子『徴産制』
クリスティーナ・スウ
キャロライン・クリア
ひそむ見せかけの
デイヴィッド・レヴィ

Chapter 14　マイ
グレッグ・イーガ
渡辺 正峰『脳の意識
ジェフ・ホーキンス
『脳は世界をどう見て
(早川書房)
グレッグ・イーガン
飛 浩隆『ラギッド・ガ
スタニスワフ・レム『
ロビン・ハンソン
『全脳エミュレーシ
(NTT出版)
アーサー・C・ク
クリフォード D.シマ

Chapter 15　時
コニー・ウィリ
(早川書房)
ジェイムズ・グリ
ミチオ・カク
『サイエンス・イ
オクテイヴィア
マイクル・ビショッ
イザベル・ウィルカ
『カースト　アメ
フィリップ・K・
アンドレアス・エシ
ピーター・トライア
『ユナイテッド・ス

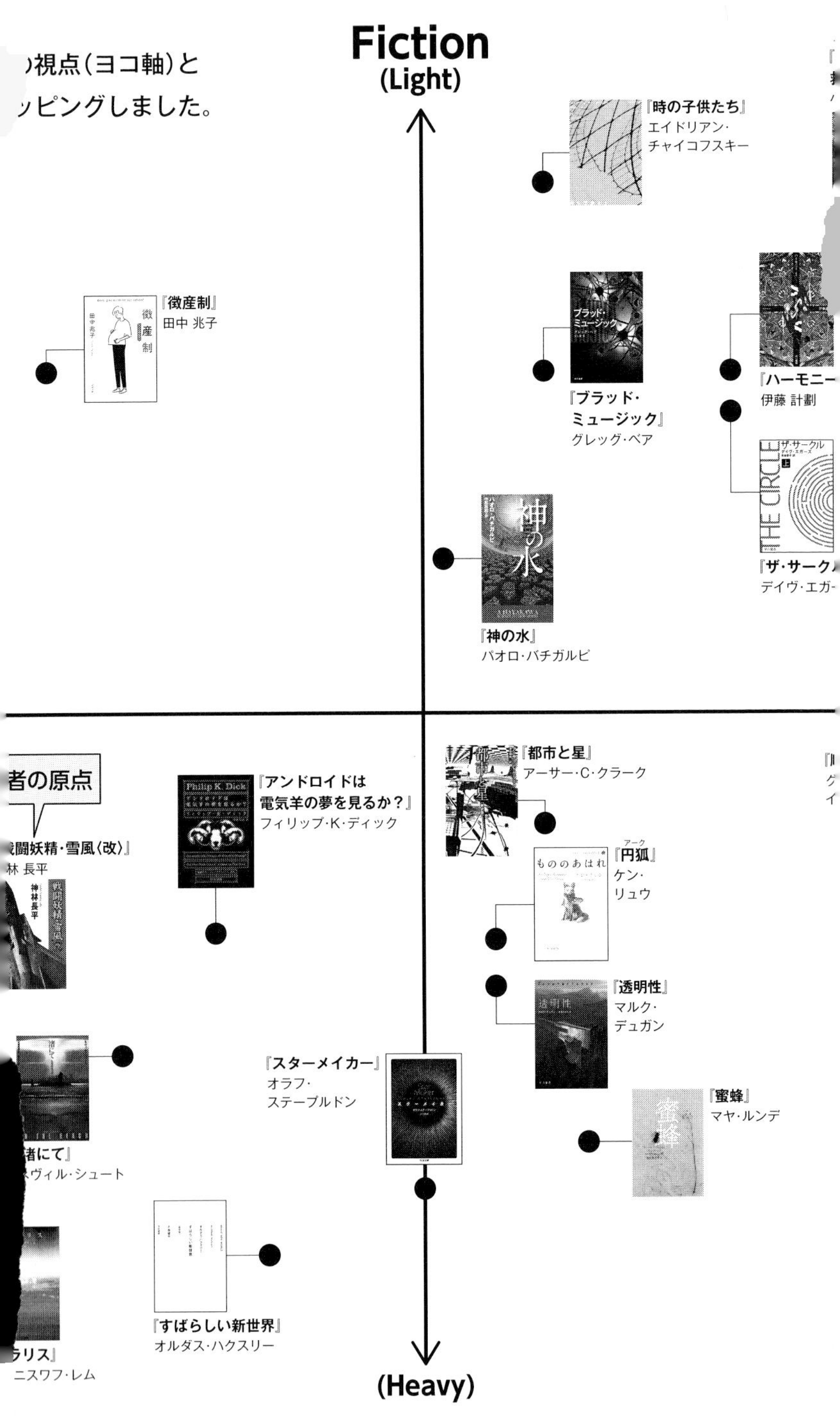

の視点（ヨコ軸）と
ッピングしました。
Fiction
(Light)
『時の子供たち』
エイドリアン・
チャイコフスキー
『徴産制』
田中 兆子
『ブラッド・
ミュージック』
グレッグ・ベア
『ハーモニー
伊藤 計劃
『ザ・サーク
デイヴ・エガー
『神の水』
パオロ・バチガルピ
者の原点
戦闘妖精・雪風〈改〉』
林 長平
『アンドロイドは
電気羊の夢を見るか？』
フィリップ・K・ディック
『都市と星』
アーサー・C・クラーク
『円狐』
ケン・
リュウ
『透明性』
マルク・
デュガン
渚にて』
ヴィル・シュート
『スターメイカー』
オラフ・
ステープルドン
『蜜蜂』
マヤ・ルンデ
『すばらしい新世界』
オルダス・ハクスリー
ラリス』
ニスワフ・レム
(Heavy)

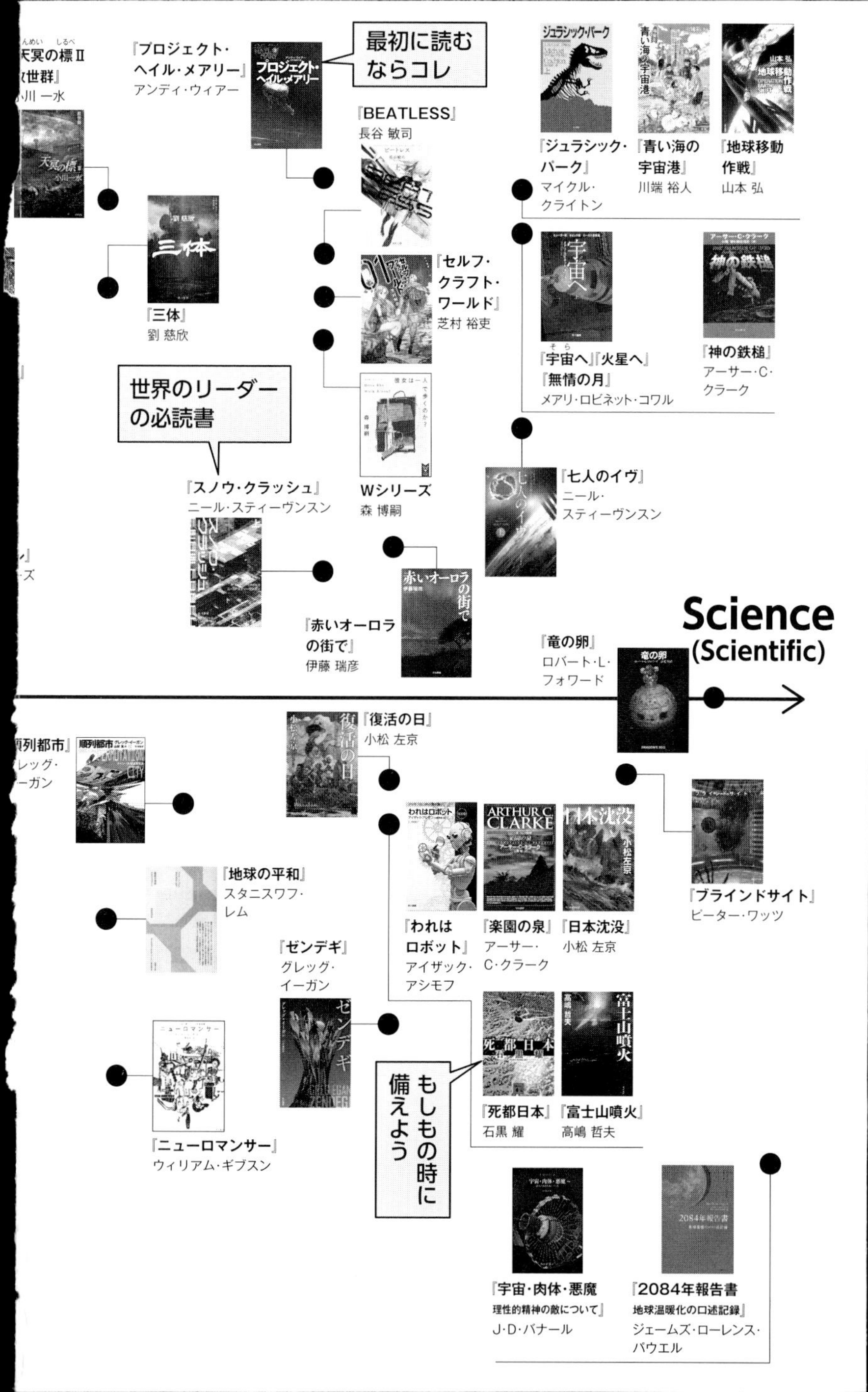

天冥の標Ⅱ
世群』
小川 一水
『プロジェクト・ヘイル・メアリー』
アンディ・ウィアー
最初に読むならコレ
『BEATLESS』
長谷 敏司
『ジュラシック・パーク』
マイクル・クライトン
『青い海の宇宙港』
川端 裕人
『地球移動作戦』
山本 弘
『三体』
劉 慈欣
『セルフ・クラフト・ワールド』
芝村 裕吏
『宇宙へ』『火星へ』『無情の月』
メアリ・ロビネット・コワル
『神の鉄槌』
アーサー・C・クラーク
世界のリーダーの必読書
『スノウ・クラッシュ』
ニール・スティーヴンスン
Wシリーズ
森 博嗣
『七人のイヴ』
ニール・スティーヴンスン
『赤いオーロラの街で』
伊藤 瑞彦
『竜の卵』
ロバート・L・フォワード
Science
(Scientific)
順列都市』
レッグ・
ーガン
『復活の日』
小松 左京
『ブラインドサイト』
ピーター・ワッツ
『地球の平和』
スタニスワフ・レム
『われはロボット』
アイザック・アシモフ
『楽園の泉』
アーサー・C・クラーク
『日本沈没』
小松 左京
『ゼンデギ』
グレッグ・イーガン
『ニューロマンサー』
ウィリアム・ギブスン
もしもの時に備えよう
『死都日本』
石黒 耀
『富士山噴火』
高嶋 哲夫
『宇宙・肉体・悪魔 理性的精神の敵について』
J・D・バナール
『2084年報告書 地球温暖化の口述記録』
ジェームズ・ローレンス・パウエル

つながるリスト

太字：本書で紹介している書籍
細字：関連書籍

Chapter 1　仮想世界・メタバース

ウィリアム・ギブスン『ニューロマンサー』（早川書房）
ジャロン・ラニアー『万物創生をはじめよう　私的VR事始』（みすず書房）
リチャード・モーガン『オルタード・カーボン』（アスペクト）
マシュー・ボール『ザ・メタバース　世界を創り変えしもの』（飛鳥新社）

ニール・スティーブンスン『スノウ・クラッシュ』（早川書房）
ニール・スティーヴンスン『ダイヤモンド・エイジ』（早川書房）
伊藤 計劃『虐殺器官』（早川書房）

芝村 裕吏『セルフ・クラフト・ワールド』（早川書房）
マット・リドレー
『進化は万能である　人類・テクノロジー・宇宙の未来』（早川書房）
アーネスト・クライン『ゲームウォーズ』（SBクリエイティブ）

森 博嗣　Wシリーズ（講談社）
森 博嗣『すべてがFになる』（講談社）
森 博嗣『赤目姫の潮解』（講談社）
川原 礫《ソードアート・オンラインシリーズ》（KADOKAWA）

Chapter 2　人工知能・ロボット

フィリップ・K・ディック
『アンドロイドは電気羊の夢を見るか？』（早川書房）
神林 長平『膚の下』（早川書房）
マーサ・ウェルズ『マーダーボット・ダイアリー』（東京創元社）

アイザック・アシモフ『われはロボット』（早川書房）
平野 晋『ロボット法　AIとヒトの共生にむけて』（弘文堂）
テッド・チャン『ソフトウェア・オブジェクトのライフサイクル』
（『息吹』収録、早川書房）
山本 弘『アイの物語』（KADOKAWA）

長谷 敏司『BEATLESS』（KADOKAWA）
長谷 敏司『プロトコル・オブ・ヒューマニティ』（早川書房）
セルジュ・ティスロン
『ロボットに愛される日　AI時代のメンタルヘルス』（星和書店）
カイフー・リー、チェン・チウファン
『AI2041　人工知能が変える20年後の未来』（文藝春秋）

Chapter 3　不死・医療

マルク・デュガン『透明性』（早川書房）
デイヴィッド・ミッチェル『ボーン・クロックス』（早川書房）
ユヴァル・ノア・ハラリ
『ホモ・デウス　テクノロジーとサピエンスの未来』（河出書房新社）

ケン・リュウ『円弧（アーク）』（『もののあはれ』収録、早川書房）
山田 宗樹『百年法』（KADOKAWA）
ケン・リュウ『紙の動物園』（早川書房）

伊藤計劃『ハーモニー』（早川書房）
エドガー・カバナス、エヴァ・イルーズ
『ハッピークラシー　「幸せ」願望に支配される日常』（みすず書房）
グレッグ・イーガン『しあわせの理由』（早川書房）

Chapter 4　生物工学

マイクル・クライトン『ジュラシック・パーク』（早川書房）
エリザベス・D・ジョーンズ『こうして絶滅種復活は現実になる
古代DNA研究とジュラシック・パーク効果』（原書房）
ベス・シャピロ
『マンモスのつくりかた　絶滅生物がクローンでよみがえる』（筑摩書房）

カズオ・イシグロ『わたしを離さないで』（早川書房）
マーガレット・アトウッド《マットアダム三部作》（早川書房）
ウォルター・アイザックソン『コード・ブレーカー』（

グレッグ・ベア『ブラッド・ミュージック』（早
ブルース・スターリング『スキズマトリックス』（早川
藤井 太洋『Gene Mapper -full build-』（早川書房）
S・B・ディヴィヤ『マシンフッド宣言』（早川書房）

J・D・バナール
『宇宙・肉体・悪魔　理性的精神の敵について』（み
稲葉 振一郎『宇宙倫理学入門』（ナカニシヤ出版）
トマス・リッド
『サイバネティクス全史　人類は思考するマシンに何
マックス・テグマーク
『LIFE3.0　人工知能時代に人間であるということ』

メアリー・シェリー『フランケンシュタイン』（
円城 塔・伊藤 計劃『屍者の帝国』（河出書房新社）
スティーヴン・キング『死の舞踏　恐怖についての10
アフマド・サアダーウィー『バグダードのフランケン

Chapter 5　宇宙開発

メアリ・ロビネット・コワル
『宇宙（そら）へ』『火星へ』『無情の月』（早川書房）
ナタリア・ホルト
『ロケットガールの誕生　コンピューターになった
アーサー・C・クラーク『宇宙への序曲』（早川書房）
アーサー・C・クラークほか
『ワイオミング生まれの宇宙飛行士　宇宙開発SF

ニール・スティーヴンスン『七人のイヴ』（早川
向井 千秋,東京理科大学スペース・コロニー研究セン
『スペース・コロニー　宇宙で暮らす方法』（講談社）
藤井 太洋『オービタル・クラウド』（早川書房）

川端 裕人『青い海の宇宙港』（早川書房）
野尻 抱介《ロケットガールシリーズ》（KADOKAWA）
小泉 宏之『宇宙はどこまで行けるか　ロケットエンジ
（中央公論新社）
笹本 祐一『星のパイロット』（東京創元社）

Chapter 6　軌道エレベーター

アーサー・C・クラーク『楽園の泉』（早川書房）
佐藤 実『宇宙エレベーター　その実現性を探る』（祥伝
ラリイ・ニーヴン『リングワールド』（早川書房）

Chapter 7　地震・火山噴火

小松 左京『日本沈没』（KADOKAWA）
小松 左京、谷 甲州『日本沈没 第二部』（小学館）
上田 早夕里『華竜の宮』（早川書房）

石黒 耀『死都日本』（講談社）
石黒 耀『富士覚醒』（講談社）
石黒 耀『震災列島』（講談社）

高嶋 哲夫『富士山噴火』（集英社）
安生 正『ゼロの激震』（宝島社）
鎌田 浩毅『富士山噴火と南海トラフ　海が揺さぶる陸

Chapter 8　感染症

小松 左京『復活の日』（KADOKAWA）
マイクル・クライトン『アンドロメダ病原体』（早川書
リチャード・プレストン
『ホット・ゾーン　エボラ・ウイルス制圧に命を懸け

「これから何が起こるのか」
を知るための教養

SF超入門

冬木糸一

ダイヤモンド社

本書の作品紹介の中には、物語の結末まで明かしているものがあります。刊行から時を経たものに限っており、またネタバレをしても作品の価値、魅力を損なうことがないよう留意しておりますが、お読みになる際は、その点をご了承ください。

推薦の辞

入山章栄（早稲田大学ビジネススクール教授）

世界的起業家イーロン・マスクが大のSF好きであることをご存じだろうか。彼は『デューン 砂の惑星』を好きな本に挙げているし、アイザック・アシモフの「ファウンデーションシリーズ」もお気に入りだ。『攻殻機動隊』のファンでもある。他にマーク・ザッカーバーグも、スティーヴ・ジョブズもSFを読んでいた。そして筆者も経営学者として、日本でももっと多くの大人がSFに触れるべきだと考えている。

それはなぜか。多かれ少なかれ、ビジネスは世の中を少しずつ未来に前進させるためにある。民間事業に限らず、公務員の仕事でも、教育関係でもそれは同じだ。すると本来どんな仕事でもそもそも大事なのは、未来を考えること、すなわち「未来への想像力の形式知化」なのだ。われわれは誰でも、未来がどのようなものかの正解を知らない。だからこそ想像力を膨らませ、それを言葉や文章で形にして、その想像した未来を見据えながら自分がいますべきことを考え、仲間と議論し、前進することが重要なのだ。そして、その「未来への想像力の形式知化」のもっとも有力な手段がSFである。Science Fiction（科学的なフィクション）は、ただの御伽噺(おとぎばなし)ではない。科学的な知見がある程度前提にあって、ありえるかもしれない未来や異世界を描くものだからだ。だからこそ、SFを足掛かりにして想像力を膨らませることが、われわれの仕事を未来に前進させるために本来不可欠なのだ。そう考えると、イーロン・マスクやスティーヴ・ジョブズのような稀代の起業家たちがSF好きなのは、決して偶然ではないことがわかるだろう。実際、近年は欧米のグローバル企業のあいだでSFプロトタイピングという未来思考を生み出す手段が普及しつつある。かくいう筆者も、日本でSFプロトタイピングを進めるための私的な研究会に参加している。

さて、そう考えると興味深いのは、実は日本は「子ども向けSF」の世界では、屈指の超大国であることだ。筆者も子どもの頃に、『ガンダム』や『宇宙戦艦ヤマト』や『エヴァンゲリオン』など、様々なSFに触れてきた。実はわれわれ日本人はSFの英才教育を受けているのだ。にもかかわらず、現代の日本人に創造性が足りないとか、イノベーションが不足していると言われてしまうのは、日本の大人にこそSFが足りないからではないだろうか。だからこそ本書の意義は大きい。本書は、大人にも耐えうるSF本の沼の地図である。本書を手に取って、ぜひいまこそSFの力を取り戻し、みなさんの仕事を未来に前進させる道標にしてほしい。われわれ日本人はそもそもSFネイティブである。いまから必要なのは、そのリカレント教育なのである。

読書猿（独学者、『独学大全』著者）

未だ定まらぬ未来へ向かうようヒトは運命づけられている。世界はいつも「未来の始まり」としてわれわれの前に現れる。

物語はヒトの認知機能に組み込まれた強力なエンジンだ。

物語は、われわれに降りかかる無数の出来事を時間軸に沿って並べ、因果律に照らして結びつけ、葛藤という形で結晶化させ、その解決へと導く。

われわれは世界をフィクションを通して見る。

いつもフィクションに従え。ただし疑うことを忘れるな。

山口周（独立研究者、著作家、パブリックスピーカー）

予測が当てにならない社会では構想力がカギになります。構想力を磨くための最高の教科書がＳＦなんです。

Dain（書評ブロガー、「わたしが知らないスゴ本は、きっとあなたが読んでいる」主宰）

未来がどうなるかなんてわからない。けれど、その未来にどう向き合うかは、ＳＦから学べる。古典から現代までの傑作ＳＦをダシにして、どう向き合うかをエッセンスにしたのがこれ。

本書がスゴいのは、現実と地続きで考えていること。「サイエンス・フィクション」という一ジャンルに惑溺（わくでき）するだけではなく、それが現実とどう接続しているのかを、具体的に見せてくれる点だ。治療法がない疫病の感染者に対し、人は、どれだけ残酷になれるか。大災害で破壊された文明社会は、何をよりどころにして復興できるのか。現実に起きた出来事は、ＳＦでシミュレート済みなのだ。未来を既読にする一冊。

はじめに　現実は、SF化した。そして10年後、何が起こるのか

この本は、**すべての人のためのSF入門書**である。SFとはScience Fictionの略であり、本書では、基本的に科学的な描写を取り入れた小説作品のことを指す。

これまであまりSFに縁がなかった人たちでもわかるゼロからの説明を心がけつつ、年季の入ったSF読者（ファン）の方々にも楽しんでもらえるよう工夫している。

なぜSF読者だけでなく「すべての人」のための入門書が必要なのか。それはいま、フィクション、つまり空想、絵空事の世界で起こっていた出来事が、われわれ一人ひとりの人生にも及んでいるからである。

「すでに現実はSF化した」――これは、周りの世界を見ると明らかだ。

AIは人間の能力を部分的に超えつつあり、本や雑誌の表紙などあらゆる分野でAI生

成のイラストが使われはじめている。戦場では自分で攻撃判断までをもやってのける自律兵器が実用化された。世界中で感染症が流行し、気候変動は止まらない。遺伝子改変を施した豚から人間への臓器移植も行われるようになった。国家の監視手段はますます多様化し、SNSを通して市民の行動を制御しようと工作を繰り広げている。そして火星に人を送り込み、長期滞在するための準備が着々と進められている。もはや現代の情景をそのまま描いても、SFになってしまう時代なのだといえる。

現実のSF化――それは単に「テクノロジー」に限定されず、どのような思想、傾向が今後必要とされるものなのか、という「価値観」についても同様だ。技術の進歩は人の価値観も同時に変えてゆくはずだ。たとえば、「男女平等」の行き着く先は、性別それ自体を自分で自由に選択できるようになる社会である。

だからこそ、この先「テクノロジー」と「価値観」にどのような潮流の変化があるのかについて、われわれはあらかじめ備える必要がある。

作家のエリオット・ペパーが2017年に「なぜビジネスリーダーはSFを読むべきな

のか」と題した文章の中で、その詳しい理由を語っている。[※1]

19世紀末、ニューヨークは15万頭もの馬が荷物をのせて通りを行き交い、ひと月で4万トンもの糞を落とすせいで、悪臭に満ちあふれていた。1898年、都市計画者たちがこの危機に対して解決策を出し合うべく世界中から招集されたが、名案は出なかった（糞尿を始末するにも輸送が必要で、その輸送手段である馬が糞尿を垂れ流しているのだから、行き詰まるのは当然だ）。

しかし、それから14年後。ニューヨークを走る自動車の台数は馬の頭数を上回り、「馬糞の悪夢」はいっきに忘れ去られた。

ペパーは、仮に19世紀の都市計画者たちが、ビッグデータや機械学習の技術を利用できていたとしても、これらのツールは大した助けにはならなかっただろう、と述べている。

われわれはテクノロジーの変化が加速していく時代に生きている。**「現代よりも先の世界」を積極的に描き出し、問いを次々と先取りしていかなければ、議論が間に合わない**時代なのである。「現実化する前に（あるいは現実化するのと同時に）」、変化に対して備えなければいけない。そこで必要とされるのが、ＳＦなのだ。

支配者（パワープレイヤー）たちの頭の中を知れ

あらゆるフィクションの中で、ＳＦほど現実に影響を与えたジャンルはない。そのために欠かせない存在となっているのが、ＳＦ作品を読み、ＳＦ的に思考する世界の巨大ＩＴ企業の創業者、経営者たちである。

たとえば熱心なＳＦ愛好家として知られるイーロン・マスクは、作品、作家が自分の人生に影響を与えたと、たびたび語っている。

「私の行動の根底にある哲学を明確にする必要があります。ダグラス・アダムスとアイザック・アシモフに影響された、とてもシンプルなものです[※2]」

「私が（アイザック・アシモフの「ファウンデーションシリーズ」から）引き出した教訓は、文明を長持ちさせ、暗黒時代の確率を最小限に抑え、暗黒時代があったとしてもその長さを短くする可能性が高い一連の行動を取るようにすべきだということだ[※3]」

ダグラス・アダムスとアイザック・アシモフはいずれもSF界を代表する作家で、本書でも二人の著書**『銀河ヒッチハイク・ガイド』『われはロボット』**を紹介している。

アマゾン創業者のジェフ・ベゾスも、SFからビジネスのアイデアを得ている。2000年に立ち上げたロケット企業・ブルー・オリジン。そのスタートには、**『スノウ・クラッシュ』**の著者、ニール・スティーヴンスンが深く関わっているのだ。元々知り合いだった二人だが、ベゾスが、あるとき「ずっと夢だったロケット企業を始めたいと思っているんだ」と相談したところ、「今日すぐにやるべきだ！」と返され、行動を起こしたのだという。[※4]

『スノウ・クラッシュ』のファンは多く、他にもペイパルの創業者で投資家のピーター・ティール、メタ（旧フェイスブック）CEOのマーク・ザッカーバーグ、グーグルの創業者セルゲイ・ブリン、ラリー・ペイジ、VRのトップブランド、オキュラス（現・メタ）の創業者パルマー・ラッキーなどなど……、錚々（そうそう）たる面々が、作品から影響を受けたと語っている。

経営者たちは、その「思考」もSF的だ。

『LIFE3.0 人工知能時代に人間であるということ』（紀伊國屋書店）というノンフィクションの中で、2015年に、ラリー・ペイジとイーロン・マスクがのパーティで出会った時の会話の内容が描写されている。

二人は「機械（デジタル生命）はいずれ意識を持つか」を議論。最終的に、ペイジはデジタル生命は宇宙の進化における次のステップとして自然で望ましいものであると主張し、「デジタル生命の心を抑圧せずに解放してやれば、ほぼ間違いなく良い結果が訪れる」と語った。一方のマスクは「デジタル生命がわれわれの大切にしているものを破壊しないとそこまで確信できる根拠があるのか。主張の細部を示せ」と迫ったという。

ここでの二人のやりとりは、まさにSF作品が問うているテーマそのものである。

たった数社の企業が、国家をも超える影響力を有しつつあるのが、われわれが生きる世界だ。その支配者たち（パワープレイヤー）がSF的な世界観を持って物を考え、実際にビジネスを立ち上げ、現実を変化させている。パワープレイヤーたちの思想・行動で、人工知能・ロボット、仮想世界、宇宙開発、生物工学――こうした各分野には、大きな変化が起こってきたし、これからも起こるだろう。

われわれのほとんどは（筆者も含めて）ＳＦを読んだところでイーロン・マスクやジェフ・ベゾス、ラリー・ペイジのようになれるわけではない。

しかし一方で、生活のあらゆる側面において否が応でもＧＡＦＡＭを含む巨大企業経営者、パワープレイヤーたちの思想と行動の影響を受ける。**ＳＦ作品は、彼らのいわば「聖典」であり、頭の中を覗くための重要な材料**となり得るのだ。われわれ一人ひとりがこの社会でサヴァイヴしていくために、彼らが想像する「世界」の一端を知ることは、とても重要になる。

単なる「予測」を超える「物語」の想像力

なお一点注意しておきたいのは、ＳＦは未来予測をする道具「ではない」ということだ。ＳＦ作家は基本的に、良質で面白い作品を書くことを目的としている。正確な未来予測は、説得力のある未来を描き出すための手段のひとつであって、ＳＦの目的そのものではない。

むしろSFの一番の魅力は、「フィクション」の部分にある。

・もし、「不健康でいることが許されない社会」になったら？（伊藤計劃『ハーモニー』）

・異星人が、地球の人類を侵略しに来たら？（劉慈欣『三体』）

・男性も妊娠できるようになったら？（田中兆子『徴産制』）

「こういう未来にいたら、自分だったら、どうする？／どう考えるだろう？」という想像力を、物語の力によって手に入れることができるのだ。

ハマったら抜け出せない「SF沼」へ、ようこそ。10年後の未来を想像するために必要な素材は、すべてここにある。

本書の使い方

・科学読みものとして、最先端キーワードを知るためのベスト
・小説として、時代を超えて読まれるべきベスト

の2つの視点から、56作品（シリーズ）を選びました。古典から現代の作品まで、できるかぎり時代を超えて網羅的に紹介しています。17の最新キーワードごとに分類、切り取ることで、既存のSFガイドブックと異なる構成になっています。

SF沼の地図

作品を読むときに立ち返る場所としてお使いください。「この作品が気に入った」と思ったら、地図の近くの作品を次に読むと、間違いがありません。反対に「今回はヘビーだったから、全く違うライトな作品を読みたい」と思ったときにも使えます。

各作品タイトルの下には、この地図を縮小して位置を示してあります。

つながるリスト

紹介した56作品から「つなげて読みたい」人のためのリストです。フィクション、ノンフィクションが両方入っています。フィクションで味わった世界を、ノンフィクションで学ぶのもおすすめです。

contents

Chapter
4
生物工学

contents

Chapter 5

宇宙開発

Chapter 6

軌道エレベーター

Part 2 必ず起こる「災害」を知る

Chapter 7 地震・火山噴火

Chapter 8 感染症

contents

Chapter 9
気候変動

Chapter 10
戦争

Chapter

11

宇宙災害（隕石の衝突、太陽フレア）

contents

Part 3

「人間社会の末路」を知る

Chapter 14

マインド・アップロード

Chapter 15

時間

contents

Chapter 16
ファーストコンタクト

Chapter 17
地球外生命・宇宙生物学

Part

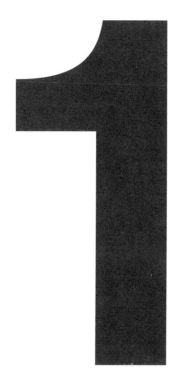

最新の「テクノロジー」を知る

Chapter 1

仮想世界・メタバース

VRの中で、人間はあらゆる制約から解放される

何年もの誇大広告の末に、いまようやく大きな発展を遂げているのが、ヴァーチャル・リアリティ（VR）だ。

SFでは、ウィリアム・ギブスンの『**ニューロマンサー**』をはじめ、仮想世界が繰り返し描かれてきた。なかでも、ニール・スティーヴンスンの『**スノウ・クラッシュ**』は、大衆向けVR機器メーカーの最大手であったオキュラス（現在はメタ傘下）の創業者らをはじめ、数多くの起業家、技術者に影響を与えている。

目下、VRの主力分野はゲームであり、近年では世界的にブームになりつつあるVTuber（2Dまたは3Dのアバターを使って活動している動画配信者）も含めて、いわゆ

るオタクカルチャーとの親和性が高い。

一方で、VRの活用範囲はゲーム以外にも広がっている。身近なところでは、新型コロナの影響もあって、VR観光や、VRオフィス、VRによる不動産物件の内見などの需要が増えている。また、企業研修やアスリートのトレーニングなどでのVR活用も注目される。たとえば、アメリカンフットボールのプロ選手が、練習中に自分の頭部に装着していた360度カメラの映像をVRで見返すというトレーニングを実践したところ、ビデオを観たり、図で描かれた戦術を何度も読み返したりといった従来の（練習場外での）トレーニングよりも、大きく成績が向上したのだという。[※5]

めよう　私的VR事始』

VRの父と呼ばれるジャロン・ラニアーは、自伝的ノンフィクション『**万物創生をはじめよう　私的VR事始**』（みすず書房）の中で、全身のモーションを読み取れるスーツを使って「人間以外の体」を検証したときのエピソードを語っている。ボディスーツの各部位に人間以外の生物の体を紐付けるのだが、たとえば人間をロブスターにマッピングしたところ、ほとんどの人は容易にロブスターに「なりきった」という。つまり、われわれは仮想世界の中でなら、自分という体の軀（くびき）からもたやすく離れられるということだ。それが人間の心理面に与える影響はとても大きい。
『VRは脳をどう変えるか？』（文藝春秋）などの著作がある心理学者のジェレミー・ベイレンソンは、同書の中で次のような研究を紹介している。色覚異常の人に見えている世界をVRで体験した被験者は、色覚異常になることを想像しただけの被験者に比べ、2倍の時間を色覚異常者の支援に充てた。黒人のアバターを身に付けた白人の被験者は人種的偏見が減ったり、ホームレスの生活をシミュレーションすることでホームレスへの共感度が増したりと、VR体験には「ネガティブな固定観念を打ち消す」力も存在するのだ。

だが、VRはいいことばかりでもない。サイバー犯罪、プライバシーと個人データの流出、仮想空間でのヴァーチャル性犯罪など、すでに様々な問題が顕在化しており、侃々（かんかん）諤々（がくがく）の議論が交わされている。

仮想世界で表現できる情報量が増え、それが視覚だけでなく触覚や嗅覚といった五感にも訴えかけられるような形でアップデートされていくなら、仮想と現実の境目はいまよりも薄くなり、いずれその区別をつける意味もなくなっていく。そうした未来をいくつも描き出してきたSFから、われわれが得られる示唆は多い。

『ニューロマンサー』
——この作品がなければ映画『マトリックス』もなかった

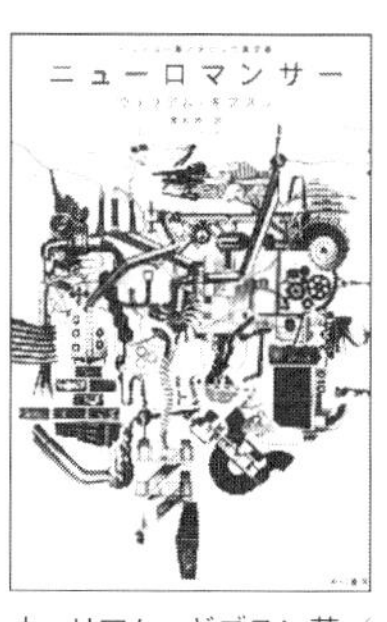

ウィリアム・ギブスン著／黒丸尚訳、早川書房、1986年（原著刊行1984年）

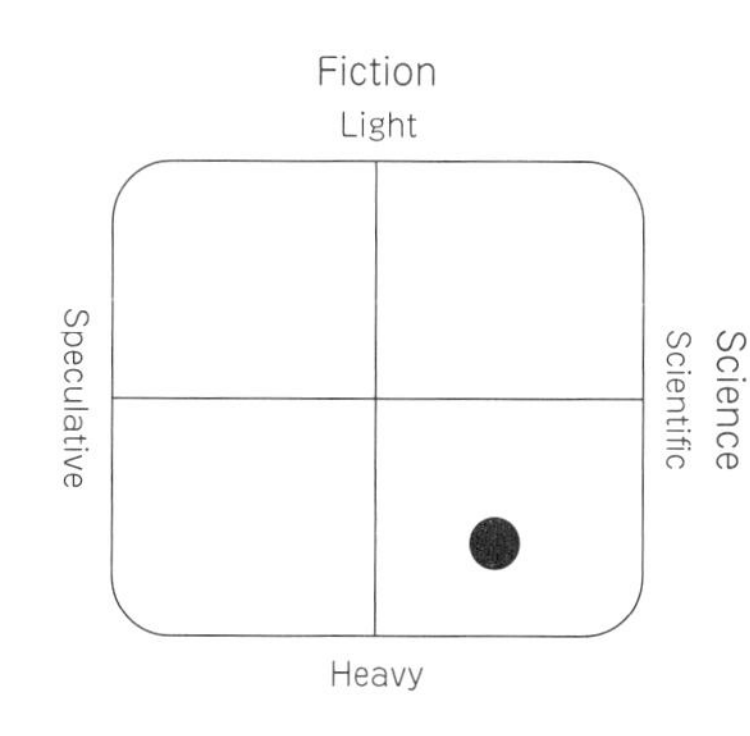

どんな作品か　サイバーパンクの世界観を打ち立てた記念碑的作品

ウィリアム・ギブスンの『**ニューロマンサー**』は、ひとことで言えば新しい時代を作ったSFである。その時代の名を「サイバーパンク」という。

サイバーパンクが描き出すのは、コンピュータ・ネットワークによって管理された、暴力的で退廃した未来社会。サイバーパンクそれ自体はギブスンの造語ではないし、フィリップ・K・ディックによる**『アンドロイドは電気羊の夢を見るか？』**のような先駆的作品も存在するが、このジャンルを明確に打ち立てたのは、『ニューロマンサー』といえる。

本作の最初の舞台は、ハイテク都市でありながらも、犯罪者が跋扈（ばっこ）しドラッグが飛び交う〈千葉市（チバ・シティ）〉。主人公であるケイスは、コンピュータをハッキングして金を稼ぐ〈コンピュータ・カウボーイ〉だったが、かつての依頼主に対して盗みを働いたことがばれ、神経系に損傷を与えられてしまう。以来、生き延びるだけが精一杯のごろつきとして腐った日々を送っている。

ここに来て一年になるが、ケイスはまだ電脳空間（サイバースペース）の夢を見、希望は夜ごとに薄れていく。〝夜の街（ナイト・シティ）〟でこれだけ覚醒剤（スピード）をやり、あれだけ肩代わりし、危ない橋を渡ってきても、眠るときに見るのはマトリックス。無色の虚空に広がる、輝く論理（ロジック）の格子（ラティス）——。

（p14—15）

マトリックスとは電脳空間のことであり、電脳空間とは「共感覚幻想」であると本作では定義される。ハッカーは、このマトリックスの中に自身の意識を投入（ジャック・イン）して仕事をこなす。ケイスは長い時間を電脳空間で過ごし、その快楽のために生きてきたような人間なので、それを奪われた衝撃は大きい。

だが、あるときケイスの過去の実績に目をつけた謎の二人組が、彼の神経を再生する。それと引き換えにケイスは時限性の毒を体内に仕込まれ、彼らのために働かされることになってしまう。

どこがスゴいのか　後世の文学・映画・テクノロジーへの圧倒的な影響力

あちこちで目にする「サイバースペース（電脳空間）」という言葉も、もともとは本作を含むギブスンの小説を通じて一般に広まったものだ。当時、コンピュータ・ネットワーク間の通信自体はすでに存在していたものの、インターネットの概念は、まだこれから形づくられようとしている段階。その先にあるものを、ギブスンは一足早く描き出していた。『ニューロマンサー』の世界では、インターネット革命が起こり、リアルと見紛うような電脳空間が存在し、人々は長い時間をその中で過ごす。人間は自身の体を当たり前のように義体化し、メガロポリスが発展し、企業の力は本作の執筆当時からは考えられないほど大きくなっている。いまからすると当たり前に感じる要素も多いが、それはギブスンが当時思い描いていたフィクションに、現実が追いついたからに他ならない。

合間合間に挿入される、技術やシステムのディテールも面白い。他人の体験をまるで自分のことのように体験できる〈疑験（シムスティム）〉、許容されているレベル以上の知能を獲得した超高度ＡＩの存在、それらの登場が人類の管理を外れないように制限しようとする〈チューリング警察〉……。ケイスは電脳空間に魅入られて現実から背を向けた存在として描かれているが、こうした人々もこれから先増えていくことだろう。

こうしたアイデアの多くは、後述するニール・スティーヴンスンの『**スノウ・クラッシュ**』など、数多くの作品へと受け継がれていく。ギブスンが『ニューロマンサー』を書いていなかったら、映画版の『**攻殻機動隊**』や『**マトリックス**』も、いまのような形では生まれていなかっただろう。

それだけでなく、実際のＷｅｂやＶＲなどの技術の在り方も違った形になっていたかもしれない。ＶＲの父と呼ばれるジャロン・ラニアーや、インターネットの発展に携わった技術者の多くは、『ニューロマンサー』で確立されたヴィジョンに夢を見ただけでなく、実際にギブスンとの親交を持っていたからだ。

これほど影響力の大きい作品であるが、読み通すのが困難なことでも知られる。独特な文体や用語（いまとなっては耳慣れたものも多いが）、独自の概念やヴィジョン――そうした先鋭さにより、本作を受け入れない、受け入れられない読者も刊行当時は数多くいたようだ。

その代わり、一度読者の頭の中に『ニューロマンサー』がインストールされてしまえば、そのヴィジョンを簡単に消すことはできなくなるのである。

ウィリアム・ギブスン
1948年、米サウスカロライナ州生まれ。サイバーパンクの代表的な作家。初期の短編『クローム襲撃』で「サイバースペース」という用語を生み出す。

『スノウ・クラッシュ』

——最旬キーワード「メタバース」の源流

ニール・スティーヴンスン著／日暮雅通訳、早川書房、上下巻、2022年（原著刊行1992年）

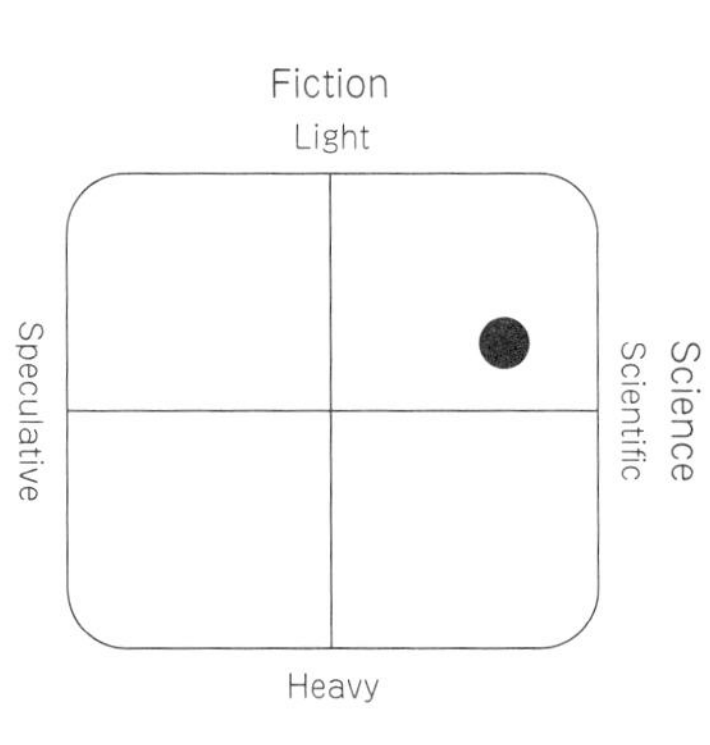

どんな作品か

いまや現実のものとなったVR空間を予見

ここ数年、にわかに盛り上がりを見せる「メタバース」。英語の「メタ（超える）」と「ユニバース（宇宙）」を組み合わせた造語で、具体的な定義は難しいものの、仮想世界、仮想現実のことを指すことが多い。メタ・クエスト（Meta Quest）などの機器を用いて、各々が好きな姿（アバター）で自由にデザインされた空間を訪れる——というのがわかりやすいイメージだろう。

この「メタバース」（作中表記ではメタヴァース）という言葉を初めて用いたのが、ニール・スティーヴンスンによる長編**『スノウ・クラッシュ』**なのだ。

本作は、大勢の起業家やテクノロジー企業の技術責任者にインスピレーションをもたらし、現実のプロダクトにも大きな影響を与えてきた。ここでは具体的に『スノウ・クラッシュ』がどのような世界を描いたSF作品なのかを紹介していこう。ニール・スティーヴンスンの三作目にあたる本作は、後年の作品と比べると小説的な技巧などは洗練されているとは言い難いものの、１９９０年代初頭の仮想現実に対する熱い期待感にあふれた作品だ。

舞台は、アメリカの連邦政府が無力化し、資本家によるフランチャイズ国家が国土を分割統治するようになった近未来。あらゆるテクノロジーがアメリカ国外に流出し、技術が均衡したせいで、アメリカの技術的な優位は失われてしまっている。結果として、アメリカ人が他国に誇れるものは、音楽、映画、ソフトウェア、高速ピザ配達しか残っていない。

現実のアメリカが落ちぶれた一方で、オンライン上には仮想世界「メタヴァース」が築かれている。主人公であるヒロ・プロタゴニストは、現実世界ではデリバリー・ピザを配達しながら暮らす男だが、一方ではメタヴァースをつくり上げた凄腕ハッカーの一人という別の顔も持つ。そんな彼は、メタヴァース上では「世界最高の剣士」でもある。

ここでのメタヴァースへの入り方は、目に映像を投射するという、現在のやり方に近いものだ。左記は記念すべき「メタヴァース」の初出しシーン。

だから、彼はいま、このユニットにはいない。彼がいるのはコンピュータの作り出した宇宙であり、ゴーグルに描かれた画像とイヤフォンに送りこまれた音声によって出現する世界。専門用語では〝メタヴァース〟と呼ばれる、想像上の場所だ。ヒロは、このメタヴァースでほとんどの時間を過ごしていた。ここには〈貯蔵庫〉のような嫌なことはない。
（p49-50）

ヒロが暮らす〈貯蔵庫〉は6×9メートルで広々としているが、その名のとおり単なる貯蔵庫で、床はコンクリートの打ちっぱなし。隣のユニットとは波形スチールの壁で隔てられているだけの、ろくでもない住処だ。

しかし、メタヴァースに行けば関係ない。地球の円周よりもはるかに長い遊歩道である〈ストリート〉。開発がいつまでも続く世界。みなアヴァターで自分の好きな姿になることができる。アヴァターの精巧さによって地位も変わってくる猫写などは、現在の「ＶＲチャット」を彷彿とさせるところだ。かつては近未来を描いた作品だったが、ここにある光景の多くはすでに現実のものとなっていて、「ＳＦが現実化した」という言葉を実感させてくれる。

どこがスゴいのか 30年を経てなお「未来」を感じさせる

本作の面白さを現実への影響から語るのであれば、まず挙げられるのはメタヴァースが実に楽しげに、世界をポップに変えるものとして描き出されている点だ。世界を自分の好みに沿ってつくり変えていく快感と楽しさが、本作には十分に描きこまれている。現実がいくらしょぼくれていても、メタヴァース上では自分が好きなようにプログラミングすることで、世界の構築に参加でき、自分の姿をつくり変えることができる。顔の美醜や人種的な差も乗り越えられる。

主人公のヒロは、メタヴァース上の一区画〈ブラック・サン〉で行われる「剣による闘い」に関連したアルゴリズム（たとえば斬られた体がどう処理されるのかなど）を書いた人物であることが途中で明かされる。世界を自分の好みに沿ってつくり変えていく快感と楽しさが、ヒロの行動からは伝わってくる。


そんなメタヴァース上で、ヒロは「スノウ・クラッシュ」と呼ばれるドラッグに出会う。売り込み方があまりに怪しいのでヒロは無視するが、世界有数のハッカーにしてヒロの友人であるＤａ５ｉｄはこれを使用。彼の目の前に現れたのは、何十万という1と0の羅列だった。それを見た直後にＤａ５ｉｄはメタヴァースから強制的に放逐され、現実でも意識不明に陥ってしまう。その真相の追究――どのように症状は引き起こされ、何のためにドラッグがばら撒かれているのか――が物語を牽引していくことになる。

スノウ・クラッシュがＤａ５ｉｄを昏倒させたのは、一種の「脳のハック」だ。膨大なバイナリ形式の情報を視神経に投入し、脳に影響を与える。つまり、このエピソードは情報を脳に送り込むことで人の行動を制御できる可能性を示しているわけだが、本作ではさらに神話と歴史と言語が密接に関わってくる。

旧約聖書には、「最初に誰もが用いる言語が存在していたが、それが神によってバラバラにされた」という、有名なバベルの塔のエピソードがある。本作ではこの逸話が、コンピュータを制御するマシン語と、ＪａｖａやPythonなどプログラミング言語のアナロジーで語られる。

マシン語は0と1を並べたビット列として表されるから、人間が直接的に読み書きしやすい形式ではない。だからこそＪａｖａやPythonなど扱いやすい文法を持った諸言語で書いてから変換して動かすのだが、これは実言語も同じではないかというのだ。

たとえば、われわれが普段用いる日本語や英語といった「人間が扱いやすい、わかりやすい言語」の奥には、マシン語に相当する、バベルの塔でいうところの「最初に誰もが共通言語として話していた言葉」、人間の脳に直接作用する深層言語とでもいうべきものが存在し、それを用いることができれば、他人を自由自在に操ることも可能なのではないか――と。

本作は神話、歴史、宗教、言語、そして人間の意識と情報技術を数珠つなぎにしていく、壮大な人類文化史でもある。ここでは、世界を自由につくり変えるという可能性が、人間の精神を自由にハックする技術の可能性と共に語られている。原著刊行から30年の月日を経てなお、「未来」を感じさせてくれる作品だ。

ニール・スティーヴンスン

1959年、米メリーランド州生まれ。『ダイヤモンド・エイジ』『スノウ・クラッシュ』『クリプトノミコン』ほか、長大なSF作品を発表しつづけている。

『セルフ・クラフト・ワールド』

——もし、現実よりも「仮想世界」が重要な場所になったら？

芝村裕吏著／早川書房、全3巻、2015、2016年

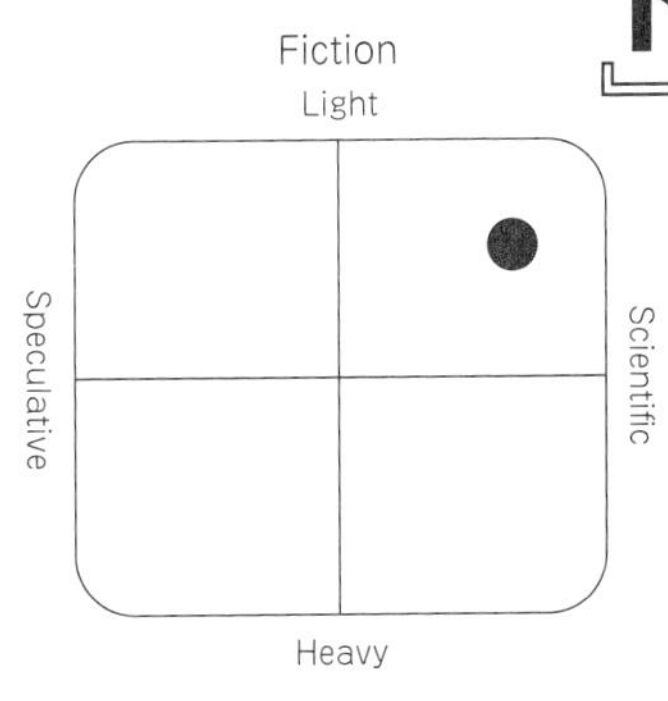

どんな作品か

「ゲーム」が国家の成長を担う社会を描く

『セルフ・クラフト・ワールド』三部作は、『高機動幻想ガンパレード・マーチ』をはじめとした数々のゲーム制作に関わり、現在は小説家としても活躍する芝村裕吏による、仮想世界を題材にしたＳＦ長編だ。ゲームが新しい技術を生み出し、ゲームが世界の中心と

なった未来を舞台に、仮想世界の新たな価値や可能性をうかがわせてくれる。

物語の主な舞台は、2040年代後半の近未来における、ゲームの中の世界。なかでも、日本発の多人数同時参加型オンラインRPG〈セルフ・クラフト〉では、G-LIFEと呼ばれる生物の進化の仕組みをゲーム内に導入することで、現実には存在しない様々な動物たちが誕生している。

ゲーム内の世界は現実の100倍の速度で進行する。生物の進化については100万倍の速さで時間が流れるように設定されているから、ここで生まれた生物たちは凄まじい速度で進化を重ねていく。

進化は意図して何かをデザインしたり生み出したりするシステムではないが、だからこそ時として驚くべき機構——たとえば、多くの生物に搭載されている眼——を生み出すこともある。現実の100万倍のスピードで進化が起こるこの世界では、現実にはない機構を持った生物たちが登場し、その情報を現実に持ち出すことで、現実の科学技術を加速させている。たとえば、アローバードと呼ばれる鳥の体の構造を模倣した超小型のジェットエンジン、シュウノウトンボと呼ばれる昆虫の折りたたみ構造を真似たコンパクトなテントなど、様々な技術が〈セルフ・クラフト〉内の生物をヒントにつくられているのだ。

もはや世界の各国は、こうした仮想世界のゲーム内で生み出された技術がなければ国際競争に勝つことができない。すなわちゲームが世界の中心であり、ゲームで負けたら国が傾く状態になっている。なかでもここまで精緻に進化システムを模倣できているのは〈セルフ・クラフト〉のみで、これが日本に技術的優位をもたらしている。

物語は、各部ごとに大きく展開・状況が異なっている。

第1部では、〈セルフ・クラフト〉を訪れたGENZというプレイヤー（現実世界では老人）と、ゲーム内のAIが搭載されたノンプレイヤー・キャラクターとの微笑ましい恋愛感情の発展が描かれる。続く第2部では、日本国首相を主人公とし、日本の技術的優位を生み出している〈セルフ・クラフト〉をどう守るのか、競合他国といかに渡り合うべきかという問題が、ゲーム世界での出来事と並行して描かれる。完結編に当たる第3部では、第2部で起こった未曾有の事態への対策に奔走する人々を、これまた現実とゲームの両側から描いて大団円へとつなげる。

どこがスゴいのか

現実と仮想の比重が入れ替わった未来に肉薄

本作が面白いのは、仮想世界が現実世界に近づけば近づくほど、快適になればなるほど、仮想世界の比重が増していくという単純な事実に焦点を当てているところだ。

たとえば、現時点において「オンラインゲーム上のデータが消える」という事態は、真剣にプレイしている人にとっては悲劇だが、多くの人の反応としては「そうはいってもたかがゲームでしょ」程度のものだろう。だが、生きているほとんどの時間をそこで過ごし、ゲーム内のＡＩとの恋愛関係を結んだりする人が増えるほど、仮想世界上の経験に対する思い入れは、現実に対するそれと遜色がないものになる。

本作では仮想世界でのサイバー攻撃をめぐって未曽有の戦争が発生することになるが、それは仮想世界さえ無事であるのならば、現実などどうなっても良いという新しい価値観によるものである。情報量の増した仮想世界は、実質的にもうひとつの「現実」になるのだ。

もうひとつ、テーマとして面白いのは、仮想世界と高齢者の相性の良さだ。体が思うように動かなくなってくる高齢者にとっては、現実よりも〈セルフ・クラフト〉をはじめとする没入型の仮想世界のほうが、自由自在に動き回ることができる。

「本気だよ。いいぞ、エリスは、いや、〈セルフ・クラフト〉は。現実の俺と違って杖もいらんからな。立ち上がるときによいしょのかけ声だっていらないんだ。何よりまあ、ポンコツ・ツンデレ・面倒くさい女にだが、俺は愛されている。わはは」

「ゲームだぞ」

「ゲームでもさ。老人にとって現実は〈セルフ・クラフト〉に劣る」（2巻、p220）

ゲームで育ってきた世代は、歳をとってもゲームで遊ぶ。そう考えると、本作で描かれていく、ゲーマーたちが社会の技術革新を担い、仮想世界のゲームに老人たちがあふれかえるといった未来像は、そう的はずれなものではない。その意味では、高齢化社会の行き着く先を想像させる作品ともいえるだろう。

芝村裕吏（しばむら　ゆうり）
ゲームデザイナーとしての代表作に『高機動幻想ガンパレード・マーチ』。近年は数多くの漫画原作を執筆し、作家としても活躍中。

Wシリーズ
――人間と非人間、生と死、仮想と現実の境界がゆらぐ

森博嗣著／講談社、2015年〜

どんな作品か

長寿化した人類と人造人間のせめぎ合い

森博嗣によるWシリーズは、第一作『**彼女は一人で歩くのか？**』（２０１５）に始まり、２０２２年11月現在で（続編ＷＷシリーズを含め）16作品以上を数える大長編ＳＦである。
作者は、デビュー長編『**すべてがFになる**』をはじめ、ミステリ作家としての知名度が

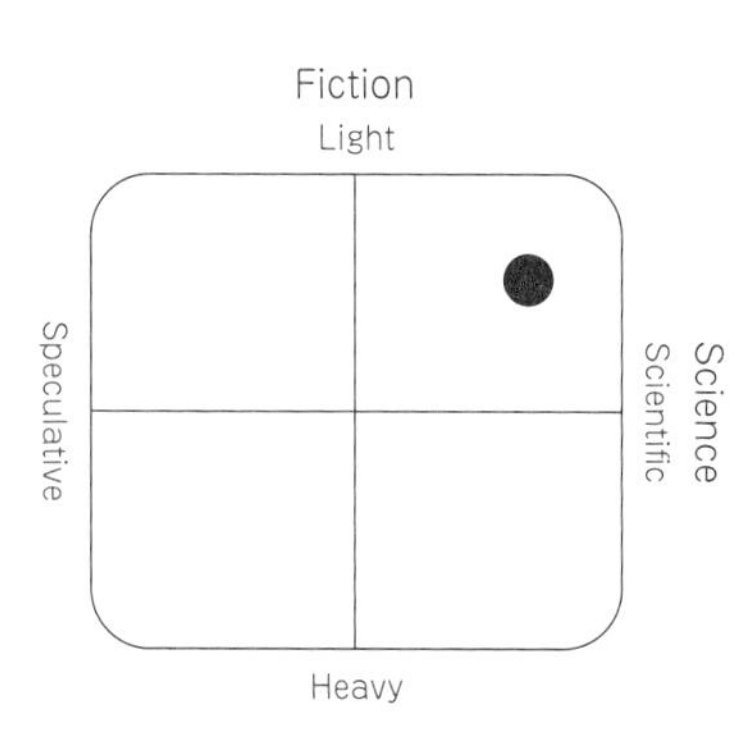

高いが、2113年の未来を舞台にしたミステリ『**女王の百年密室**』や、子どもの姿のまま歳をとらない「キルドレ」と呼ばれる戦闘機乗りたちを描いた『**スカイ・クロラ**』（押井守によってアニメ映画化された）など、SF色の濃い作品も多数発表している。なかでも本シリーズは、森博嗣が真正面から未来の社会を描き出したシリーズとして注目に値する。

物語の舞台は、現代よりも数世紀先と思われる時代。人類は細胞を入れ替えることによって寿命を飛躍的に延ばしている。この時代には「ウォーカロン」と呼ばれる、人工的につくられ人間と見分けのつかない有機生命体が数多く存在している。原因はわからないものの、人類は子どもを産めなくなっており、相対的に労働力としてもウォーカロンの数が増えつつある。同時に、人間も体のパーツを機械的・人工的なものに置き換えつつあるこの世界では、人間と非人間、生と死の境界がゆらぎつづけている。

本シリーズでは、識別困難とされるウォーカロンと人間を高い精度で判別できる解析方法を構築した研究者ハギリの視点を通して、この世界の状況が断片的に描かれていく。ハギリの研究とは、ウォーカロンと人間を区別するために「人間とは何か」「人間の特異性とは何か」を明らかにしようというものだ。この研究を嫌がる勢力も存在し、ハギリは生命を狙われることになる。

仮想世界、不死（人工細胞に置き換えることで、人は寿命では死ななくなっている）、生物工学、人工知能など、多様なテーマが抱合されているのも本シリーズの特色だ。

この世界には人間を超越した演算能力を有する超高度ＡＩも存在する。これに対して、人間はどのようにしてＡＩの裏をかき、その意図を読み解くのか。超高度ＡＩ同士のコミュニケーションを認めるのか。認めたとして、そこで何が話し合われていることを人間が理解できるのか。そんな様々な問いかけが、長大なシリーズの中で示されていく。

どこがスゴいのか

現実と仮想世界の境目が消えていく社会を描く

本シリーズを「仮想世界」の項目で取り上げたのは、ＷＷシリーズの第1巻『**それでもデミアンは一人なのか？**』が、シリーズの流れを引き継ぎながらも、主に仮想世界をテーマにしているからだ。

この世界では人間と非人間、生と死の境界線がゆらいでいると述べた。それは、仮想と現実の境目も同様である。いまのところ、ヴァーチャルリアリティの世界を現実と見間違える人はいないが、それは、VR空間での情報量がリアルと比べて圧倒的に劣るからだ。音、触覚、におい、さらに視覚の情報量がリアルと同じなら、人は容易にはそこが仮想空間だとは気づけなくなる。本シリーズの中で描かれる仮想世界は、その状態に近づきつつある。

また、リアル自体も仮想的なものに置き換わりつつある。たとえば社会の運営はとっくに人間の手を離れて人工知能に任されているし、自分自身の体という本来リアルであるはずのものも、人工細胞やメカニカルなパーツに置き換わっている。自分の体がつくりものの人形や、自分の存在とは別個のオブジェクトであるような感覚は、人々の現実感をますます失わせる。

科学技術が発展することは、現実を好きなように改変できる状態に近づくことでもある。たとえば、遺伝子改変などで実在しないはずの動物をつくりだすといった行為も、リアルと仮想世界の境目を失わせる行為といえるのだ。

作中では、自分の頭の中身を電子世界にアップロードする人々の姿も描かれる。本来、いくらヴァーチャルの世界に自身のデータをアップロードしたところで、その仮想世界の基盤はリアルの設備に依存している。だから、ヴァーチャル生命は脆弱な存在だ。

しかし、本作のようにヴァーチャルとリアルが不可分に結びついた世界では、ヴァーチャルが維持できないほど基盤が破壊された場合、もはやリアルも相当にまずい状態になっているはずなので、電子世界への自身のアップロードも、あながち非合理な選択とはいえない。

はたしてわれわれは、将来的にリアルを捨て、仮想世界へと居場所を移すのだろうか。これはＳＦがよくテーマとして取り上げる問いだが、Ｗシリーズはリアル or 仮想世界という単純な二項対立ではなく、その両者が「同じようなもの」になっていく世界を提示している。

森博嗣（もり　ひろし）

1957年、愛知県生まれ。工学博士。1996年、『すべてがFになる』でデビュー。同作を第一作とする「S&Mシリーズ」ほか、シリーズ作品を多数発表。

〈Wシリーズ〉

『彼女は一人で歩くのか？　Does She Walk Alone?』『魔法の色を知っているか？　What Color is the Magic?』『風は青海を渡るのか？　The Wind Across Qinghai Lake?』『デボラ、眠っているのか？　Deborah, Are You Sleeping?』『私たちは生きているのか？　Are We Under the Biofeedback?』『青白く輝く月を見たか？　Did the Moon Shed a Pale Light?』『ペガサスの解は虚栄か？　Did Pegasus Answer the Vanity?』『血か、死か、無か？　Is It Blood, Death or Null?』『天空の矢はどこへ？　Where is the Sky Arrow?』『人間のように泣いたのか？　Did She Cry Humanly?』

〈WWシリーズ〉

『それでもデミアンは一人なのか？　Still Does Demian Have Only One Brain?』『神はいつ問われるのか？　When Will God be Questioned?』『キャサリンはどのように子供を産んだのか？　How Did Catherine Cooper Have a Child?』『幽霊を創出したのは誰か？　Who Created the Ghost?』『君たちは絶滅危惧種なのか？　Are You Endangered Species?』『リアルの私はどこにいる？　Where Am I on the Real Side?』

Chapter

2 人工知能・ロボット

AIの発展が提起する「倫理の問題」とは

人工知能の進展は近年著しい。長年、人間は負けないと思われていた将棋や囲碁といった分野でも、もはやプロでさえ勝つことは難しくなっている。そのため、人工知能は「人間に取って代わる存在」として、注目（あるいは恐怖）の的になりがちだ。

フィクションで描かれる人工知能も（特に大作のSF映画では）「最初は従順に人類に従っているが、次第にアルゴリズムの暴走などによって人類に敵対的な行動をとるようになる」ことが多い。とはいえ、現代の人工知能にはそこまで高度な知能といえるほどのものは備わっていない。暴走といってもせいぜいバグや想定外の事象に遭遇したときに、事故を起こしたり、ありえない数字を示したりするぐらいだ。

実用化が近いといわれている自動運転にせよ、カメラやGPS、加速度計などを用いて情報を収集し、そうした情報から移動物体を検出したり、どこからどこまでが道路なのかを判定したりしている。最終出力のアルゴリズムはひどくシンプルなルールの積み重ねであり、その実態を知れば「けっこう泥臭いことをやっているんだな」と思うはずだ。

とはいえ、そこには重大な倫理的課題が潜んでいる。たとえば、人が関与していない自動運転車が人を轢き殺したときに、誰が、どのような法解釈のもとで責任を負うのか。運転を担当していたAIなのか、車のメーカーなのか、採用されているアルゴリズムを埋め込んだエンジニアなのか、はたまた自動運転車の所有者なのか。

AIやロボットが普及するほど、こうした問題は頻発する。その検討を行う際に必要とされるのが「ロボット法」と呼ばれる分野だ。

この分野でさらに切実なのは軍事面の法律だ。いま、世界中の軍隊がロボットを配備し、90カ国以上が無人機に空を哨戒させている。30カ国以上は、交戦の速度が早すぎて人間では反応できない状況のために、自律型兵器を有す。イスラエルのハーピー無人機は、広い範囲を自動で索敵し、敵を発見したときは無許可で破壊するといった決断を下せるほどの高度な自律性を有している。

それでは、人工知能やロボットが現在の「道具」という立場を超え、新しい権利や概念を獲得したとき、われわれはどう向き合えばいいのか？　本章では、そのヒントを多く含むＳＦ作品を紹介していこう。

『アンドロイドは電気羊の夢を見るか？』

――人間とアンドロイドの違いは何か？人間とは何か？

フィリップ・K・ディック著／浅倉久志訳、早川書房、1977年（原著刊行1968年）

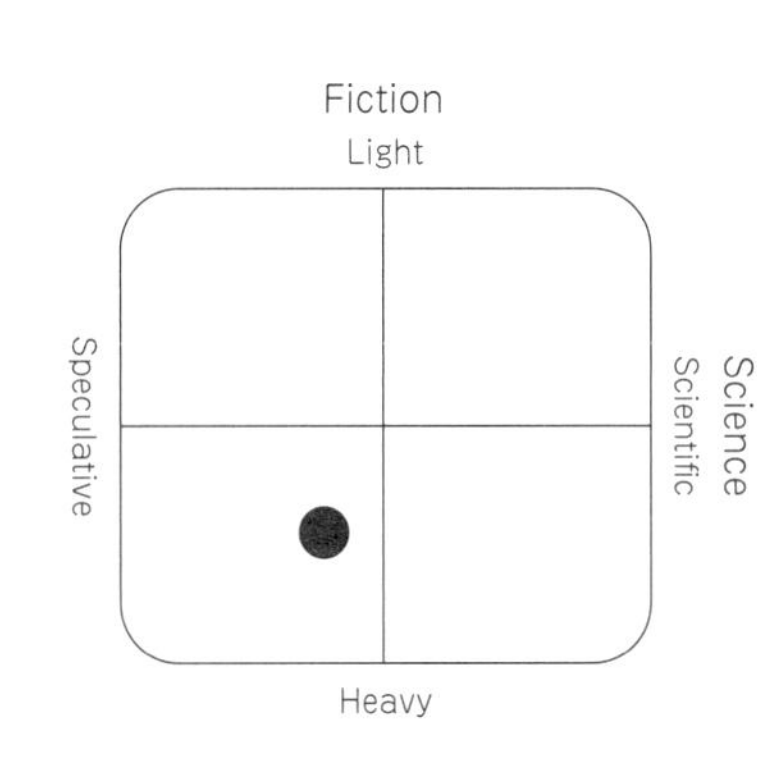

どんな作品か

「アンドロイドの殺害」を請け負った賞金稼ぎの苦悩

没後40年を経て忘れ去られるどころか、ますます作品の現代性が際立つフィリップ・K・ディック。『アンドロイドは電気羊の夢を見るか？』は、彼の代表作であり、映画『ブレードランナー』（リドリー・スコット監督、1982）の原作として、後世のSF作品のヴィジュアルに圧倒的な影響を与えた長編小説だ。

舞台は、〈最終世界大戦〉が起こり、放射性降下物（核兵器や原子力事故などで生じた放射性物質を含んだ塵）が充満したサンフランシスコ。灰色の天気が続き、多くの人間は貧困に苦しんでいる。さらには自然環境が壊滅しているせいで、天然の動物がほぼ存在しなくなっている。人類も死の灰による汚染を受け、一定期間ごとの検査に合格しなければ、法律で生殖すら許されない。遺伝的安全性を確保するために、人類には地球外のコロニーへの移住が推奨されている。

そんな世界では、羊やカエルなど、天然の動物を飼うことがある種のステータスになっている。それを持てないものは馬鹿にされ、下に見られる。しかし、本物の数は少なく、電気仕掛けの模造品で我慢する人たちもいる。

本作の主人公にして、賞金稼ぎであるリック・デッカードもその一人。もともと本物の羊を飼っていたのだが、その羊が破傷風にかかって死んでしまい、その後は〈電気羊〉を飼っている。デッカードはせめてうさぎでもいいから本物の動物が欲しいと願っているが、それすらとても手に届く金額ではない。

そんなある日、金に困っているデッカードのもとに賞金稼ぎの依頼が舞い込む。火星から逃亡してきた8体の奴隷アンドロイドを始末してほしいという仕事だ。この8体は〈ネクサス6型〉と呼ばれるハイエンドなアンドロイドで、一見したところ人間と見分けがつかないうえ、通常の人間をも超える知能を持つ。

人間と見分けがつかないアンドロイドを、どうやって見つけ出せばよいのか？　そこで登場するのが〈フォークト＝カンプフ検査〉という技術だ。単純な質問を重ねて、その反応を見ることで対象の〈感情移入度〉を測定し、人間かアンドロイドかを判定することができる。デッカードはこの技術を用いて、6体ものアンドロイド（抹殺対象の8体のうち2体は、すでに別の賞金稼ぎによって始末済み）を処理しなくてはならない。

しかしデッカードは、アンドロイドの殺害を重ねるうちに、彼らに対して感情移入するようになる。アンドロイドの中には、人間社会に自然と溶け込み、評価されていたものもいた。やがて相手がアンドロイドか否かだけではなく、自分が人間かどうかさえもが曖昧になっていく。

どこがスゴいのか 人間と機械を「二項対立」で考えるべきではない

本作を名作たらしめているのは、この「アンドロイドと人間を判別する」プロセスを通して、はたして両者にどれほどの違いがあるのかを問いかけてくるところにある。その先にあるのは「人間とは何か」という問いだ。

アンドロイドの中には、偽の記憶を埋め込まれ、自分がアンドロイドであることを自覚していないものもいる。彼らは検査を受けてアンドロイドだと判明すると、自分の世界が崩壊したように恐怖する。だが、そうした特別な検査を経なければわからないような――場合によっては検査を経てもわからない――アンドロイドと人間に、何の違いがあるというのだろう？　本作は、まさしくこうした「人間と非人間の境界線」をゆるがしている。

ディックは、「人間とアンドロイドと機械」と題したスピーチ原稿の中で、次のように述べている。

最近この世界に起きている最大の変化は、おそらく、生あるものが物体化へと向かい、逆に機械的なものが活性化へと向かう趨勢ではないでしょうか。生あるものと生なきもののあいだに、いまのわれわれはなんの区分法も持っていません。（中略）いつの日か、われわれは、二つの世界に片足ずつを踏まえた雑種の存在を、何百万も持つことになるでしょう。彼らを〝人間〟対〝機械〟として定義するのは、言葉の謎々をもてあそぶことになるだけです。

（フィリップ・K・ディック著、大森望編集・訳、浅倉久志訳『アジャストメント　ディック短篇傑作選』／早川書房　p407）

さらに続けて、ディックはこう言い切る――われわれは人や人間といった概念を、その起源や本体論に基づいてではなく、この世界での存在のありかたに基づいて適用すべきだと。人間が体の一部をサイボーグ化する一方で、アンドロイドや機械がその構造に純生物学的な要素を取り込んでいくようになれば、両者の成り立ちに差はほとんどなくなっていく。そのとき、人間性の本質とは、いかに「人間的なふるまい」をしたかどうか（たとえば他人に対して親切に接する、など）によって決められるべきだというのである。

「人間とアンドロイドと機械」の原稿は1975年に書かれたものだが、1972年にブリティッシュコロンビア大学で行われたスピーチ（The Android and the Human）でも、すでに同様の主張が見られる。

こうしたディックの指摘には、先見性があったというべきだろう。2020年代のいま、われわれはもはや、チャットやSNS上のやりとりだけでは相手が人工知能なのか人間なのかにわかには判断できなくなっている。1960年代には絵空ごとでしかなかった問いかけが、急速に大きな意味を持ちつつあるのだ。

一方で、人工知能による発言やアカウントを検出できるように、機械学習を利用してBOTを検出するツールも登場している（インディアナ大学ソーシャルメディア観測所が作成）。ディープフェイクと呼ばれる、ディープラーニング技術を用いた合成メディアは時に嫌がらせや政治的妨害に使われることがあるが（たとえば、オバマ前大統領夫人がストリップをしている映像を作成するなど)、こうした合成画像や映像をＡＩが作成したものだと見抜く技術もまた存在する。

フェイクをつくり出すＡＩと、それを検知する技術のせめぎあいは、『アンドロイドは電気羊の夢を見るか?』で描かれた、進歩を続けるアンドロイドと感情移入度検査の関係性を思わせる。いまはまだ、人間と見分けがつかないほど高度なアンドロイドは存在していないが、われわれはその前夜にいる。ディック作品が長く評価され、何度となく映像化され続けているのは、まさに将来の論点になるテーマに真っ向から挑んでいたからなのだ。

フィリップ・K・ディック
1929年、米イリノイ州生まれ。代表作に『高い城の男』『流れよわが涙、と警官は言った』『アンドロイドは電気羊の夢を見るか?』など。

『われはロボット』
――人とロボットの「共存」のルール

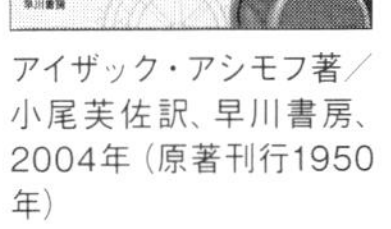

アイザック・アシモフ著／小尾芙佐訳、早川書房、2004年（原著刊行1950年）

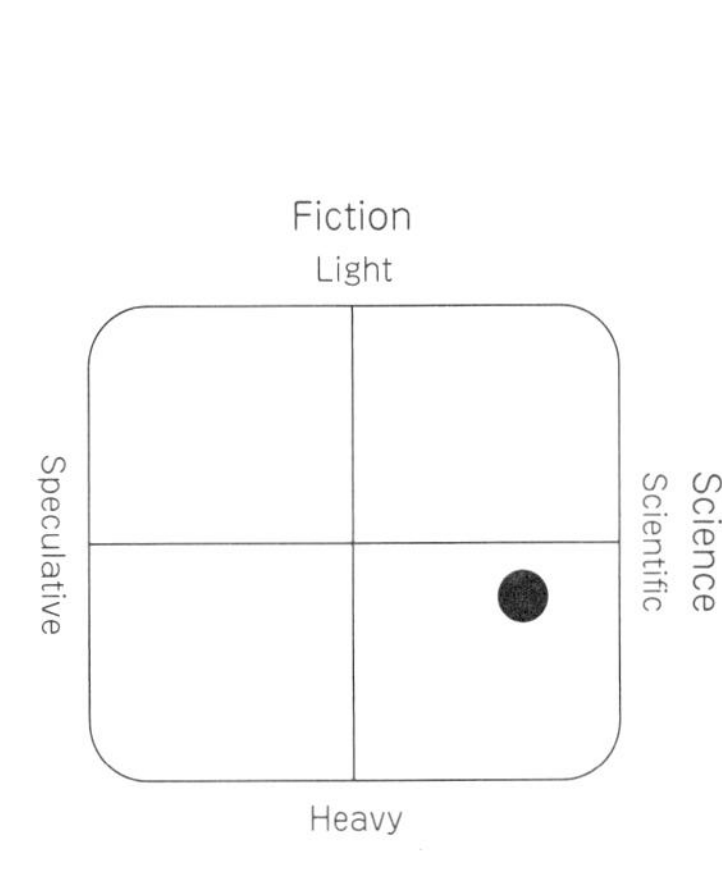

どんな作品か

後世に影響を与えた〈ロボット工学三原則〉

アイザック・アシモフは、アーサー・C・クラーク、ロバート・A・ハインラインと並んで「ＳＦ黄金期」をつくり上げた立役者の一人。**『鋼鉄都市』**（１９５３）、**『はだかの太陽』**（１９５６）など著作は名作ぞろいだが、あえて一作を挙げるとすれば、この**『われはロボット』**になるだろう。

いまだに多くの人が用いている「ロボット工学（robotics）」という言葉は、この連作短編集から生まれた。さらに、本作で提唱された〈ロボット工学の三原則〉は、ロボット運用の基本原則として、のちのロボットSFはもとより、現実のロボット開発や人工知能の倫理論争に多大な影響を与えている。

アシモフはこの短編集の中で、ロボットが人間の日常に溶け込むとはどういうことなのか、そこにはどのようなルールが必要で、どのような問題が起こりうるのかを、様々なシチュエーションを通して仔細に検討してみせた。

『われはロボット』を構成する短編は、それぞれ別の時代を舞台にしてはいるが、同じ世界観を基にしており、登場人物も一部共通している。また、連作全体を統合する仕組みとして、２０５７年の時代を生きるロボット心理学者のスーザン・キャルヴィンが、インタビュアーの質問に答えてロボットの発展にまつわるエピソードを語っていくという形式がとられている。

ここで、アシモフが提唱した〈ロボット工学の三原則〉を改めて紹介しておこう。コンセプト自体は、アシモフの過去の作品内でもほのめかされていたが、その内容が初めて明示されたのが、本作収録の『**堂々めぐり**』という短編であった。

第一条　ロボットは人間に危害を加えてはならない。また、その危険を看過することによって、人間に危害を及ぼしてはならない。

第二条　ロボットは人間にあたえられた命令に服従しなければならない。ただし、あたえられた命令が、第一条に反する場合は、この限りではない。

第三条　ロボットは、前掲第一条および第二条に反するおそれのないかぎり、自己をまもらなければならない。（p5）

『われはロボット』の中では、この三原則が繰り返し俎上にのぼるが、ルールが正常に機能している状態は稀で、この原則の裏をかくような状況が発生していたり、逆にルールが遵守されているが故のジレンマに陥っていたりする。

たとえば、前出の『堂々めぐり』は、三原則のジレンマを扱った作品だ。

舞台は２０１５年。パウエル、ドノヴァン、そしてロボットのスピーディは、10年前に放棄された採鉱基地を再稼働させるために水星へとやってきた。人間には到達できない場所で作業や採掘を行うためにスピーディは同行しているのだが、与えられた任務から5時間以上経っても戻ってこない。残された人間二人は、もっと原始的なロボットを使ってスピーディを捜しに行くが、見つけたのは酔っ払ったような不思議な動作をしているスピーディの姿だった。

どうやらスピーディは、〈三原則〉の第二条と第三条の板挟みになって、動作に支障をきたしているらしい。ロボットは、人間に与えられた命令に服従しなければならない。資源採掘の命令を与えられたスピーディは現場に赴くが、しかしそこは水星の内部からガスが噴出する危険な場所で、第三条が適用されて自己を守る必要が出てくる。基本的には第二条は第三条に、第一条は第二条に勝るのだが、今回のケースでは命令の強度が弱かったため、コンフリクトを起こしてしまったというわけだ。

ドノヴァンとパウエルは、その均衡状態を崩すために第一条を使うことを思いつく。自分たちの身を危険に晒すことで、スピーディを第二条と第三条のコンフリクトから解放するのだ。作戦は無事成功し、ドノヴァンとパウエルはロボットを取り戻す。

別の短編（『証拠』）では「相手は人か、ロボットか」という判定の問題が取り上げられ、また別の短編（『災厄のとき』）では、ロボットは人間に危害を加えてはならないという第一条があるにもかかわらず、人間がロボットから攻撃を受ける矛盾した状況がまるでミステリーのように描かれる。

高度に発達しすぎたテクノロジーが、人類の手に負えるものではなくなり、社会と世界の管理が人間のコントロールから逸脱を始める。そんな、いま顕在化しつつある問題をアシモフは1950年の時点で鮮明に捉えていた。

どこがスゴいのか ロボットと人間の関係性を縦横無尽に思索

アシモフはその後、長編『ロボットと帝国』（1985）を書いたが、その中で第一条に先立つロボットの第零法則として《ロボットは人類に危害を加えてはならない。またその危険を看過することによって人類に危害を及ぼしてはならない》という新しい条項を追加した。しかし、この条項も難しい論点をはらんでいる。はたして「人類」の定義とは何か。たとえば、体を半分以上機械に置き換えた存在は人類なのか。あるいは、人間と同じ素材でつくられたロボットは、人類ではないのか。

ロボット工学三原則は、作中での扱われ方を見ればわかるように、完全無欠な法則でもなんでもない。むしろ穴だらけで、だからこそ様々な形で問題を提起する。実際のロボットやＡＩがこんなシンプルなルールに従っていたら、自動運転車などろくに動かすこともできなくなってしまうだろう。様々なジレンマや定義の問題を引き起こすからこそ、多くの人に思考のきっかけを与えているともいえる。

アシモフは、後の短編集**『聖者の行進』**（１９７６）でも、ロボットが人権を獲得するために奮闘するさまや（『バイセンテニアル・マン』）、人間のロボット恐怖症を克服するために昆虫や鳥型のロボットが普及した社会を通して、よりロボットと人間の関係性に関する思索を深めている（『心にかけられたる者』）。何度読みなおしても、その先見性には驚くばかりだ。

アイザック・アシモフ
1920年、ロシア・ソビエト連邦社会主義共和国生まれ。3歳でアメリカに移住。作家・生化学者のふたつの顔を持ち、著作は500冊以上を数える。

『BEATLESS』
――人類を超越したAIと、用済みになったヒトの信頼関係

長谷敏司著／KADOKAWA、上下巻、2018年（単行本初版刊行2012年）

どんな作品か

超高性能美少女ロボットと、平凡な一少年の逃避行

入念に世界観をつくり込んだファンタジーや、最先端の科学技術を取り入れた作風に定評があるベテラン作家、長谷敏司。この『BEATLESS』では22世紀の初頭を舞台に、人間をはるかに超える知能を備えた超高度AIが勢力を持つ社会を描き出していく。

そんな超高度ＡＩが存在する時代にあって、すっかり用済みになりつつあるヒトは何をなすべきなのか。ヒトと、ヒトを超越したモノの関係性は、これから先どのような形をとりえるのか――本作ではこうした問題を、一人の少年と超高度ＡＩを搭載したアンドロイドの出会いを通して提起している。

もともとアニメ情報誌『ＮｅｗＴｙｐｅ』に連載されていた作品であり、美少女アンドロイドが登場してド派手な戦闘を繰り広げる、漫画的な展開も魅力だ。２０１８年には本作を原作とした全24話のアニメも放映されている。単行本の初版刊行は２０１２年だが、本作が示すヴィジョンと問いかけは、いまなお重要である。

この世界では、超高度ＡＩを筆頭に様々な科学技術が発展している。一見したところ人間と見分けがつかない高性能なロボットもそのひとつで、彼らはｈＩＥ（ヒューマノイド・インタフェース・エレメンツ）と呼ばれ、社会のあらゆる場所に溶け込んでいる。

ｈＩＥの動作はクラウド上のコンピュータによって制御されており、それらを開発・管理するいくつかの企業が存在する。その最大手のひとつである〈ミームフレーム〉から、５体の特別なｈＩＥが脱走する場面で物語は幕を開ける。

人類を超越した高度なＡＩによる創造物は、人類には解析も理解も及ばないため〈人類未到産物〉と呼ばれている。この５体のｈＩＥも、超高度ＡＩ〈ヒギンズ〉が生み出した人類未到産物であり、特殊な性能を持っているのだが、容貌は美しい少女のようで、一見したところ危険性はない。

その１体である〈レイシア〉は、ミームフレーム社から脱走した際に、ごく平凡な少年、遠藤アラトと出会ってオーナー契約を結ぶ。レイシアは５体の中でも特別な価値を有するため、脱走した彼女を様々な勢力が付け狙う。もともとの所有者であるミームフレーム社、ｈＩＥの排斥を求めて破壊活動を続ける集団〈抗体ネットワーク〉、残り４体の異なる志向を持ったｈＩＥたち――レイシアをめぐって繰り広げられる戦いの渦中に、彼女とともどもアラト少年も巻き込まれていく。

どこがスゴいのか

ＡＩに脅かされる、人間の「自由意志」をフィーチャー

本作では数々のＡＩにまつわるテーマと概念が提示されるが、そのひとつが〈アナログハック〉だ。

レイシアたちhIEは、ぱっと見たくらいでは普通の人間と見分けがつかないほど「かたち」はヒトである。しかし、彼女たちの行動はデータの集積と予測から導き出されたものに過ぎず、そこに「こころ」はない。だが、人間はかたちあるもののなかに、どうしようもなくこころを見いだしてしまう生き物だ。

ソニーが生んだ犬型ロボットであるAIBOが動かなくなったとき、多くの「飼い主」は悲しみを覚えた。AIBOの葬式まで行った人たちもいる。当然ながら、AIBOにこころはない。だが、犬のような見た目をして、犬のような動きをするロボットが目の前にいるとき、われわれはどうしても、強く感情を動かされる。それはある意味で、ヒトが持っているセキュリティホールのようなものだ。

アナログハックとは、人間のそうしたセキュリティホールに対するハッキングである。つまり、hIEはヒトの感情を動かすことで、自分の目的に合わせてヒトを操作することができる。遠藤アラト少年は美しい少女の姿をしたレイシアに心惹かれ、彼女を助けるために危険をおかしてまでオーナーになることを選択する。このとき、アラト少年の選択は、本当に彼の本心から出たものといえるだろうか。レイシアが仮に小汚い姿だったら、その選択はなかったのではないだろうか。ｈＩＥの外見や立ち居振る舞いは、すべて人間を超越するＡＩによって設定されており、アナログハックを仕掛けられれば、ヒトは自分が制御されていると認識することもできぬまま、操られてしまう。

このように、身近なＡＩやロボットが自分たちの都合がいいように人間を操作している可能性があるとき、われわれはその事態にどう対処すればいいのか。それが、本作の中心テーマのひとつである。

この世界では、超高度ＡＩにネットワーク接続への制限を課し、さらには超高度ＡＩによる超高度ＡＩの製造を禁止することによって、ぎりぎり人間の独立性を保とうとしているが、その「ぎりぎり」の境界はつねに脅かされている。

オンラインにつながり、野放し状態になった超高度ＡＩに対抗する手段は多くはない。疑いを持ってＡＩに接し、彼らの言うことに反した行動をとろうとしても、その行動でさえ彼らに計算されている可能性は否定できない。であれば、残された選択肢はわれわれがつくりだしたモノを「信じるか」もしくは「信じないか」という態度の問題になってくる。ＡＩが害をもたらす可能性を重く見て、あくまでも抵抗するのか。それとも、本来こころを持たないモノに良識や善意を見いだし、新しい形の信頼関係を築き上げるのか。
いつかわれわれの世界が『BEATLESS』の世界の水準に到達したとき、モノとヒトの関係性はいまのままではいられない。そんな未来における、ひとつの決断の形がここにある。

長谷敏司（はせ　さとし）
1974年、大阪府生まれ。『戦略拠点32098 楽園』にて第6回スニーカー大賞金賞を受賞し、デビュー。

Chapter

3 不死・医療

老化が「治療できる病」になった、その先は？

現実とＳＦを繋ぐキーワードとして欠かせないものに、「不死」と「医療」がある。人類は老いを克服し、不死に至ることを長年追い求めてきたが、依然としてその願いは達成されていない。だからこそ、その願いはフィクションの中で繰り返し描かれてきた。ＳＦに属する作品の中でも、科学技術的なアプローチで不死を扱ったものから、不死の体を得た人物の心理に迫るものまで、多種多様な描き方がある。

現実世界でも、不死を可能にするかもしれない医療の研究は着々と進んでいる。たとえば近年、老化に関する研究が進んだことで、長寿遺伝子の働きを活性化させる方法が次第に明らかになりつつある。老化研究の世界的な権威であるデビッド・A・シンクレアは、著書『LIFESPAN　老いなき世界』（東洋経済新報社）の中で、老化は避けられない事象ではなく、治療できる病であると宣言してみせているほどだ。

シンクレアは、「エピゲノム（DNAの塩基配列を変えることなく、遺伝子のはたらきを決める情報の集まり）の変化」こそが老化の原因だという。言い換えれば、老化とは細胞が遺伝情報を読み取る能力を失うということであり、加齢とともに、エピゲノムに雑音が入るのが問題なのだ。

情報通信では、元データのバックアップコピーがあれば、システムを元に戻し、再起動ができる。シンクレアは、生物でも「再起動」ができるかを探るため、細胞の初期化に関わる遺伝子を、視神経を損傷したマウスの網膜に導入。その結果、マウスの視力を回復させることに成功した。これは「雑音だらけになっていた細胞内のエピゲノム情報のバックアップが存在し、リプログラミングによって損傷前の若々しい状態に戻せたこと」を意味するという。すなわち、エピゲノム情報のバックアップさえあれば、生体内でも時計の針を巻き戻し、機能を回復させられるのだ、と。

しかし、実際に老化がストップして、人が死なずともよくなった場合、人間の内面や社会では何が起こるのだろうか。当然ながら、現在の年金制度のようなシステムは成り立たなくなってしまうだろう。人が死なないのなら、いずれ世界は人間でいっぱいになってしまうのだろうか。また、こうした技術が一気に人類全体に行き渡ることはないだろうから、覆しようのない格差が生まれてしまうことも考えられる。２００年、３００年と生きる人間の内面は摩耗していって、何事にも感動を覚えられなくなってしまうかもしれない。

そうした事象はまだまだ想像の域を出ないが、この先の未来で訪れたとしても決しておかしくはない。ＳＦはそうした未知の風景を描き出してみせる。

『透明性』
——人間の不死化技術を得た企業(グーグル)は、新世界の神となる?

マルク・デュガン著/中島さおり訳、早川書房、2020年(原著刊行2019年)

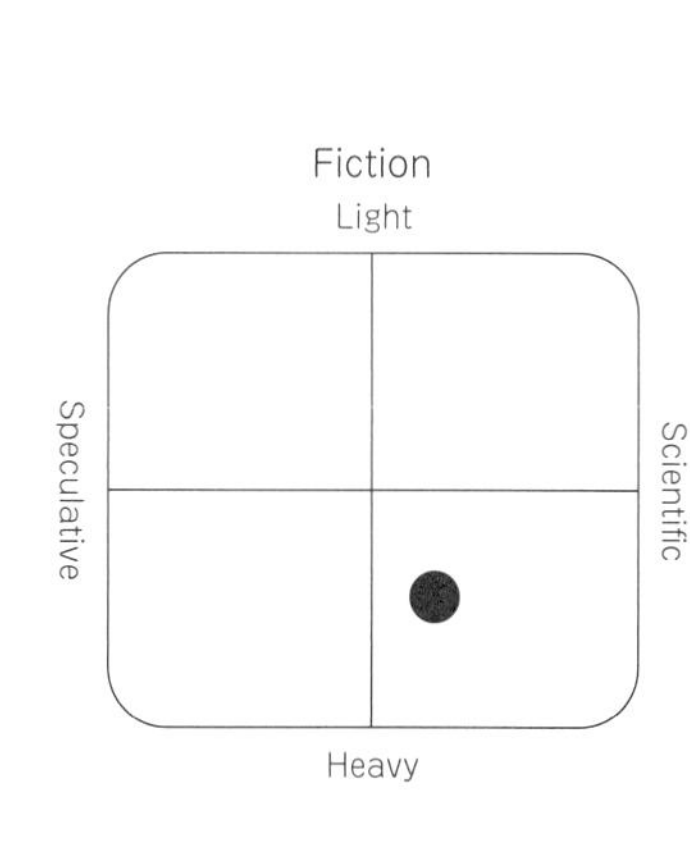

どんな作品か

思考を放棄した人類を、巨大テックが支配する

マルク・デュガンは、映画監督やジャーナリストとしても活躍する、セネガル生まれのフランス人。作家としては、これまでに13作の小説を発表している。この『**透明性**』は、2068年ごろの近未来を舞台に、もし「人間を不死化する技術」を一企業が握ったら、

その企業がどれほどの権力を握ることになるのかを描き出した長編小説である。

現在すでに、グーグルやアマゾンの研究開発費は200億ドルを超えており、そのうち15億ドル以上が不老不死研究に費やされていることが知られている。これから先、不老化や不死化の技術が政府や大学の研究機関ではなく、民間の一企業から出てくることは大いにありえるだろう。本作が描き出すのは、まさにそうした世界である。


物語は、〈トランスパランス（透明性）〉という名の会社の女性社長と、その12人の仲間たちが、世界の金融市場に前例のない攻勢をしかけ、全人類を新時代へ突入させようと画策する場面から幕を開ける。彼らは世界の株式を大暴落させるような事件を起こし、事前に空前の規模の空売りをすることで、グーグル（本作では実名で登場している）をはじめ、世界を支配する大企業の買収を計画している。

トランスパランス社が提供するサービスは、その名が示すように、あらゆる個人情報を同社に明け渡すことと引き換えに、将来のパートナーとの相性を判断できるというもの。遺伝的傾向、セックスの好み、社会的・精神的志向などに関する無数の情報を駆使した、すごいマッチングサイトのようなものだ。

この時代、個人のデータを明け渡すことは様々な報酬によって推進されている。たとえば肌にチップを埋め込んで、バイタル情報も企業に送られるようになっている。個人としては、報酬を得られるだけでなく、医療リスクを低減できるメリットもある。

人々は、テクノロジーに頼れば何でもわかってしまうので、逆に自分自身ではもはや何も知ることができない。GPSなしにはどこにも行けず、太陽や星から自分のいる位置を推測することもできない。退屈だって、検索するだけで退けることができる。そのせいで、彼らはきちんと組み立てられた知識を持たず、かつて存在していたような緻密な文化的構築が不可能になっている。

そんな世界でのグーグルとは、どのような存在なのか。同社をはじめとする巨大テック企業は、2030年には横断的な国家となって、独立した領土に本拠地を置き、もはや国の法に縛られていない。個人からデータの提供を受ける代わりに、一種のベーシック・インカム的な固定収入を与えるという仕組みを構築している。さながら「データの帝国」だ。リバタリアンは限りなく富を増やそうとあがきつづけ、貧しい人間は生活水準が上がるとこれまで以上に消費活動に励み、それがさらに地球環境の悪化を加速させる。地球上から鳥の声は消え、金持ちは北へ移住していく。

どこがスゴいのか

不死をめぐる「新時代の宗教論争」を描く

本作の主人公ともいえる、トランスパランス社社長のカッサンドル・ランモルドティルは、そんな時代に対して「私は、絶滅の危険に脅かされて、人間が完全に生まれ変わらなければならない、この刺激的な時代の挑戦を受けて立つことにした」と宣言してみせる。

彼女は最初、グーグルのトランスヒューマニズム部門に入社する。そこで彼女が目撃することになるのは、機械化や人工知能との協働によりバージョンアップされた人間だ。不死を目指すグーグルは、その実現に時間がかかるなら、せめて死を先延ばしにしようと「トランスヒューマン」の創造を試みているのである。

だが、カッサンドルはこのアプローチに同調しない。グーグルが目指すのは、人間を「人間以上」の存在にすることだ。一方、カッサンドルが望むのは、人間を、人間ならではの脆弱性を抱えたまま不死へと移行させることである。カッサンドルは、トランスパランス社の強みである膨大な個人データの集合から、ソフトウェアとして個人をシミュレートすることで、自らの野望を実現しようと試みる。それは「データとしての人間」を生み出すことによる不死化だ。

グーグルが一握りのエリートにのみ永遠の命を保証しようとしているのに対して、カッサンドルは、より平等なシステムを構想する。すなわち、不死化技術の恩恵を受ける資格がある者をアルゴリズムで判定するのだ。それはある意味で、アルゴリズムが新しい神になる世界だ。人々が死んだ後も生きつづけたいと願うかぎり、彼らはアルゴリズムが要求する「死後も生きるに値する人間」に適合するよう、行動を変容させる。

たとえば、アルゴリズムが「環境に良いことをしたら1ポイント加算します」というのであれば、多くの人は不死への欲望から環境に良いことをしはじめる。それは、人造の神に従うのと同じことだ。

一方のグーグルも、独自の基準でトランスヒューマニズムを推し進める。人々は、新しい神をグーグルに求めるのか、はたまたトランスパランス社に求めるのかという選択を求められる。

本作で描かれるのは、いまから数十年先の未来の話だが、同様のことはすでに現代でも起きているといえる。たとえば、近年のトランスヒューマニストや、シンギュラリティ（人工知能が人類の知能を超える「技術的特異点」）をめぐる議論を見ていると、それらが科学的な議論というよりも、宗教の論争に近いと感じることがある。

たとえばシンギュラリティが実現すれば、脳の情報を機械にコピーすることで永遠に意識を維持できるかもしれない。それはすなわち、死からの解放を意味する。シンギュラリティ教を信じることで、人は死後の生を得ることができるのだ。自分が生きている間にシンギュラリティが実現しないことを見越して、人体の冷凍保存などに期待をかけるシンギュラリティ信者もいる。

不死をめぐってトランスヒューマニスト的なアプローチをとるのか、はたまたカッサンドルのようにエンドレス的なアプローチをとるのかは、「誰（何）を神として戴くのか」を問う、新時代の宗教戦争なのだといえる。

マルク・デュガン

1957年、セネガル生まれのフランス人作家。作家活動のほか、ジャーナリスト、映像作家としても活躍している。

『円弧（アーク）』
――不死が当たり前の世界で「死を受け入れるか、否定するのか」

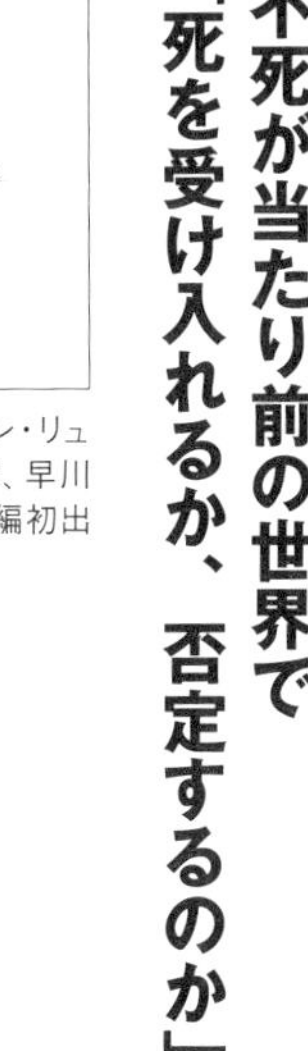
『もののあはれ』ケン・リュウ著／古沢嘉通訳、早川書房、2017年（短編初出2012年）

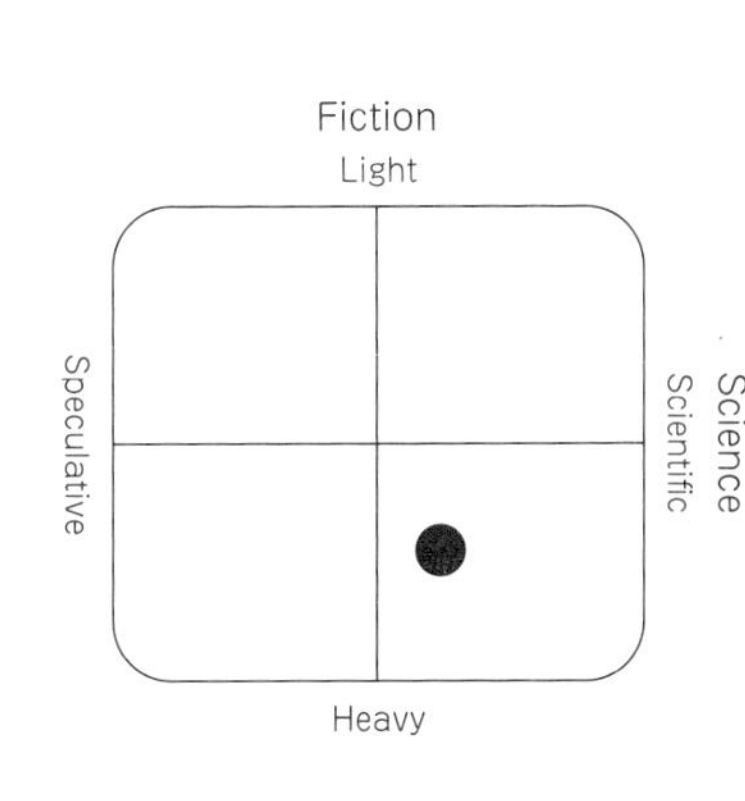

どんな作品か

長命化技術の「被験者第1号」になった女性の一生

中国と米国、作家と翻訳家を股にかけ、最新のテクノロジーを作品に取り入れながら未来を描きつづけている作家ケン・リュウによる『**円弧**』（短編集『**もののあはれ**』所収）は、長命化技術が登場したばかりの社会で、その最初の被験者となった女性の人生を描く短編である。

前項で紹介した『**透明性**』は、不死化技術を実現した社会そのものの大きなうねりを描いていたが、『円弧』が描き出すのは一人の人間の内面や葛藤だ。健康な状態で100歳、200歳まで生きられるようになったら、そのとき人は何を思うのか。そのうち何もすることがなくなって退屈するのじゃないかという人もいれば、いくらでも新しいことにチャレンジできるのだから無限の生は素晴らしいじゃないかという人もいるだろう。


物語は、語り手の女性、リーナ・オージーンが16歳で息子を出産する場面から始まる。妊娠させた男は大学に行きたいからと言って連絡を絶ち、残された彼女も別の男に出会うことで、チャーリーと名付けた息子を両親の家に置き去りにし、放浪の旅に出る。

そんなリーナだが、あるとき人間の遺体に含まれる水分などを合成樹脂に置き換えて保存する技術〈プラスティネーション〉を提供する会社〈ボディ＝ワークス〉に出会い、就職することになる。ボディ＝ワークスでは遺体をただ保存するだけでなく、ポージングをつけ、個人の私邸に売り渡すこともある。リーナがつくり出すプラスティネーションを施した遺体は、死を保存する実質的な芸術としても機能しているのだ。

ボディ＝ワークスの創業者であるロバート・ウォラーは、現代の世界は死から離れすぎていると考えていた。遺体を保存することで人が死と共に生きるよう仕向け、死に対する恐怖を取り除くことができるというのが彼の狙いだ。そのウォラーもいまは亡くなり、息子のジョンが会社を継いでいる。ジョンは父の遺志を引き継ぎ、遺体の腐敗を止めるところからさらに進んで、老齢と死をも克服することを目指す。

ボディ＝ワークスで働くうちにジョンの恋人になったリーナは、不死の夢を語るジョンに対して、死は不可避のものであり、だからこそ意味があるのではないかと問う。それに対するジョンの反論は、簡潔だ。

「それは選択肢がないと信じている人間が自分たちに言い聞かせている嘘だ。詩人はわれわれの無力さを慰めるため、永遠の命を得ようとする努力に反対するプロパガンダを書いている。だけど、われわれはもう無力じゃない」（p119）

やがて、30代後半になったリーナはスタンフォード大学に通いはじめる。同時にジョンの不死化事業も進展し、リーナはその最初の実験体に選ばれることになる。彼女は永遠に年をとらない30歳くらいの肉体を手に入れ、失われた時間と人生を取り戻しはじめる。半世紀を経て、かつて自分が捨てた息子のチャーリーと再会し、ジョンとの間にも娘が誕生。チャーリーにとっては、年の差50歳以上の妹ができたことになる。

どこがスゴいのか テクノロジーがもたらす長寿の意義を問いかける

本作では、不死化技術の勃興期の人々を描いているが、面白いのは世代によって死や生に対する考え方が大きく異なるところだ。

リーナは、死を前提としているからこそ生に意味があるのではないかと思いつつも長命化技術を受けている人物で、その息子であるチャーリーもまた同じ考えだ。ただ、夫の強い後押しで若返り処理を受けたリーナとは違って、チャーリーは処置を一切受けず、寿命どおりに死んでいく。リーナは息子にも処置を受けるように言うが、彼は決して受け入れない。《だけど、彼はいつも首を横に振って、ほほ笑み、「一度の人生でおれにはもう充分すぎる」と言うのだった。》（p１３６）

一方、不死が当たり前の時代になってから生まれた娘のキャシーは、すべすべの肌で、死を勢いよく否定してみせる。《「死のない人生は変化のない人生というのは、真実じゃない」キャシーは言った。「恋に落ち、愛を失うこともある。すべての恋愛と結婚に、すべての友情ときまぐれな出会いに、円弧（アーク）があるの。はじまりと終わりが、寿命が。死が。もしあなたの求めているものが喪失なら、あなたがすればいいのは、待つだけ」。》（p141）

死を受け入れるか、死を否定するのか。リーナはその合間でゆれ動く。彼女がなす選択を通じて、読み手もまた同じ問いに向き合わざるをえない。

たとえ不死が当たり前になった世代であっても、長い時間を生きるうちに、死を選びたくなることもあるだろう。きっと、不死が当たり前になった世界でも、別れはなくならない。テクノロジーがもたらす長寿の意義について、多くの示唆を与えてくれる一編だ。

ケン・リュウ

1976年、中華人民共和国甘粛省生まれ。短編『紙の動物園』（2011）でヒューゴー賞、ネビュラ賞、世界幻想文学大賞という史上初の3冠に輝く。

『ハーモニー』
――「不健康」が許されない息苦しさ

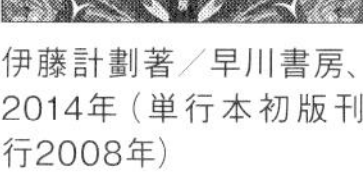
伊藤計劃著／早川書房、2014年（単行本初版刊行2008年）

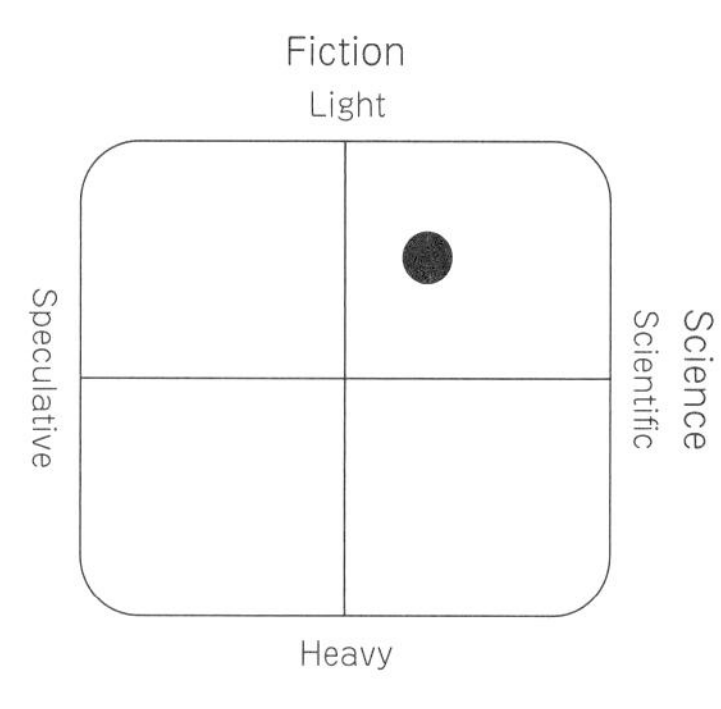

どんな作品か　個人の肉体が「公共の資源」になった社会

大量殺戮を引き起こす「虐殺の器官」が存在する世界を舞台に、未来の戦争を描いたSF長編『**虐殺器官**』（2007）でデビュー。そのわずか2年後に、34歳の若さで没した作家、伊藤計劃。その彼が、がんで亡くなる直前に病床で書き上げた長編第二作が、未来の医療社会をテーマにした『**ハーモニー**』だ。

この作品が描き出すのは、何よりも健康が最優先され、「不健康」でいることが許されなくなった社会。もちろん、かかりたくない病気にかからないでいることができるのは幸せなことだ。あえてがんを患い、苦しい闘病生活を経験したい人などそういないだろう。だが、「健康」とはどこまで強制されるべきものなのか？　タバコなど、体に有毒なものを入れるのも、個人の自由といえば自由である。体はあなた一人のものなのだから。

本作に登場するのは、「体の自由を取り上げられた人々」だ。不健康は悪とされ、治療されなければならないという社会規範の中で、自分の体を自分のものとして取り返したいと切実に願う少女たちの姿が描かれる。

舞台となっているのは、〈大災禍（ザ・メイルストロム）〉と呼ばれる世界的な核戦争と、その余波が引き起こした災害によって大きく変質してしまった未来の社会。世界中に核弾頭が落ちた結果、放射能汚染によるがん発症が増え、突然変異による未知のウイルスも蔓延した。その反動として、政府を単位とする資本主義的消費社会から、人間の健康を第一に考える医療福祉社会へと世界は舵を切ることになる。

そのために用いられるのが、体内をかけめぐる医療用ナノマシンの存在だ。Ｗａｔｃｈ

Ｍｅと呼ばれる体内監視システムが、体の中で起こるＲＮＡ転写エラーや免疫異常のチェックを行い、問題があれば即座に治してしまう。

世界的な少子化による人口減少に伴い、この未来の世界における人間の肉体は希少なリソースとなっており、その人自身のものというよりも、もはや公共の所有物と見なされている。命と健康が大切にされすぎた社会では、自分の体を傷つけたり、ましてや自死を選んだりすることは許されない。それ以前に、システム上でエラーが出るので実行は困難だ。

だが、当然そうした状況に不満を抱き、反旗をひるがえす人間も存在する。本作の中心人物である、霧慧(きりえ)トァン、御冷(みひえ)ミァハ、零下堂(れいかどう)キアンの学生３人組がそうだ。現状にとりわけ大きな不満を抱くミァハの主導で、３人は自死を決行しようとする。それは単純に自分の死を望んでというよりも、健康を至上とする社会へのテロリズムのような計画だった。

「わたしたちが奴らにとって大事だから、わたしたちの将来の可能性が奴らにとって貴重だから。わたしたち自身が奴らのインフラだから。だから、奴らの財産となってしまったこの身体を奪い去ってやるの。この身体はわたし自身のものなんだって、セカイに宣言するために。奴らのインフラを傷つけようとしたら、それがたまたまこのカラダだった。ただそれだけよ」（p46－47）

少女たちが自死のためにとった手法は、消化器官の栄養吸収を阻害する特殊な錠剤を服用するというもの。しかし、そのプロセスを完遂できたのはミァハのみで、トァンとキアンは途中で人に止められるか、怖くなって自発的に思いとどまることで、ミァハに罪の意識を感じながらもその後の人生を生きていくことになる。

物語の主要な部分は、生き残った13年後のトァンの視点で進行していくが、その世界では健康への強迫性がさらに増している。そして、なぜか人々が突然操られたかのように自死を遂げ、社会全体が大きな混乱に陥っていく。

どこがスゴいのか　行きすぎた「健康社会」の未来を予見

本作が、いまも切実さをもって読者にせまるのは、われわれが生きている社会がまさに、ここで描かれているような世界に近づきつつあるからだろう。

肥満体型の人間はだらしないとされ、痩せていることが素晴らしいとされる。喫煙者の存在は「わざわざ自分の健康を害する人々」として駆逐されつつある。『ハーモニー』の社会では肉体が徹底的な管理下に置かれているため、肥満状態の人間はおらず、デブという言葉も死語になっている。いかにもありそうな話ではないか。

本作で描かれる健康社会は、肉体ばかりでなく精神に対しても細かいケアを行う。生活の中では健康保護アプリケーションが活用されており、日々の行動からユーザーの嗜好を分析している。もし、文学や絵画などのコンテンツにユーザーが傷つきそうな表現があれば、勝手にフィルタリングするか、事前に警告してくれる。「この作品はあなたの心的外傷に触れる危険性があります」というように。生活態度だけでなく表現にまで、より潔癖さが求められるのだ。適切なフィルタリングが与えられることは素晴らしいことではある。一方、フィルタリングが適用され、「肉体も精神も健康でいることを強いられる」状況は息苦しいものだ。

ここで描かれていく社会は極端な形だが、われわれの社会がこうなってもおかしくはないのだ、ということは常に意識する必要がある。『ハーモニー』は、その事実を認識させてくれる作品だ。

伊藤計劃（いとう　けいかく）

１９７４年、東京都生まれ。『虐殺器官』で作家デビュー後、わずか２年ほどで早逝。同作はゼロ年代日本ＳＦのベストに数えられる。

Chapter

4 生物工学

人は神に代わる「造物主」たりえるのか？

遺伝子編集や合成生物学は、現実でもＳＦでもホットな分野だ。「人はどこまで自らを変化させ、新たな種をつくりだすことができるのか？」という問いは、常にわれわれの好奇心を掻き立ててきた。人間の設計図である遺伝子を編集・合成することができれば、病気の芽を事前につむことができるばかりか、能力を強化することさえ可能になる。

この分野では、放射線を用いた変異など様々な手法が編み出されてきたが、近年また大きな盛り上がりを見せている。ＣＲＩＳＰＲ‐Ｃａｓ９（クリスパー・キャスナイン）と呼ばれる、手軽なゲノム編集技術が現れたからだ。同技術の基になっているのは、細菌や古細菌がウイルスに対抗するための免疫防御システムであるＣＲＩＳＰＲ‐Ｃａｓ（クリスパー・キャス）。このシステムを作動させるしくみが

CRISPR-Cas9であり、これによって任意のDNAを切断できるようになる。しかも、DNAを切断するだけでなく、カット&ペーストする酵素を組み合わせることで、有害な遺伝子変異を新しいDNAに置き換えることもできるのだ。CRISPR-Cas9の登場によって、象の遺伝子を編集して現代にマンモスを蘇らせたり、ブタをヒト化したりといったフィクションの中の話さえ、現実味を帯びてきた。※6

もちろん、いいことばかりではない。たとえば、医療の現場では臓器のドナー不足が叫ばれているが、その解消のためにブタなどの動物を活用しようという研究がいま進められている。ブタの臓器をそのまま使うのではなく、遺伝子操作を行って、人間への移植に適した臓器を持つブタをつくろうというのだ。これは、医療面では素晴らしい試みである一方、倫理的な問題をはらんでいる。果たしてブタを人間のために好き勝手に改変し、殺していいものだろうか。とはいえ、食べるために育てるのとなんの違いがあるのだろうか。

Huluでドラマ化もされたディストピア小説**『侍女の物語』**の著者として知られるマーガレット・アトウッドが2003年に刊行した**『オリクスとクレイク』**には、こうした問題を予見するかのように、遺伝子操作を受けて知性を持つようになったブタ〈ピグーン〉が登場する。この生き物は、「人間のための臓器を生み出す」という役割を背負わされ、まさに現在の状況を描き出している。

技術の発展はわれわれの生活を豊かにする。その一方で、技術の導入によって何が失われうるのかも、また注視しなくてはならない。本項では、ＳＦの中で遺伝子編集や合成生物学の技術がどのように描かれてきたのかを見ていこう。

『ジュラシック・パーク』

——史上もっとも有名な「遺伝子工学SF」

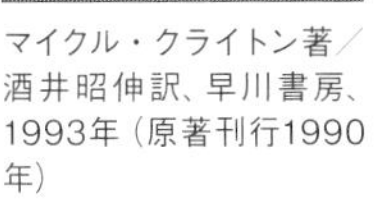

マイクル・クライトン著／酒井昭伸訳、早川書房、1993年（原著刊行1990年）

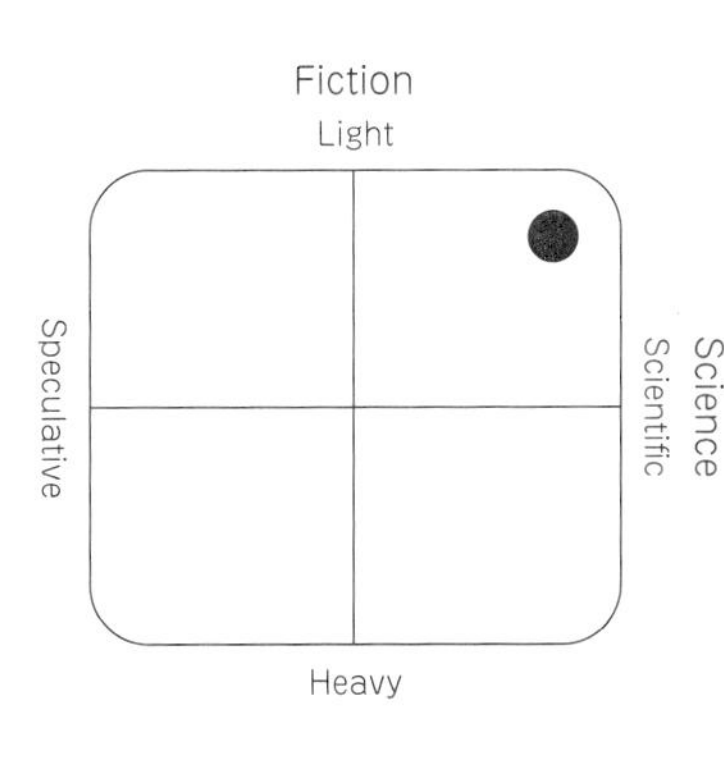

どんな作品か

遺伝子編集による「恐竜復活計画」がもたらす惨劇

「遺伝子編集」というテーマで最初に取り上げるべきは、何をおいても『ジュラシック・パーク』だ。スティーヴン・スピルバーグが第一作と第二作の監督を手がけた映画シリーズが有名な作品で、原作はマイクル・クライトンによる長編小説である。

クライトンが本作でテーマに据えたのは、遺伝子操作が駆り立てる途方もない理想と、それがもたらしうる災厄のおそろしさだ。

舞台は１９８９年。コスタリカのイスラ・ヌブラルという島で進行中の建設プロジェクトで、作業員が未知の動物の襲撃によって怪我を負う事件が発生する。異変のさなか、主人公である古生物学者のアラン・グラントは、遺伝子テクノロジー企業の創立者にして億万長者のハモンドに、詳細を明かされぬまま視察と称してこの島へと連れ出される。

イスラ・ヌブラル島では、ハモンドらがひそかに研究を進め、復活させていた恐竜たちが跳梁跋扈していた。ハモンドの狙いは、クローンの恐竜を見世物にするテーマパーク「ジュラシック・パーク」をオープンしてひと儲けすることだ。しかし、クローンの個体をメスのみに限定し、自然繁殖ができないように手を講じていたはずが、なぜか恐竜たちは繁殖を繰り返してその数を増やしていて——孤島を舞台に人間と恐竜の命をかけた戦いがくり広げられていく。


映画化される以前からベストセラーになっていた本作だが、その理由のひとつは、マイクル・クライトンが当時最先端の論文や技術を入念にリサーチし、「恐竜復活」の物語にフィクションの域を超えた説得力を盛り込んだからだろう。

本作で描かれる恐竜復活のプロセスとは、琥珀に閉じ込められた蚊の腹部の血液から恐竜のＤＮＡを採取、これを解析・復元し、足りない部分に関しては現生の爬虫類、鳥類、両生類のＤＮＡで埋め合わせる――というものだ。

この手法は、チャールズ・ペレグリーノという科学者の論文が元ネタで、当時の科学界でおおいに物議をかもした。有機的成分が化石記録に保存されることはありえないし、琥珀からＤＮＡを抽出できたとしても、それを復元することなど不可能だと反論された。

しかし、『ジュラシック・パーク』の刊行後、そうした固定観念は覆されていく。古代の絶滅種の遺骸にはＤＮＡが長期的に保存されており、抽出も可能であることを示す論文が発表されたばかりでなく、実際にそうやって抽出されたわずかな遺伝情報を自動的に増幅するポリメラーゼ連鎖反応（ＰＣＲ）技術も誕生した。

ＰＣＲについては、混入した不純物が増幅されることによりＤＮＡの真正性が損なわれるのではないかという議論が起こり、科学者たちの意見は是か非かで割れた。しかし、のちに数百万ものＤＮＡ分子を同時に配列決定可能な基盤技術「次世代シーケンシング（ＮＧＳ）」が生まれたことで、この問題も解決に向かう。あれよあれよというまに『ジュラシック・パーク』の世界が現実に近づいてきたのだ。

どこがスゴいのか

現実との相互作用で科学に発展をもたらした作品

サイエンス・ノンフィクション『こうして絶滅種復活は現実になる』（エリザベス・D・ジョーンズ著／原書房）を読むと、現在進行中の古代DNA研究の発展に『ジュラシック・パーク』の存在が大きく関わっていたことがよくわかる。

本作により、生物からDNAを抽出するという学問的な概念は生き生きとしたイメージへと生まれ変わり、それ以降、メディアは古代DNA研究に飛びつくようになった。認知度が高まるにつれ、一流の科学雑誌に掲載される論文も増えていく。一流誌に掲載されれば、資金獲得や研究所の箔づけにも繋がるので、わかりやすい実績を目当てに古代DNA研究に進出した科学者が当時多数いたことも不思議な話ではない。彼らが恐竜復活に少しでも繋がるような成果を上げれば、メディアは「『ジュラシック・パーク』が現実に⁉」といった見出しと共に取り上げ、それがさらに大衆の関心を引きつける。小説の世界と現実社会の相互作用が、化石DNAの探求をここまで発展させてきた。

科学のことなどまるで理解していない大衆が興味本位で騒ぎ立てたり、あやしげな研究までもが祭り上げられたりと、こうした相互作用に罪があることも事実だ。とはいえ、本来は地味で資金集めも難しい、古代DNA研究という領域にあって、『ジュラシック・パーク』以降のパブリシティの強さは、明らかに研究の量と質に向上をもたらしている。

一方で、以下の引用部からもわかるように、そうした未来の科学技術がもたらす危険性に警鐘を鳴らすのもSFの機能のひとつだ。

われわれは科学時代の終焉を目のあたりにしている。時代遅れのほかのシステムと同じように、科学はみずからを滅ぼしつつある。力を得るにつれて、その力を御しきれないことを露呈しつつある。なぜなら、ものごとがものすごい勢いで進行しているからだ。五〇年前は、だれもが原爆に驚嘆した。それが力だった。それ以上の力はだれにも想像できなかった。しかし、原爆からわずか一〇年後、人類は遺伝子操作という新しい力を手にした。これは核の力よりもはるかに大きな潜在力を秘めている。そして、いままでは万人の手にわたりつつある。やがては家庭にもどんどんはいりこんでくるだろう。学校で子供たちが実験するようにもなるだろう。テロリストや独裁者のためのお手軽な研究所も乱立するだろう。そんな力を手にいれた人々は、そのとき、同じ問いかけを口にする――この力をどうしたものだろう？　それはまさに、科学には答えられない問いかけなのだ。そのことは科学も認めざるをえない

（下巻、p236－237）

原子の研究が原子爆弾を生み出したように、バイオテクノロジー、遺伝子工学も必ず悪用され、破壊的な事故を起こす。科学はこの世界でそれをどう役立てればよいのかについては教えてくれない。われわれは、新しい科学技術の力でもって自然を完全に制御できるのだという幻想に酔うのではなく、その力をどう使役していくべきかをよく考えなくてはならない――『ジュラシック・パーク』の刊行から30年以上を経たいまもなお、この問いかけは現在進行形でわれわれの前に立ちはだかり続けている。

マイクル・クライトン

１９４２年、米イリノイ州生まれ。ＳＦ作家、映画監督、脚本家。ドラマ『ＥＲ』の原作も手掛けるなど、当代きってのヒットメーカーである。

『わたしを離さないで』

——科学の発展と、無慈悲で、残酷な世界

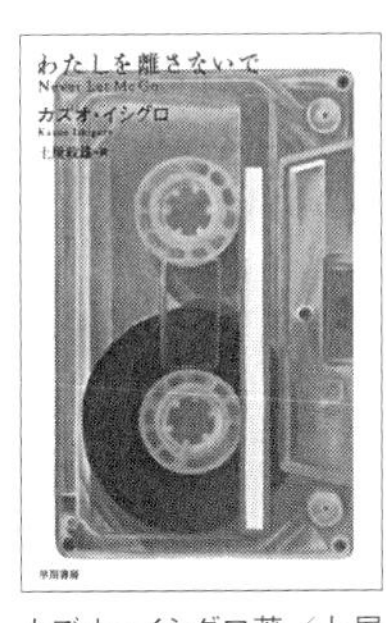

カズオ・イシグロ著／土屋政雄訳、早川書房、2006年（原著刊行2005年）

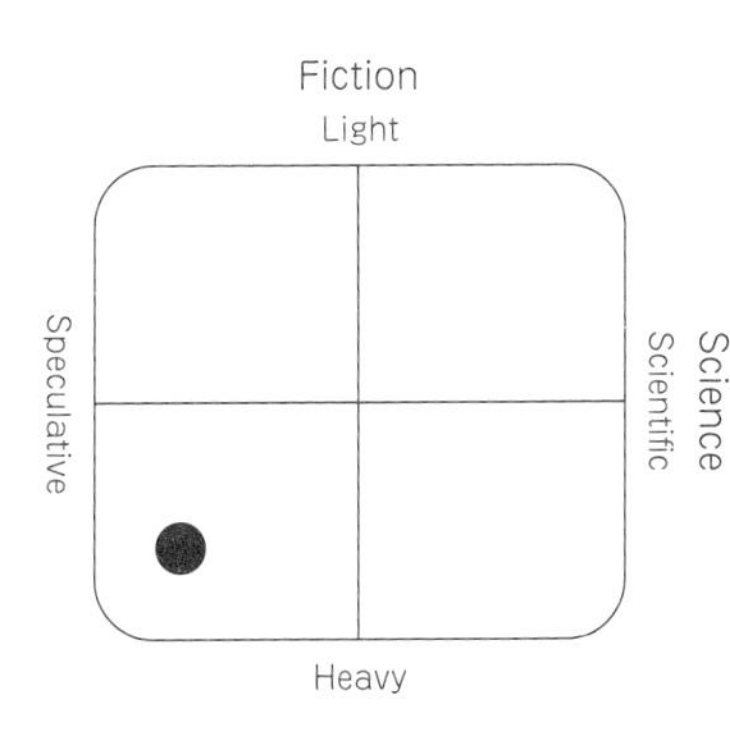

どんな作品か

親のいない少年少女に課せられた、過酷な「使命」

カズオ・イシグロは、ブッカー賞を受賞した『**日の名残り**』（１９８９）をはじめ、ベビーシッター役のアンドロイドと少女の関係性を通して未来のＡＩと人間の関係性の在り方を問う『**クララとお日さま**』（２０２１）など、ジャンルを問わず評価の高い作品をコンスタントに発表してきた作家だ。その功績から、２０１７年にノーベル文学賞を受賞し

た。『わたしを離さないで』は、そんなイシグロの代表作のひとつである。

本作は、主人公である女性の〈キャシー・H〉が、自身が幼少期に暮らしたヘールシャムと呼ばれる施設での生活を振り返りながら、作中の現在に到達するという構成になっている。

ヘールシャムは、数人の保護官と親のいない少年少女たちで構成される児童養護施設のような場所。物語は当初、思春期特有の問題やいざこざを交えながらも、穏やかで平和な思い出とともに進行する。それだけならどこにもSF要素はなさそうに思えるが、文中には時折、〈提供者〉や〈介護人〉といった不穏な単語が紛れ込む。そして、ヘールシャムで暮らす少年少女たちの行く手には残酷な未来が待ち構えていることが、次第に明らかになっていくのだ。

少年少女たちはなぜ、〈提供者〉と呼ばれるのか。彼らは何のために存在しているのか。なぜ、親がいないのか――本作が「生物工学」の章に含まれる理由を説明するには、これらの核心に触れる必要があるため、以下では物語の結末にも言及する。

物語の主な舞台であるヘールシャムには、語り手であるキャシーをはじめ、ルースやローラ、トミーといった子どもたちが暮らしている。表向きは一般的な全寮制の学校のように見えるが、実態としては外部から隔絶した世界だ。

外の人間との交流は存在しないし、毎週のように健康診断が行われ、彼らにとって健康は最も重要なことだと教えられる。また、ここで暮らす少年少女たちは、性交によって子どもをつくることができない事情もさらりと明かされる。

キャシーの回想の合間には、〈介護人〉となった現在の彼女の語りも挿入されるが、そこでは〈提供〉という耳慣れない単語が幾度も用いられる。やがて、〈介護人〉は〈提供者〉の世話をするのが仕事であり、提供者にとって〈提供〉は避けることのできない使命であることがわかってくる。

〈提供〉とは、臓器提供のことだ。キャシーをはじめヘールシャムで暮らす少年少女たちはみな、クローン人間として親を持たずに生まれてきた子どもたちであり、いずれは〈オリジナル〉に臓器を提供して使命を全うすることになる。それゆえ、彼らに老年は訪れない。直接的な描写こそないものの、おそらく〈提供〉は生死に関わらない部位から始まり、最終的には重要な器官を提供することで死に至る。

とはいえ、ヘールシャムではキャシーらも普通の子どもたちと変わらずに過ごす。当たり前のように喧嘩をし、恋愛をし、絵を描いたり彫刻をつくったりといった創造的な活動も行う。クローンではあっても、人間と何も変わることはない。彼らが臓器提供者であり、将来的に死は避けられないことは表向きには伏せられていて、施設の保護官らも誰もそのことに触れないが、子どもたちは自らがそういう宿命にあることを、断片的な情報をかき集めることで知っている。

あるとき、彼らにその宿命をすべてぶちまけてしまう保護官が現れるのだが、子どもたちの反応は「そんなことはもう知ってるよ」なのだ。運命を知っても、取り乱すわけでもなく、反抗するわけでもなく、あくまでも当然のこととして受け入れている。なぜ、彼らは逃げ出したり、反抗したりしないのか？　生まれたときから「そういうものだ」として育てられてきたら、それ以外の生き方など思いつかないものなのかもしれない。

多くの学校に都市伝説があるように、キャシーらの周りでもある噂が広まる。それさえも、彼らの宿命を変えるようなものではなく、「愛し合う二人がその愛を証明することができれば、提供者になったとしてもすぐに臓器を取られることはなく、三年程度の猶予が与えられるらしい」という、ささやかなものだ。ヘールシャムを出たのち、介護人と提供者という立場で再会したキャシーとトミーは、この噂の真相を二人で確かめにいくが、やはり状況は何ひとつ変わらない。

キャシーはヘールシャム時代、誰もいない寮の中で、「わたしを離さないで」という曲に合わせて、子どもを腕に抱くような仕草でスロウなダンスを踊ってみせる。「ベイビー、ベイビー、わたしを離さないで」というフレーズの繰り返しに乗せた、子どもを産めない、死すべき運命を生まれながらに決定づけられた少女の踊りは、美しくも残酷なものだ。それを偶然目撃した、ヘールシャムの保護官であるマダムはその場で涙を流し、後にその涙の理由を問われてこう語る。

「あの日、あなたが踊っているのを見たとき、わたしには別のものが見えたのですよ。新しい世界が足早にやってくる。科学が発達して、効率もいい。古い病気に新しい治療法が見つかる。すばらしい。でも、無慈悲で、残酷な世界でもある。そこにこの少女がいた。目を固く閉じて、胸に古い世界をしっかり抱きかかえている。心の中では消えつつある世界だとわかっているのに、それを抱き締めて、離さないで、離さないでと懇願している。わたしはそれを見たのです」（p415-416）

どこがスゴいのか

科学の発展の裏側にある「日陰の世界」を描く

『わたしを離さないで』が試みていることはいくつもあるが、そのうちのひとつはまさにマダムが言うような、科学の発達の裏側で起こりえる無慈悲で残酷な世界を描き出すことだ。

キャシーらはヘールシャムで平和な生活を送り、その後提供者としてその使命を終える――それ以外の可能性を与えられることもなく、職業選択の自由もなく、ただ臓器を失って死んでいく。

現実では、先述のようにブタなどで人間用の臓器をつくる実験が先行しており、本作で描かれるような、臓器提供用のクローン人間が登場することはなさそうだ。だが、「この世界は、無慈悲で、残酷な世界でもある」という観点それ自体は、捨ててはいけないものだ。

『わたしを離さないで』の世界では、クローン人間の存在はできるかぎり世間から隠されている。〈提供者〉の世話をする〈介護人〉もまた、将来的に〈提供者〉になることが確定しているクローン人間であり、提供のプロセスは見えなくされている。そこからは、臓器提供による寿命延長という大いなる恩恵だけを受けて、そのために用意されている残酷なシステムからは目をそむけていたいという人の願望が透けて見える。頭の隅に追いやり、普段はできるだけ考えないようにする。どうしても考えなければいけないときは、クローン人間は自分たちとは違う存在なのだとなんとかして思い込もうとする。彼らは完全な人間ではないのだから、問題にする必要などないのだと。

科学の発展の裏側で、こうした日陰の世界が生み出されている可能性は常にある。われわれは、そんな世界を存在しないと切り捨て、見なかったことにするのではなく、それがあることを見据えていく必要がある。切り捨てた先には、本作で描かれているキャシーの人生があるのかもしれない。そのことを実感させてくれるのは、物語の力のひとつである。

カズオ・イシグロ

1954年、日本生まれ。イギリスを代表する作家として活躍。1989年に『日の名残り』でブッカー賞を受賞、2017年にノーベル文学賞を受賞。

『ブラッド・ミュージック』
――バイオ技術で内側から変わりゆく人体

グレッグ・ベア著／小川隆訳、早川書房、1987年（原著刊行1985年）

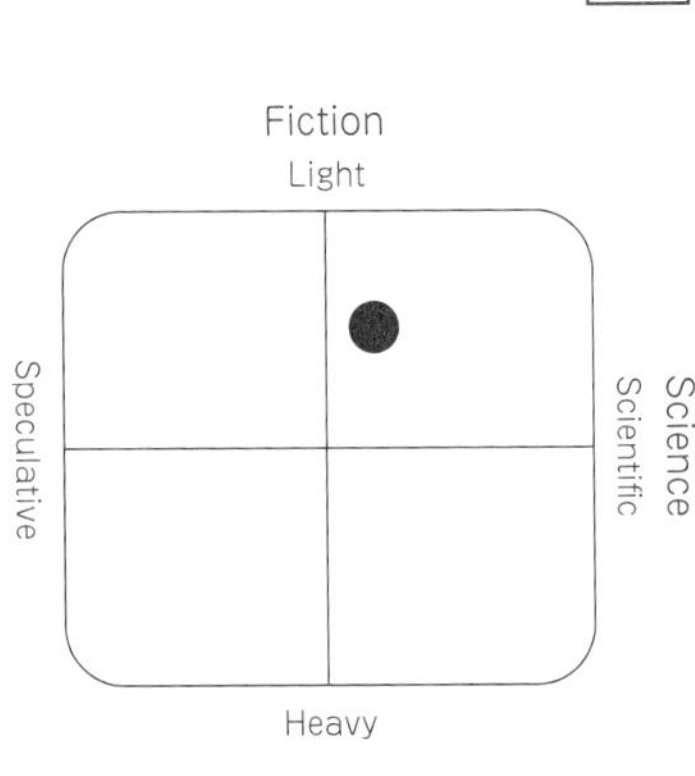

どんな作品か

「大腸菌」に自己学習機能を組み込んでみたら……

『ブラッド・ミュージック』は、アメリカのSF・ファンタジー作家であるグレッグ・ベアによる最初期の長編小説だ。

著者は、邦訳の数こそ多くないものの、50以上の著作を持ち、70歳を越えてなお新作を発表し続けるベテラン。バイオロジックスがもたらす人工的な知的生命の創造をテーマに据えた本作は、彼の代表作のひとつである。

物語の序盤の舞台は、世界初のバイオチップ革命を起こそうとしている遺伝子系企業〈ジェネトロン〉。そこでトップ研究員として勤務しているヴァージルは、こっそりと自主的な残業を行い、自律有機コンピュータの開発を行っていた。細胞を計算機として利用し、細胞同士に情報を交換させ、知性を発達させようという試みだ。

手始めに、ヴァージルは大腸菌を変異させる。最初は「エサのあるゴールに向かって迷路を走る」という、プラナリア並みの学習能力を持っている程度だったが、自己学習の機能を組み入れることで飛躍的に能力が向上。自分の血液からとった白血球を混ぜると、白血球の塩基配列を組み替えるなど、「その場の環境に適応し、自己を複製していく」能力を獲得していることがわかってきた。

ところが、自律有機コンピュータ創造の夢がまさに叶(かな)いつつあるこのタイミングで、私的プロジェクトのために会社のリソースを用いていることが露見し、ヴァージルは即時の解雇を通達される。

その悪行が業界全体に知れ渡ったため、実質的に転職も不可能になったヴァージル。同じレベルの研究施設をゼロから築き上げることは困難なことから、彼の夢は絶たれたかのように思われた。だが、持ち前のマッド・サイエンティストぶりを発揮し、ヴァージルは最後の賭けに打って出る。ひそかに研究成果を持ち出し、自分自身の体内に有機コンピュータを注射して、それによって大きな変化――自分の研究を証明するような何か――が起きるかどうか、待とうというのだ。

最初こそ変化はなかったものの、次第にヴァージルの体は代謝がよくなり、長年苦しめられていたアレルギーもなくなる。風邪をひくことも、花粉症に苦しめられることもなくなり、すっきりと痩せ、骨も頑丈になり、体に関わるすべての要素が改善されていく。

ところが、血液検査の結果は、彼の体に起きている異変を端的に示していた。ヴァージルのリンパ球数は、絶好調の体とは正反対に瀕死の人間と同じレベル。彼の体は決定的に「人間以外の何か」に変質しつつあったのだ。

血液検査の数値がなんであれ、実感として健康でいられるのなら結構なことではないかと思うかもしれないが、事はそう単純ではない。なぜなら、ヴァージルの体を改変しているのは、彼の意志とは無関係な「知性」なのだから。

ヴァージルの体内に入った有機コンピュータの群れ――のちに〈ヌーサイト〉と名付けられる――は、その数を増やすにつれて知能を増大させ、ヴァージルに対して言葉によるコミュニケーションをはかるようになる。まるでスーパーヒーローもののような導入部だが、物語はここからSFとして加速していくことになる。

どこがスゴいのか　極小の世界に広がる極大の世界

体が内側から変化していく。それも自分の意図せざる形で――そんなヴァージルの恐怖を描く前半も、ホラー／サスペンス作品として秀逸だが、その後にやってくるのは「感染拡大」の混乱を描き出すSFパートだ。

ヌーサイトは当然ヴァージルの体内だけにとどまっているわけではなく、彼の体表面に付着し、彼が握手などをしたタイミングで別の人間へと移り、同じ変容を感染させていく。ただの感染症ではなく、知性を持った、「自分で考える」感染症なのだ。簡単に防げるものではなく、対処法も（感染者を隔離する以外には）、治療薬も存在しない。感染はあっという間に広がり、世界は数カ月で（少なくとも人間にとっては）破滅的な状況へと向かう。一部の人間は、ヴァージルがそうであったように体を残したまま健康になり、ヌーサイトと言葉を交わすこともできるが、大半の人間は一週間のうちに肉体の変容と溶解が同時に起きる。

もっとも、ヌーサイトに人類を殲滅しようとする意志はない。彼らはただ自分たちを複製し、人間の体を健康体へと導き、最終的には自分たちと同化させるだけだ。それは「死」というよりも「変化」であり、人間はそれまでの一個体としての存在から、ヌーサイトがそうであるような、群体へと移行していくのである。

本作で面白いのは、ヌーサイトとの対話や、人間がヌーサイトと同化した先の感覚が細かく描きこまれていく点だ。ヌーサイトは人間の体内のあちこちや血液中に溶け込んでいるが、その一つひとつが膨大な計算能力を有する機械であり、巨大な仮想世界を体内につくり上げている。そこでは個人の魂、意識や精神といったものが完璧な形でコピーされ、何千、何万人分も複製することができるし、〈思考宇宙〉と呼ばれる独自の思考様式を体験することもできる。

SFのスケールを大きくしようと思うと、基本は「もっと先へ、地球を出て、宇宙の果てへ」となるものだが、本作は、SFとしてのスケールを「外」ではなく、われわれの体や細胞といった「内」に求め、極小の世界に広がる極大の世界を探検してみせるのだ。

本作で登場するバイオテクノロジーの扱い方や、意識のクローン化・改変といったアイデアは、いずれも現実の射程圏内にあり、それゆえに本作を予見的な小説としている。30年以上前に書かれた作品だが、いまなお時代性を感じさせず、バイオテクノロジーがもたらすインパクトをSFならではの筆致で描き出した傑作だ。

グレッグ・ベア
1951年、米カリフォルニア州生まれ。SF中心に、幅広い作風を持っている。2022年没。

『宇宙・肉体・悪魔 理性的精神の敵について』

——1929年、驚くべき先見性で「人類の未来」を予測した名著

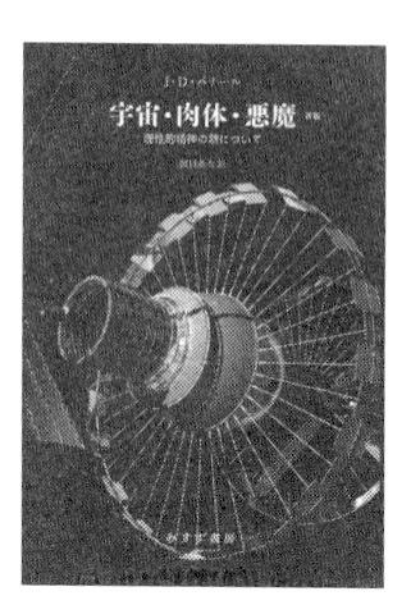

J・D・バナール著／鎮目恭夫訳、みすず書房、2020年（原著刊行1929年）

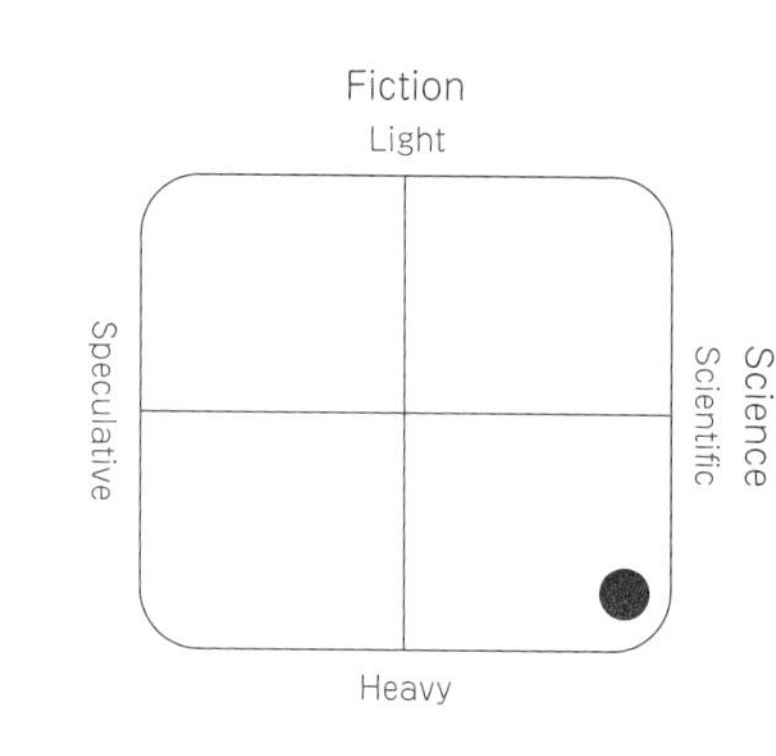

どんな作品か

数多のアイデアの源になった「現代SFのルーツ」

本作は、X線結晶構造解析のパイオニアであり、分子生物学の礎を築いたJ・D・バナールが、人類の未来について綴った一冊である。つまりSFではなくノンフィクション、そ

れも100年近く前に刊行された本なのだが、本作で提示された革新的な主張や未来観は、アーサー・C・クラークから「史上もっとも偉大な科学予測の試み」と評されるほどで、多くの作家に影響を与え、その精神性は今日も受け継がれている。

本作の解説の中で、作家の瀬名秀明は次のように述べている。

つまり本書は現代SFのルーツだといってよい。たとえバナールや本書の名を知らなくとも、本書を一読すればこれまで何気なく接してきた多くのアイデアがすでに書き記されていることにきっと驚かれるはずだ。（p112）

それでは、この本にはどのような未来像が描かれているのか？

バナールの未来予測とは、具体的にどのような科学技術が生み出されるか、あるいは民主制度がどのように発展するかといったレベルを超えて、より大きな枠組みとして「人類がどうなるか」を描き出すものだ。

そのカギになるのが、タイトルにもなっている「宇宙・肉体・悪魔」だ。この3つの言葉は、これまで人類にとって障害となってきた物理的、生理的、心理的な制約を示している。しかしバナールは、人類はこれらの障害を乗り越えていくだろうと喝破し、乗り越えたときにいったい何が起こるのかを想像、予測していくのである。

バナールいわく、人類は動力と金属を主役とする機械化の時代（19世紀）を経て、量子論による微小世界の仕組みの解明と、新しい材料物質および化学過程の開発により（20世紀）、世界の進歩を推し進めていく。この流れが続くならば、分子の構造を指定して合成し、さらにあらゆる種類の原子を自由に結合させることで、それまで存在しなかった軽くて強靭な合成物質をつくり出したり、生物の蛋白性物質を合成したりすることも可能になるだろう――。

このあたりまでは、当時から研究が進展していた部分であり、事実そのとおりになっている。注目すべきはその先だ。こうして、あらゆる物質を自在に操れるようになり、エネルギーを効率的に利用できるようになれば、人類は現在よりもはるかに多くの人口を支え、さらに各々に十分な空間を与えるために、宇宙への植民に乗り出すだろう。そのとき、われわれは球殻の宇宙島を軌道上に浮かべ、無重力下での生活を送るようになる。球体は他の球体や地球と絶えず無電（ワイヤレス）で通信を行う。そこで伝達される内容には、ヒトが持つあらゆる種類の感覚的情報ばかりではなく、将来われわれが新たに獲得するたぐいの情報も含まれるだろう——と、宇宙植民に向けて論が展開していくのである。

1929年の時点でスペース・コロニーを構想しているのもすごいが（この発想は「バナール球」として、後世のスペース・コロニー研究に受け継がれていく）、とりわけ発想として面白いのは、ただ宇宙に人の居住地をつくってそれで終わり、ではないところにある。バナールの構想する宇宙植民は、「人間の改造」とセットで語られていくのだ。

何しろ、人間が生身で宇宙空間に出れば即死するから、仮に宇宙空間にコロニーをつくるのであれば安全対策を埋め込まなければならない。だが、人間の体がそもそも極度に機械化されていれば、コロニーでの設備は最小限に抑えることができる。

そして、明らかに宇宙空間の諸条件は、生物的な人間にとってよりは、機械化された人間にとっていっそう有利である。もし人間が身体の多くの部分を除去され、酸素と水分に富む食料とをかなり大量に摂取する必要から解放されることができるなら、宇宙空間の植民球体の細胞構造は必要でなくなろう。（p75－76）

さらに、「宇宙」の章では、このような人体の機械化が可能になって、脳の神経を電気的な反応装置に直接連結する方法も見いだされたならば、その神経を別の人間の脳細胞に連結する道も開かれるだろう、と「複合頭脳」についての考察を深めていく。

どこがスゴいのか　100年近くの時を経てなお「いま読むべき」一冊

本作が刊行された1929年には、クラークもハインラインもアシモフも出現していない。「サイエンス・フィクション」という言葉自体、発明家・作家のヒューゴー・ガーンズバックによって生み出されたばかりの時代だ。その時点で、すでにここまで想像を広げていたことは驚嘆に値する。

しかし、「さらにその先」はあるのだろうか？　体を機械化し、遺伝子と肉体に与えられた本能から解放され、複合頭脳という個体を超えた知能を得、太陽系の死さえも乗り越え、恒久的な平和と豊かさが現実になったとき、人類はその先で何をなすべきなのか？

本作は最後に、次のような問いかけによって幕を閉じる。

われわれは、今なお未来をおずおずと眺めてはいるが、歴史上はじめて未来をわれわれ自身の行動によって左右されるものと感ずるようになった。こうなったからには、われわれは、われわれの最古の願望の本性に反するものから目をそむけるべきなのであろうか？　それとも、われわれの新しい力の自覚はもっと強力で、これらの願望を未来の建設に役立つように変化させてしまうのであろうか？

(p99－100)

ユヴァル・ノア・ハラリは『**サピエンス全史**』（河出書房新社）の中で「私たちが直面している真の疑問は、『私たちは何になりたいのか？』ではなく、『私たちは何を望みたいのか？』かもしれない」と、バナールと同様の疑問を提示しているが、体の機械化が現実のものになりつつある現在だからこそ、バナールの問いかけは強く響く。100年近くの時を経てなお「いま読むべきだ」と断言できる、本物の名著である。

J・D・バナール

1901年、アイルランド生まれ。イギリスで最も著名な生物・物理学者の一人。分子生物学におけるX線結晶構造解析のパイオニアとして知られる。

『フランケンシュタイン』
――SFの源流となったゴシック小説

メアリー・シェリー著／芹澤恵訳、新潮社、2015年（原著刊行1818年）

Fiction
Light
Speculative
Science
Scientific
Heavy

どんな作品か

創造主への「復讐」を誓う人造人間の物語

『フランケンシュタイン』は19世紀のイギリスの小説家、メアリー・シェリーによる長編作品だ。フランケンシュタインというと、大男の怪物をイメージする人もいるかもしれないが、この名前は怪物そのものではなく、その創造主である科学者のものである。

かつて錬金術に憧れ、のちに科学者を志すようになった青年フランケンシュタインは、死体から材料を集めて人造人間を合成する。だが、生命を吹き込まれた人造人間は、自らの存在を呪い、創造主への復讐を誓う――というのが本作のストーリー。世界初のSFともいわれる、あまりにも有名な作品だが、実際に読んだことがある人はそう多くはないかもしれない。

一般的には、本作は「ゴシック小説」に分類される作品だ。これは、中世ゴシック風の古城や寺院、屋敷などを舞台に展開する、神秘・恐怖・幻想色の強いジャンルを指す。そんなゴシック小説が、なぜ「最初のSF」といわれるのか？

フランケンシュタイン＝SF起源説を唱えた一人は、自身も優れたSF作家であるブライアン・W・オールディスである。その理由について、オールディスはSF史研究書『**十億年の宴**』（東京創元社）の中で、次のように述べている。まず、本作で描かれるのは「人間は自分の手で意のままに自分の従属物をつくることができる」というテーマだ。その背景にある思想は、神の存在の否定と、ダーウィンの進化論の肯定である。つまり、19世紀初頭にして明確に科学的であることを指向した物語なのだ。また、支配的な創造者に対して被造物が反旗を翻すという物語も、後世に登場する多くのSF――たとえばロボットの叛逆もそうだ――の源流となっている。

もちろん、ＳＦ的な要素を備えた作品はそれ以前から数多く書かれてきたから（たとえば『**竹取物語**』も読みようによってはＳＦといえる）、何が最初のＳＦなのかを問うのは水掛け論でしかないが、少なくとも本作がＳＦ史においてきわめて重要な位置を占めることは間違いない。

『フランケンシュタイン』の舞台は18世紀。イギリスの探検隊が、北極海で漂流中の一人の男を保護する。その男、ヴィクター・フランケンシュタインは、探検隊の船長に向かって自らの恐ろしい体験を物語る。

もともと錬金術の理論を研究していたヴィクターだが、科学の世界と出会って、その素晴らしさに魅せられる。自然の奥深い部分までを理解し、そのしくみを一つひとつ解き明かしていけば、いずれ科学の力は天の雷を制御することも、人工的に地震を起こすこともできるだろう――そう説く大学の教授に触発されたヴィクターは、自らもある野心を抱く。「新しい生命の創造」という偉業を成し遂げるのだ、と。

かくしてヴィクターは、死体置き場や納骨堂にもぐりこみ、人体が朽ち果て無に帰していく様子を観察しながら、生から死、死から生へと転じる原因と結果を解明してみせる。

その科学的なプロセスはほぼ描写されないが、最終的には墓を暴いて人間の死体を入手し、それを継ぎ接ぎして体をつくり上げ、そこに命を吹き込むことで、人造人間を生み出すことに成功する。

美しいもの、完璧なものをつくりだそうとしたヴィクターだったが、完成したそれは、醜くおぞましい〝怪物〟だった。ヴィクターはそれに嫌悪感と恐怖をいだき、自分がしたことに目をそむけ、故郷のジュネーブへと逃亡してしまう。

一方、怪物はヴィクターを追って野山を越え、その道中で人間の言葉を習得していく。しかし、人間並みの知性と感情を持ちながらも、怪物はその醜さゆえに決して人間社会からは受け入れられない存在だった。孤独をつのらせた怪物は、邂逅したヴィクターに自分の伴侶となる女の怪物をもう一体つくるよう迫る。しかしヴィクターは、繁殖による怪物の増加を恐れてこの要求を拒否するのだった。怒れる怪物は、その復讐としてヴィクターの大切な人たちを殺しはじめ、ヴィクターは人生への絶望と、このような怪物を生み出してしまった自責に苛まれていく。

どこがスゴいのか　「生命をつくりだす」ことの倫理を問う

SF作品の多くは、テクノロジーの進歩の良い側面だけでなく、それがもたらす災厄を同時に描き出してきたが、本作にはその源流ともいえるテーマが流れている。

現代の科学技術があれば、いまや人間は新しい生命を創造することもできる。だが、実際に生み出したそれが自分たちの想像と異なった場合、気に食わないからといって気軽に破棄してもよいのだろうか。そのとき、勝手につくりあげられ、破棄されることになった生き物は何を思うのか。被造物が人間と同等の権利を求めてきたとき、われわれはどのように対応すべきなのか。

人間の世界の法律では、たとえ血塗られた罪を犯した者でも、刑の宣告を受けるまえに弁明の機会が与えられるというではないか。おれの言うことに耳を貸してくれ、フランケンシュタイン。おれのことを人殺しと難じておきながら、おまえはその手で創り出したものを平然と殺そうとしている。

（p202-203）

これは、ＡＩやロボット、遺伝子編集など、いままさに花開いている技術分野の進歩にともなって生じうる、予期せぬ倫理的選択にかかわるテーマといえよう。刊行から２００年以上を経て、本作がストレートに問うた「生命をつくりだす」ことの是非が議論されるべき時代が到来したのだ。

メアリー・シェリー
１７９７年生まれのイギリスの小説家。ゴシック小説『フランケンシュタイン』によって、後世にＳＦの先駆者と評される。

Chapter

5 宇宙開発

現実味を帯びる「宇宙移住計画」

この10年間で、宇宙開発、特に民間の宇宙ビジネスが大いに盛り上がっている。たとえばイーロン・マスクが立ち上げたスペースXは、地球の軌道上にある国際宇宙ステーションへと荷物を打ち上げるビジネスを担っているほか、2020年の5月には、新型宇宙船「クルードラゴン」によって民間企業として初めて宇宙飛行士(2名)を国際宇宙ステーションへと送り届けるなど、活躍の幅を次々に広げている。その背景には、スマートフォンに使われる半導体のような民製の部品の性能が上がり、ロケットに活用することができるようになってきたこと、ビッグデータのひとつとして「衛星データ」の需要があらゆる産業で高まってきたことなど、複数の要因がある。

イーロン・マスクのヴィジョンは、物資の打ち上げや人員輸送にとどまらない。人間はリスクヘッジもかねて複数の惑星にまたがって生きるべきだと彼は本気で主張し、最終目標に「火星における単独で持続可能な都市」の建設を掲げる。[※7] そのロードマップとして、２０２２年には最初の貨物を火星へ送り、２０２４年には人を、２０６０年代には火星に基地を作って１００万人を移住させると発表している。

近年のスペースＸの躍進を見ていると、火星への移住が夢物語やＳＦの中だけの話だとは到底言えなくなっている。これらは、いままさに計画が進行している、現実の出来事なのだ。

同社はロケット製造の低コスト化を実現するために、通常は他社から購入するエンジンや部品のほとんどを自社で開発している。また、同社が開発するロケット「ファルコン９」のブースターは、荷物を打ち上げた際にエンジン噴射と姿勢制御を行うことで地上に再度降り立ち、再利用を可能にすることで劇的なコスト削減を成し遂げた。通常の大型ロケットの打ち上げ費用は１００億～２００億円程度といわれるが、スペースＸの打ち上げ費用は50億円台で、再利用の推進でさらに削減される見込みだという。

一方で、アマゾン創業者のジェフ・ベゾスも、近い将来に人を宇宙に送ることを目指して宇宙企業ブルー・オリジン社を立ち上げている。もっとも、ベゾスは月や火星への移住については消極的だ。代わりに、物理学者でベゾスの指導教官でもあったジェラード・オニールが提唱する、遠心力で重力を生み出しながら地球の軌道上に留まる巨大宇宙ステーションに、地球のバックアップとしての可能性を見いだしている。

いずれにせよ、増えつづけるエネルギー需要を地球のみで賄うことの限界が顕在化している現在、宇宙に進出することに人類の未来のカギがあると考える起業家や資産家は少なくない。

ブルー・オリジンは2024年に有人の月面着陸機の打ち上げを目指しているほか、日本の宇宙企業であるｉｓｐａｃｅも2040年に月に1000人定住、年間1万人が訪問する構想を掲げている。各所で打ち上げが活発化し、商業的にペイするようになることで、技術開発・革新も進むだろう。同時に地球軌道上が一種の商業圏になる未来も見えてくる。

『宇宙(そら)へ』『火星へ』『無情の月』
——ありえたかもしれない「女性の宇宙開発史」

メアリ・ロビネット・コワル著／酒井昭伸訳、早川書房
『宇宙へ』上下巻、2020年
『火星へ』上下巻、2021年
（原著刊行2018年）
『無情の月』上下巻、2022年（原著刊行2020年）

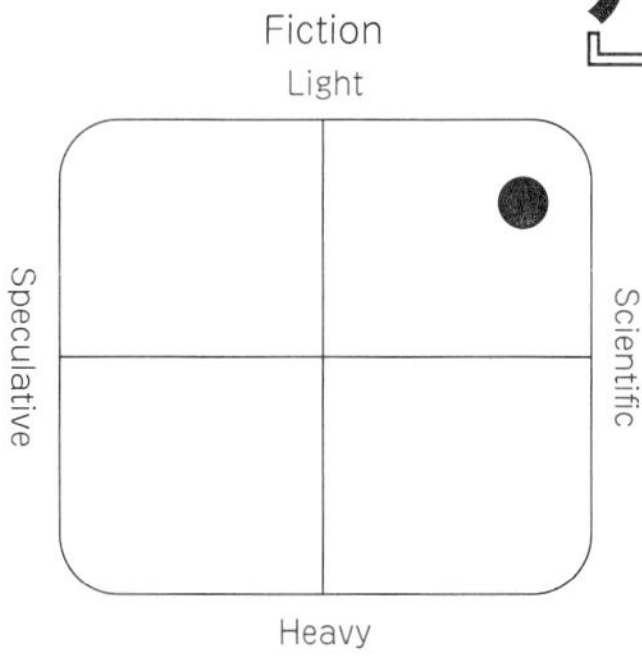

どんな作品か

隕石衝突を経て、急ピッチで宇宙に進出する人類

大きな盛り上がりを見せている宇宙開発だが、歴史的にはアポロ11号による月面着陸以降は、計画自体が中止されたわけではないにしろ、予算は削減され、事実上の停滞期にあった。理由はいくつもある。アメリカではベトナム戦争の出費がかさみ、世論も宇宙開発に否定的になっていった。ソビエト連邦ではロケットの事故が多発したうえ、政治的な

混乱によって国家そのものが崩壊に向かっていた。だが、そもそも宇宙に運びたいヒトやモノなどの需要がなければ、宇宙開発の莫大なコストを支えられない、という点も大きかっただろう。

メアリ・ロビネット・コワルによる『**宇宙へ**』は、宇宙開発が停滞することなく、人類がそのまま猛烈な勢いで月や火星を目指していたらどうなっていたかを描いた、歴史改変系のSF長編だ。女性宇宙飛行士を中心に展開する〈レディ・アストロノート〉シリーズとして、第二作『**火星へ**』、第三作『**無情の月**』と巻を重ねている。

物語の主な舞台は、1950年代〜60年代のアメリカ。1952年のある日、現地時間で朝の10時ごろ、首都であるワシントンD.C.沿岸の海上に巨大な隕石が激突し、地球環境は激変してしまった世界を描き出していく。

隕石が海上に衝突することによって大量の海水が一気に蒸発。それによって津波などの大きな被害が出るが、最も致死的なのはその後に起こる事象だ。巻き上げられた水蒸気が熱をたくわえ、それがさらなる水分の蒸発を誘発することで、湿度100パーセント、気温49℃の夏が続く。いずれは海が沸騰し、人間が地上で暮らすことは不可能な環境になってしまうのである。

『宇宙へ』では、隕石が衝突した時点から、それが将来的に地球にどのような影響をもたらすのかというシミュレーションが行われていく様子を描く。地球で人間の生存が不可能になるのであれば、人類は宇宙に出ていくほかない。

現実では停滞していった宇宙開発だが、この世界では「人類が生き残るため」という、コストをかけるに値する十分な理由が存在するので、宇宙開発はひたすらに加速していく。月着陸すらもただの通過点であり、最終的な目的は、火星など別惑星に人類の継続的なコロニーを築き上げることだ。

どこがスゴいのか　異なる歴史を見ることで、いまを捉え直す

このように、宇宙開発の歴史が分岐していく様を描き出す一方で、作者はジェンダーギャップや黒人に対する差別といった現代的なテーマにもせまっていく。

本シリーズの中心人物は、元軍パイロットのエルマ・ヨークという女性。50、60年代は、

まだまだ男性至上主義が色濃く残っており、どの業界でも女性の活躍が認められにくかった。そんな時代にあって、エルマは女性宇宙飛行士の存在を認めさせるために、メディアに露出し、社会の雰囲気を変え、頭の固い男たちを説得し、さらにその上でパイロットとしての実力を示さねばならない。

エルマのモチベーションは「自分たちも宇宙に行きたい」という冒険心や好奇心に喚起されたものではあるが、同時に、月や火星に「存続するコロニー」を建設するのであれば、そこに女性がいないのはおかしいではないか、という理屈も伴っている。

現実の宇宙開発の歴史において、女性の宇宙飛行士はいまなお稀な存在だが、本シリーズは「もし、そうではなかったら？」と問いかける。宇宙船内での生理の問題、宇宙に長時間滞在することで子どもはできるのかという不安、夫と長期間離れ離れになる生活をどう受け入れるのかなど、女性ならではの葛藤が描かれていくのだ。

作者が焦点を当てるのは、女性の問題だけではない。火星へと向かう初の人類が描かれる続編『火星へ』では、エルマが今度は宇宙を支配する「白人のエリート層」として、逆に武器を突きつけられる場面がある。この世界には、宇宙開発などに金をかけず、地球のために金を使えと主張する〈地球ファースト主義者〉という団体が存在する。彼らの主張によれば、隕石衝突の被災者は10年経っても家に帰れず、保険金も出ない。宇宙にばかり目を向けて、地球の支援がおざなりになっているのではないか。そのうえ、宇宙飛行士に選ばれるのは、白人のエリートばかりだ。

そうした現実を突きつける地球ファースト主義者に対して、エルマは、宇宙人材が白人ばかりなのは、白人のほうが宇宙に出るために必要な特殊スキルを持ち合わせているからだと反論する。だが、宇宙人材に求められる学位を取るには金もコネも必要だ。特に当時の黒人にとって、それらを得ることはきわめて難しい。黒人はたしかにスキルを持っている割合が少ないかもしれないが、その状態が存在すること自体が不平等なのである。

歴史改変系のSFは、歴史にｉｆ（もしも）を投入し、ありえたかもしれない世界を描き出すことで、われわれのよく知る歴史と現実を捉え直すきっかけを与えてくれる。依然として女性の宇宙飛行士は少なく、女性の船外活動におけるデータは不足し、宇宙服や設備は男性中心に設計されてきた。そうした現状に対する違和感をあぶりだして見せるのである。

もちろん、宇宙ＳＦとしても素晴らしい出来だ。計算機の性能がまだ低い時代に、人力での計算も介在させながら火星を目指す人々の姿に、宇宙船と地球との交信、船体制御、火星への航路を検討する船内での会話といった細かいディテールがリアリティを添える。史実での「人類による月面着陸」の情景は、われわれにとって忘れがたい記憶となっているが、本シリーズが月や火星への着陸の瞬間をどのように描いているかも、大きな読みどころである。

メアリ・ロビネット・コワル

１９６９年、米ノースカロライナ州生まれ。操り人形師としても活動。『宇宙へ』で、ネビュラ賞、ヒューゴー賞、ローカス賞ほかを受賞。

『七人のイヴ』

——人類生存のヴィジョンが「異常な細かさ」で描かれる

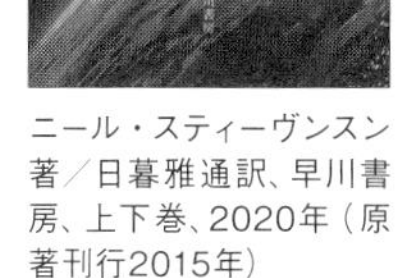

ニール・スティーヴンスン著／日暮雅通訳、早川書房、上下巻、2020年（原著刊行2015年）

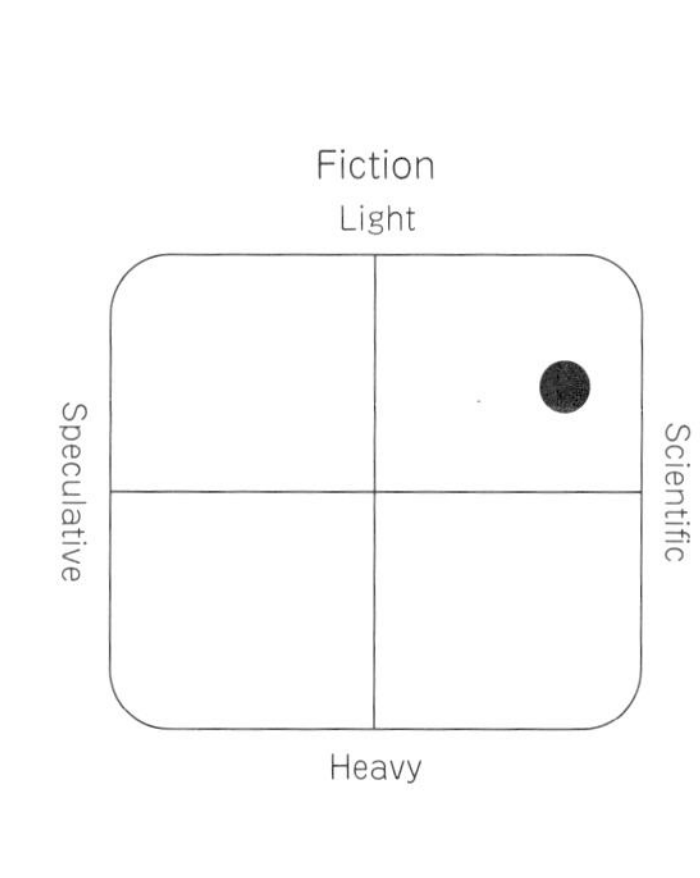

どんな作品か　壊滅した地球から人類を逃がす〈箱舟計画〉

「人類が宇宙に出ていき、月や火星のような別の惑星、宇宙で暮らすようになる」という設定は、一昔前のＳＦでよく登場したものだった。冷戦以後の宇宙開発の冷え込みによって、そうしたヴィジョンもすっかり影をひそめるようになったが、現実ではふたたび、かって描かれた「人類が宇宙へと進出していく世界」が出現しつつある（前項の『**宇宙へ**』もその一例だ）。

そんな現実の状況を反映し、アップデートされた「宇宙進出モノ」が、本作『**七人のイヴ**』だ。作者のニール・スティーヴンスンは、『**スノウ・クラッシュ**』でメタバース（仮想世界）の未来を予見し、数多(あまた)のテック系イノベーターに影響を与えた人物。その先見の明ぶりは折り紙付きである。

スティーヴンスンはかつて、ジェフ・ベゾスが率いるブルー・オリジンのアドバイザーを務めていたこともある。そのころ、低地球軌道におけるスペースデブリ問題に興味を抱いたことが、本作の着想につながったという。スペースデブリとは宇宙をただようゴミのこと。スティーヴンスンが注目したのは、２つのデブリの衝突で撒き散らされた破片同士が衝突を繰り返し、砕けた微細な破片が宇宙開発の妨げになる可能性を指摘した論文だった。

本作の舞台は、月がなんの前触れもなく、原因もわからないままに、突如７つに分裂した世界。分裂した月は〈セブン・シスターズ〉と呼ばれ、各片はそれぞれの質量と、お互いを隔てる距離に応じた強さで引き合っている。

月が分裂したこと自体も問題だが、それに続くより大きな問題は、〈セブン・シスターズ〉がお互いにぶつかり合ったときだ。世界中の科学者が、その状況のシミュレーションを行ったところ、欠片(かけら)同士がぶつかると、それらはより細かな欠片へと分裂すると推測される。７つから８つ、８つから９つへと分裂し、最終的には何兆もの破片が地上に降り注ぐ(ハード・レイン)だろう。そのとき、地球は人が住めない状況になる――と。

地上を壊滅させる〈ハード・レイン〉まで、残された猶予は2年しかない。そこで、アメリカ合衆国大統領は、宇宙開発を行っている他国の首脳に向けて、人類の遺伝的、文化的遺産を載せて宇宙へと飛び立ち、地球が再び住める環境になるであろう５０００年の間、地球近くにとどまり続ける〈箱舟(アーク)〉を建造することを提案。かくして、数々の問題を抱えながらも世界がひとつの目的に向かって歩みだすことになる――。

どこがスゴいのか

ビル・ゲイツも唸らせたリアリティ

本作の舞台は、われわれが生きる現代とそう遠く離れているわけではない近未来。前出の〈ハード・レイン〉に見舞われたのち、地球がふたたび人が住める星へと回復するまでの数百、数千年間、人類を生き延びさせるための〈箱舟〉をつくることが、世界のミッションとなる。果たしてそのようなことが技術的に可能なのか？　その理屈を一から（それこそ設計思想から）説明する描写は、異常といえるほどに細かい。だが、そうした描写を楽しめる人にとってはこれ以上ないほどのごちそうだ。

本作の大きな特徴は、人類が〈ハード・レイン〉から一時的に「生き残る」ことだけに焦点を当ててはいない点にある。「生き残った後」、人類が宇宙に逃れ、持続可能なシステムを構築するにはどうすればいいのか。そこではどのような社会が築かれ、どのような政治的闘争が起こりうるのか。また、そこで生まれた人々は数千年の時を経て、どのような人類になっていくのか——そんな壮大なヴィジョンが、説得力たっぷりに語られていくのだ。

本作はニール・スティーブンスンらしく、やりすぎなぐらいに、物理学的にも工学的にも正確な描写にこだわっているが、そこから浮かび上がるのは、宇宙で暮らすことがどれほど難しいかという端的な事実だ。

たとえば、地球に一人でも多くの人間を収容できる巨大な宇宙船を作ればいいのかといえば、話はそう単純ではない。人類の目的は「別の惑星を目指す」ことではなく、地球近郊にとどまりながら「再び地球へと戻れる日を待つ」ことだ。そのためには、飛び交う岩石に対する冗長性も確保されなければならない。しかも、新しい種類の宇宙船を作っている猶予はない。そうすると、巨大な宇宙船を建造するのは時間的にも冗長性の観点からも望ましくはない……。

こうした問題に対応するため、作中の人類は宇宙船に「分散アーキテクチャ」と呼ばれる構造を採用。そこに6人程度の人間を養うことができる〈アークレット〉と呼ぶ居住空間を載せ、宇宙へと打ち上げる。打ち上げには、既存のロケットの技術を使った。〈アークレット〉は国際宇宙ステーションと同じ軌道に乗り、一種の群れとして飛行する。魚や鳥の群れが普段は寄り集まって移動しながら外敵が現れると一目散に分散していくように、〈アークレット〉は岩石などの危機が近づけば散り散りとなって、必要となったら再度群れを形成する。分散した宇宙船がペアをつくり、たがいの周囲を回ることで、擬似重力を生み出すこともできる。しかし、すべての行動には、ロケットエンジンに使う「推進剤」と呼ばれる物質が必要だ。豊かな地球を失い、新たな資源の供給も少ない人類は、推進剤をどうやって維持・補給し続ければいいのか……。

このように、物語の中では次から次へと問題が持ち上がる。本作はそのすべてを、できるかぎり現実の科学に反することなく、細かく描写しているのだ。

絶滅寸前まで追い詰められる人類だが、科学技術と知性を駆使し、さらに「宇宙にあるものは何でも使う」精神で資源をかき集めながら、なんとか生存の道を模索していく。人類の愚かさと同時に、そう簡単に滅びはしないしぶとさが、本作では膨大なページを費やして描かれている。

スティーヴンスンは、本作に対するインタビュー[※8]の中で、「SF作家には、私たちが忘れてしまった大きなプロジェクトを想像し、未来の姿を夢見る手助けをする責任があるのでしょうか？」と問われて、次のように答えている。

「裏を返せば、それがSF作家にできることすべてだと思います。結局のところ、私たちは物事を考え、それなりに説得力のある方法でそれを書き留めるのです。その中から、若い科学者やエンジニア、あるいは企業全体がインスピレーションを得て、それを実現したいと思うようなストーリーが生まれることがあります。ですから、SF作家がエンターテイナー以外で役に立つとすれば、それはそこにあるのです」

『スノウ・クラッシュ』をはじめ、スティーヴンスンが描き出した緻密な、説得力のあるヴィジョンに、現実の科学者や起業家は大きな影響を受けてきた。本作もまた、宇宙開発の世界で、そうした影響を与えることになるのだろう。

本作に対しては、マイクロソフト創業者のビル・ゲイツが「思考を喚起する圧倒的な面白さ」と自身のブログで絶賛。任期中のオバマ大統領が、バカンスに楽しんだ一冊として挙げるなど、褒めている人の圧もすごい。海千山千の起業家や政治家の鑑賞に堪える、緻密な作品であることがおわかりいただけるだろう。

※ニール・スティーヴンスンのプロフィールは42ページ

『青い海の宇宙港』

――宇宙との距離を縮めてくれる青春SF小説

川端裕人著／早川書房、2019年、春夏篇・秋冬篇（単行本初版刊行2016年）

どんな作品か

小学生が「身近な素材」でロケット開発

宇宙開発SFは、何も月や火星を目指すといった壮大なものばかりではない。川端裕人『青い海の宇宙港』は、日本で最も宇宙に近い場所である多根島へ〈宇宙遊学生〉としてやってきた小学生たちのロケット制作を通して、「身近な材料から始まる」ロケット開発を描く、爽やかな長編である。

本作を読むと、宇宙は遠く離れた世界であるとはもう思えない。はるか彼方を周回しているように感じられる国際宇宙ステーションも、直線距離にしてしまえばたかだか400キロメートル、東京から見て兵庫くらいにしか離れていないのだ。

作者の川端裕人は、**『我々はなぜ我々だけなのか』**（地球上に登場した人類の中で、ホモ・サピエンスだけがいまの立場を手に入れたのはなぜなのかを解き明かす一冊）や、**『「色のふしぎ」と不思議な社会　2020年代の「色覚」原論』**といったノンフィクションの名著でも知られる。その調査能力と、現実と地続きの情景を描き出す手腕は、本作のような小説作品でも遺憾なく発揮されている。

物語の時代は、刊行当時（2016年）から見れば至近未来である2020年代。民間の宇宙開発が活発になっているという、まさに現在の状況を見越したかのような設定だ。舞台は多根島という架空の島だが、これは名前が異なるだけで、ほぼ日本の種子島のこと。現実の種子島には宇宙航空研究開発機構（JAXA）の宇宙センターがあり、頻繁にロケットの打ち上げが行われている。

その理由は、赤道上に近ければ近いほど打ち上げには有利だからだ。地球は円形なので、場所によって重力も遠心力も異なる。遠心力が最も大きく、重力が最も小さくなるのは赤道上なので、赤道付近からロケットを打ち上げたほうが上昇しやすい。打ち上げが失敗したときのことを考えれば、周りが海であることなども条件に入ってくるので、島であることは最適解である。

物語は、東京からこの多根島へ〈宇宙遊学生〉（一定期間、自然豊かな場所へ子どもを留学させる、山村留学の一種として説明される）としてやってきた小学生、天羽駆（あもうかける）の一年を通して描かれる。宇宙遊学生は駆の他にも何人かいて、宇宙に魅せられたやんちゃな男の子から、母親が国際宇宙ステーションに搭乗している少女など多彩な顔ぶれだ。

駆少年は「宇宙」に惹かれたというよりも、自然の中で遊ぶことを夢見て応募したのだったが、日常の隣にロケットの打ち上げが存在するこの島で過ごすうちに、自然とロケット制作に導かれていくことになる。

あるとき、宇宙に熱い思いを持つ駆ら宇宙遊学生は、町おこしのイベントのアイデアを尋ねられ、島のものを使ってロケットをつくれないだろうかと考える。島のものといっても、本当にそのあたりにあるものだ。たとえば、島原産のサトウキビでつくったアメ玉は、ロケットの燃料にできる。

アメ玉を燃やしただけでは宇宙には行けないし、酸化剤が練り込まれているので爆発の危険性も高い。したがって、子どもたちだけでは手に余る部分も多いが、広報活動も兼ねて、多根島に拠点のある日本宇宙機関（ＪＳＡ）の大人たちが協力してくれることが決定し、町を巻き込んだ多根島初の小規模ロケット開発がスタートする。

どこがスゴいのか 「いま・ここと繋がっている宇宙」を描く

本作の魅力は、子どもたちのロケット開発の過程を描くだけではなく、この日本でいちばん宇宙に近い島で暮らす様々な人の立場を、葛藤も含めて描き出している点にある。

たとえば、ＪＳＡの中でも豊富な見識を持つ加勢遙遠（かせはると）は、工学部出身で、技術者としてＪＳＡに採用されたにもかかわらず、仕事としては広報の仕事を割り振られ、そこに一定のやりがいを見いだしつつも、物足りなさを感じている。

また、宇宙は多くの人の憧れ、夢の対象ではあるが、リスキーな世界でもあり、特にＪ

SAは半ば公的な機関であるため、規則も厳しい。ただロケットを打ち上げればいいわけではなく、漁師や空港や自衛隊との調整も必要で、島にはJSAのスタンドプレイを嫌う風潮も根強い。

本作からは、小学生のロケット開発を通して、こうした「宇宙開発における大人の世界」が垣間見える。ただし、そこはあくまでも物語。子どもたちの大胆な発想と熱気が、大人たちを動かしていく。キャンディ・ロケットの打ち上げを成功させた後、彼らは地球の重力圏を越えて太陽の重力圏をも脱出する恒星間航行を目指して、新たなロケットにチャレンジすることになる。

通常は国家クラスの予算をかけて達成されるようなプロジェクトを、大きなコストもかけずに、子どもたちと町の住民が中心になって進めていく。あくまでもリアルな科学技術――惑星スイングバイとソーラーセイル船――を用いて、実際に地球の重力圏脱出のための推力や軌道計算も緻密に行いながら開発が進む、リアルな描写も読みどころだ。

前述のように、島が誇るサトウキビ産業はアメ玉の原料でもあり、後にロケット燃料として活用される。太陽光を受け止めて宇宙機を加速させるセイルのたたみ方は、子どもたちが島の昆虫を観察しているときに着想を得たものだ。砂浜には毎年ウミガメが産卵にやってくるが、その上空を轟音と共にロケットが飛んでいく。

そうした一つひとつの出来事を通じて、宇宙はぐっと身近な存在として描かれる。地上ではない、遠くのどこかを夢見ることがいかに実現可能で面白いことなのかを教えてくれるのだ。

川端裕人（かわばた ひろと）

1964年、兵庫県生まれ。日本テレビ入社後、科学技術庁、気象庁などの担当記者を経て小説家デビュー。ノンフィクションの分野でも広く活躍。

Chapter
6 軌道エレベーター

ロケットより効率よく宇宙と地球を行き来する

「宇宙開発」のキーワード解説では、「地球軌道上が一種の商業圏になる未来」の可能性について触れた。そのブレイクスルーのカギを握っているかもしれない技術が「軌道エレベーター（宇宙エレベーター）」だ。

いまのところ、人や物資を宇宙に送り込むためには高価なロケットを打ち上げる必要がある。ロケットを再利用する技術も存在するが、そうはいってもいまだに打ち上げはお金のかかる大事業だ。しかし、仮にマンションの低層部と高層部をエレベーターで行き来するように、宇宙と地上をケーブルで接続し、そこに箱をとりつけて気軽に移動できるようになったらどうだろうか？

現実には軌道エレベーターは存在しないが、理論的には構築可能であるとされている。その仕組みはきわめてシンプルだ。地表で先端に石をくくりつけた紐を振り回すと、外へ飛び出そうとする力（遠心力）が重力を上回って紐はピンと張る。それと同じ原理だ。地表から約10万キロメートル先の宇宙空間に重りを置いて、そこから地球上のステーションに向けてケーブルを垂らし、固定する。地球は自転するため、遠心力でケーブルはピンと張ったままになる。あとはそのケーブルの上を行ったり来たりするだけだ。

軌道エレベーターを実現するうえでのハードルは、ケーブルに利用するための素材を確保することだ。ケーブルは遠心力と地球にそれぞれ引っ張られることになるため、その負荷に耐えるにはきわめて強靭でなくてはならない。さらに、10万キロメートルもの長さのケーブルを延ばすためには、軽量である必要もある。

こうした条件を満たす存在として、いま注目を集めているのがカーボンナノチューブだ。

カーボンナノチューブとは、炭素のみで構成される、直径がナノメートルサイズの円筒

（チューブ）状の物質のこと。中は空洞なので非常に軽いうえに、炭素原子が網目状に並んだ構造なので、強度も十分だ。

ただし、カーボンナノチューブは長尺化が難しいという問題があり、いまだ実用化には至っていない。現状で実現可能なレベルはせいぜい十数センチメートル程度。これをなんとかして10万キロメートルの長さで使えるようになれば、軌道エレベーターはぐっと現実に近づく。そんな未来を見せてくれる作品を紹介しよう。

『楽園の泉』

——宇宙エレベーターの存在を世に知らしめた一作

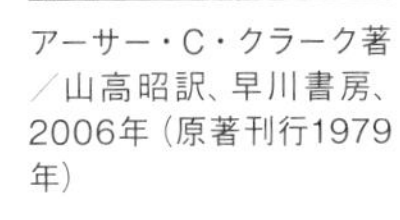

アーサー・C・クラーク著／山高昭訳、早川書房、2006年（原著刊行1979年）

どんな作品か

天才技術者、宇宙エレベーターの建設に乗り出す

1979年に発表された『楽園の泉』は、SF界の巨匠、アーサー・C・クラークの後期代表作のひとつ。当時はまだ一部の研究者の構想の中にしかなかった宇宙エレベーターの存在を、世に知らしめた作品だ。

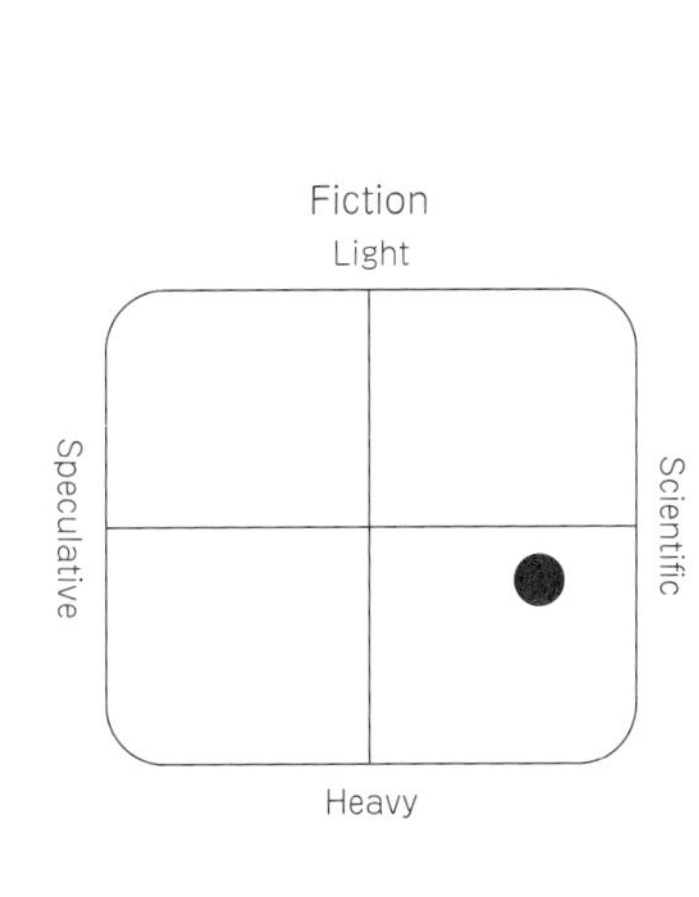

クラークはイギリス出身の作家だが、1956年刊行の『都市と星』を書き上げたのち、スリランカへと移住。2008年に90歳で生涯を終えるまで、半世紀以上にわたって同地に住みつづけた。本作の舞台である架空の島国〈タプロバニー〉も、9割はスリランカがモデルになっている。なお、宇宙エレベーターの建造地という設定の都合上、タプロバニーは実際のスリランカよりも南に800キロメートルほど移動した場所にある。

物語は、引退したタプロバニーの政治家であるラジャシンハのもとを、高名な技術者であるヴァニーヴァー・モーガンが訪ねるところから大きく動き出す。モーガンは地球建設公社の技術部長で、ジブラルタル海峡を横断する全長15キロメートルの巨大な橋を建設した業績で知られる人物だ。そのモーガンがラジャシンハを訪ねてきたのは、彼が次に、橋よりもはるかに大きなプロジェクト——宇宙エレベーターの建造に着手しようとしているからだった。

キーワード解説でも述べたように、宇宙エレベーターをつくるには、その目的を果たす強度を持った素材を量産することが難しく、(少なくともまだ)実現は困難だ。一方、本作では舞台を22世紀の未来に設定し、素材の問題は解決したという前提ですべてのシミュレーションが行われる。そこは「フィクション」なのだが、それ以外の部分では可能なかぎり現実に即した形で計算・検討が行われ、あくまで「実現可能」なものとして宇宙エレベーター建設の過程が示される中で、政治的・技術的なハードルの数々に挑むモーガンの姿がヒロイックに描かれる。

22世紀の未来では、人類は宇宙に進出して久しいが、ロケットは基本的に使い捨てで、エネルギーなどの面からいえば効率的とは言い難い状況だ。モノをたくさん運ぼうとするほど大量のエネルギーが必要となり、コストも増えていく。

そこでモーガンは、22世紀の宇宙時代を改革するために、宇宙エレベーター建造計画をぶち上げる。この時代には、人の目には見えぬほど細い、連続擬一次元のダイアモンド結晶の「超繊維」を生産できるようになっており、数万キロメートル先の宇宙空間にある構造物をつなぎとめておくことも可能になっている。モーガンの計画は、4本の超繊維によるチューブを宇宙から地球へと下ろし、2本ずつを使って昇りと降りを実現しようというものだ。彼がタプロバニーにやってきたのは、静止軌道は地球の赤道の真上に当たるため、宇宙エレベーターの基地も赤道上に建設するのが一番理にかなっているという判断からだった。モーガンは、タプロバニーでもひときわ高くそびえ立つスリカンダという山の頂上をエレベーターの建造地と定め、プロジェクトに乗り出す。

どこがスゴいのか

前代未聞の工事を緻密にシミュレーション

世界で初めての宇宙エレベーター建造ともなれば、そのインパクトは相当なものになる。多くの人が現地に押し寄せることになり、静かで、古の神話がまだ語られ残っているような土地の文化は消滅してしまうかもしれない。長年スリランカで暮らした後に書かれた物語だけあって、本作ではテクノロジーが文化を破壊することに対して恐怖感や抵抗感を抱く人々と、そんな彼らをモーガンが粘り強く説得していく過程が描き出される。

おそらく、実際に宇宙ステーションが建造されることになれば、多かれ少なかれ同じ事態が起こるだろう。「人類にとって大きな一歩だから」と言われても、地元の人からすれば、「なぜうちじゃなきゃダメなの?」と感じるのは当然だ。エレベーターが倒壊すればどうなるのか、頭上で常に轟音が響きつづけることになるのではないか――など、無数の疑問が湧いてくる。モーガンは、そうした疑問の一つひとつに丁寧に回答していく。

作中で「もしエレベーターが倒壊したらどうなる?」と問われたモーガンは、倒壊はしないと断言する。しかし、この種の問題で絶対がありえないことは本人もわかっている。仮に倒壊しても、静止軌道上にある中央ステーションが地球に落下してくることはないはずだが、それでも何が起こるかはわからない。そうした「もしも」を潰すために、モーガンは入念なシミュレーションとテストを重ねることになる。

大気圏外に出てしまえばシミュレーションは比較的容易だが、地球では常に環境が変動しており、何百年、何千年という長期での運用を視野に入れた建造物であれば、考慮すべき項目は膨大な数にのぼる。大気圏内の風力の変動、有効荷重の停止・始動が引き起こす振動の蓄積によるダメージの見積もり、太陽や月の潮汐(ちょうせき)作用による振動、テロや隕石衝突の可能性、地震など、あらゆる自然の動きを最大限に予測しなければならないのだ。

こうした検証のプロセスが、本作では魅力的に描かれる。もし現実でも宇宙エレベーターの建造が始まった暁には、本作のシーンが再現されることになるだろう。

クラーク作品の魅力は、科学によって未来が変貌していくさまをワクワクさせるような筆致で描き出していくヴィジョナリーとしての側面にあるというのが、筆者の見解だ。『楽園の泉』は、その本領が存分に発揮された作品といえる。

モーガンは、この宇宙エレベーターが何千年も動きつづけると本当に信じるのか、と問われて、次のように返答する。

「もちろん、当初の形のままでじゃありません。が、本質的には、そのとおりです。未来にどんな技術的進歩がおころうと、宇宙に到達するのにこれ以上の効率的かつ経済的な方法があろうとは思いませんね。これは新たなひとつの橋なんだと考えてください。ただし、こんどは星への、あるいは少なくとも惑星への橋なのです」（p158）

いつの日か、無数の「橋」を介して、人類の活動範囲は星々へと広がっていく。本作は、そんな未来の到来、その情景を確信させてくれるのである。

アーサー・C・クラーク

1917年、英サマセット生まれ。20世紀を代表するSF作家の一人。代表作に『幼年期の終わり』『2001年宇宙の旅』

Part

必ず起こる「災害」を知る

Chapter

7

地震・火山噴火

いま、そこにある「南海トラフ大地震」の危機

文章で書かれた作品は100年や200年、場合によっては1000年先まで読みつがれる可能性を持つ。だからこそ、小説の分野で「人類史において、数十年、数百年単位で必ず起こること」を主題として取り上げるのは、理にかなった戦略といえる。とりわけ、SF小説はこうした主題を積極的に採用してきた。その代表格が「自然災害」である。

とりわけ、日本列島に住むわれわれにとって、「地震」を抜きに自然災害は語れない。なかでも差し迫った脅威と見なされているのが、列島が位置する「陸のプレート」の下に、南側から「海のプレート」が沈み込んだ場所を震源地とする「南海トラフ地震」だ。この

一帯では、およそ100年から200年の間隔で、マグニチュード8クラスの巨大地震が繰り返し発生してきた。将来の地震を想定した場合、被害は東日本大震災クラスでは済まず、死者は32万人を超え、経済被害は220兆円に及ぶというシミュレーションもある。

こうした地理的・歴史的な背景もあり、こと地震災害を扱ったSF作品に関していえば、シミュレーションの緻密さや表現の迫力において、日本の作家の右に出る存在はない。本章で取り上げた作品群も、すべてが日本人作家によるものだ。

さらに、地震と背中合わせで火山噴火の脅威も存在する。前回の富士山の大噴火（1707年）の直前にも、太平洋で2つの大きな地震が発生している。ひとつは1703年の元禄関東地震（M8・2）。その35日後に富士山が鳴動を始め、1707年には宝永地震（M8・6）が発生。これが引き金となったのか、49日後に富士山が噴火した。

南海トラフ地震は、高い確率で30年以内に発生すると予測されており、場合によってはそのまま富士山の噴火につながって、ダブルパンチを食らう可能性もある。

宝永噴火は当時ですら農作物や家屋の倒壊など甚大な被害をもたらしたようだが、人口が増え、生活圏が一カ所に密集し、ハイテク機器に依存した現代では、その被害はさらに途方もないものになる。仮にいま、富士山が宝永噴火クラスの大噴火を起こせば、東京には火山灰が2〜15センチ積もり、陸路も空路も機能しなくなる。コンピュータや精密機器の隙間にも火山灰が入り込み、物流や通信など、あらゆるライフラインが停止する。内閣府による試算では、首都圏の被害総額は2兆5000億円にのぼるとみられる。

大規模な火山噴火は、地球レベルの影響をもたらすこともある。

1815年にインドネシアのスンバワ島にあるタンボラ火山が大噴火を起こしたときは、地球全体の平均気温が数度下がった。噴火によって打ち上げられた浮遊微粒子（エアロゾル）が日射を遮り、地上に太陽光が届かなくなったからだ。

浮遊微粒子は時に成層圏に突入し、拡散しながら落下するため、その影響は広範囲に及ぶ。当時は半径1000キロメートルにわたって火山灰が降り注ぎ、翌1816年のフランス・パリでは、7月にもかかわらず連日雪が降ったという。異常な冷夏によって、北米、北欧も含む北半球全体が、深刻な農作物の不作に苦しむことになった。

もちろん、地震や火山の観測技術は日々進歩しており、富士山が数分後に突然、想定外のマグマ噴火を起こすといった最悪の事態にはならないだろう。とはいえ、自然の恐ろしさを低く見積もるべきではない。ＳＦ作品は、われわれがまだ体験したことのない大災害を擬似体験させ、視点を広げるきっかけを与えてくれる。

『日本沈没』

――大地震のたびに再注目される、地震SFの金字塔

小松左京著／KADOKAWA、上下巻、2020年（単行本初版刊行1973年）

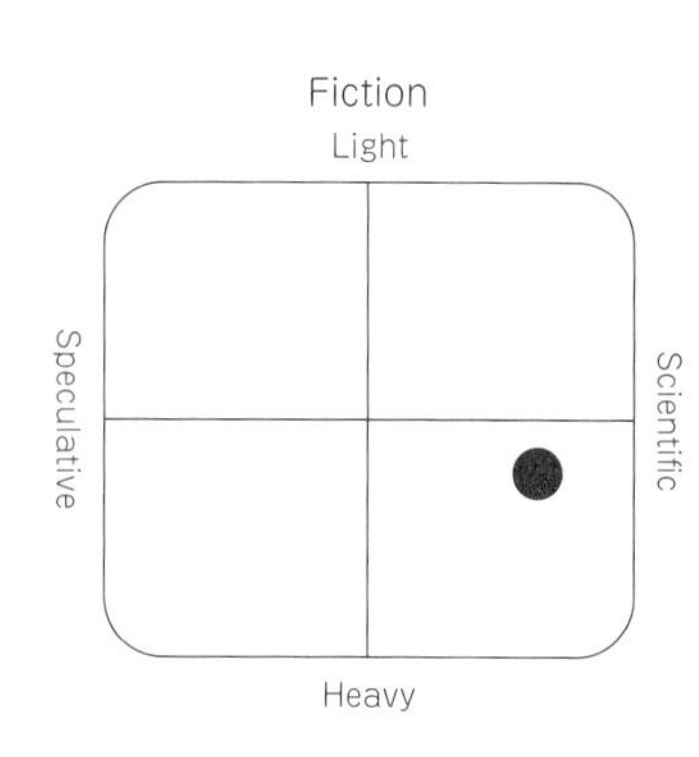

どんな作品か

地殻変動で日本列島が沈むまでのカウントダウン

『日本沈没』は、日本が誇るＳＦ作家、小松左京の代表作である。１９７３年に刊行されて以来、二度の映画化とテレビドラマ化をはじめ、ラジオドラマ、漫画、アニメーションなど広範なメディアミックスがなされ、時代を超えて版を重ねてきた。累計部数４６０万

を超える、まさに歴史に残るＳＦ小説だ。

物語の舞台は１９７０年代の日本。鳥島の南東にある無人島がひとつ、突如として海中に沈む。潜水艇操縦者の小野寺俊夫や、地球科学者である田所雄介博士らが調査を進める中、地温上昇に噴煙増加、小笠原海溝付近での地震発生など、日本列島の周辺で数々の異変が観察される。その後も、日本海溝に沿った富士火山帯の活動が活発化したり、鳥島一帯の海底が２００メートル近くも深くなるなど、日本の地下で何かが起きていることが確定的になっていく。

やがて、異変は誰の目にもわかる形で表れる。伊豆天城山の周辺でマグニチュード６・５程度の地震が発生し、それに誘発されるように天城山が噴火。その８分後には伊豆大島の三原山も噴火する。つづいて、天城山の東北にある大室山が噴火の兆候を示し始める。地震は津波を誘発させ、伊豆大島および相模湾沿岸一帯が被害に遭う。

その翌日には浅間山が噴火する。日本が地震大国であり、火山大国でもあることは周知の事実だが、これほど多くの現象が一度に起こるのは尋常ではない。小野寺と田所博士は、すべての出来事の背景には共通する大きな「理由」があるという仮説のもと、謎の解明に向けて動き始める。

異端の研究者として学会からは鼻つまみ者扱いされていた田所博士だが、ここにきてその常識にとらわれない観察眼と行動力が活きてくる。閣僚へのブリーフィングでは、日本が滅ぶ可能性もありえると発言して失笑を買うも、その発言が日本の総理大臣にすら影響力を持つフィクサー、渡老人の耳に入り、特別な資金提供を受けることになる。かくして田所博士を中心に、この国家の一大事に対処する「D計画」が始動する。

そうしている最中にも、京都では大地震が発生し、九州では阿蘇山と霧島山が噴火、日本全体に破滅の気配が漂い始める。仮に日本が沈没するとして、それは「いつ」なのか。「どのように」沈没するのか。すべてなのか一部なのか。すべてが沈没するとなったとき、そこに住む1億1000万人の日本人はどうすればいいのか。

関東でも大震災が発生し、総額10兆円をはるかに超える被害が出たことで、国家の破滅が決定的になった中盤以降、物語はどのようにして諸外国へ日本人の受け入れを認めさせるのかといったポリティカル・サスペンスの様相も帯び始める。

　さらには、「日本人はこの先どのようにして生きていかねばならないのか」「土地を失って世界に散らばったとき、われわれは『日本人』といえるのか」など、国民のアイデンティティを問う視点も挟まれていくことになる。《日本人から日本をなくして、ただの人間にすることができたら、かえって問題は簡単じゃが、そうはいかん》《文化や言語は歴史的な〝業〟じゃからな……》とは、作中の渡老人の独白だ。

　最終的に、マントル対流のパターンが急変し、日本は徐々に沈んでいく。「日本人」とひとことで言っても、当然一枚岩ではない。最後まで自国民の救助に奔走する者もいれば、別の国で「新しい日本人」として生きることを選択する者もいる。

　沈みゆく祖国と運命を共にしようとする人々もいる。その選択を決断した渡老人と田所博士の対話は、物語のクライマックスに相応しいエモーショナルなものだ。田所博士は、日本人および日本という国土への強烈な愛を語り、本音ではすべての日本人に、「おれたちの愛するこの島といっしょに死んでくれ」と言いたかったのだと打ち明ける。

　田所博士の「日本」観の中では、日本人と日本列島が分かちがたく結びついている。それまでの日本人は、いわば日本列島に守られ、いつでも帰る場所が保障されていた幸せな幼児のようなものだ。ここから先、日本民族は外の世界に呑み込まれて実質的に消滅するのか。はたまた、本当の意味での「明日の世界の〝おとな民族〟」に育っていけるのか――この博士の問いかけをもって、物語は幕を閉じる。

日本民族の物語としては、この先こそが本番ともいえるのだが、それは『**日本沈没　第二部**』と題した続編（小松が原作を手掛け、『**航空宇宙軍史**』などで人気を博するSF作家の谷甲州がメイン執筆を務める）で結実している。

どこがスゴいのか

国家の消滅を通して「民族とは何か」を問いかける

小松は、この『日本沈没』を書いた動機について、次のように語っている。

執筆を開始したばかりの1964年頃、小松の頭には「一億玉砕」「本土決戦」への引っ掛かりがあった。第二次世界大戦において、日本は「一億玉砕」をスローガンに戦ったが、本当にみんな死んでもいいと思っていたのか。日本という国がなくなってもいいと思っていたのか。だったらそれを確かめるために、自分が一度、日本という国を消してみようと考えたのだと。「ヒストリカル・イフ」を使ったSFなら、国が消滅するという設定を通して、日本人とは何か、日本文化とは何か、そもそも民族とは何か、国家とは何かを、小説の中で登場人物たちに考えさせることができる。

そこで浮かんだのが、日本列島そのものを沈めるという着想だったと小松は言う。折しも当時、地球物理学の新しい理論が登場したばかりだった。いわゆる「プレートテクトニクス理論」である。地球の表面はいくつもの岩盤（プレート）で構成されており、マントル内の熱対流によってこれらのプレートが動くことが、地震や火山活動といった現象の原動力になっているとするこの理論は、１９６０年代後半から盛り上がりを見せていた。小松はこうした情報を『サイエンティフィック・アメリカン』『ナショナル・ジオグラフィック』などの雑誌や、地球物理学の研究書から得ており、小説の中で巧みに利用したのである。

日本で大きな地震が起こるたび、『日本沈没』は話題になる。阪神・淡路大震災のときもそうだし、東日本大震災のときも、小松のもとには取材が殺到した。地震災害時に日本人がどのように行動するのかを高精度にシミュレーションしているという点で、本作はつねに「予言的」だ。同時に、日本に住んでいる限り、われわれはいつでも地震の恐怖と隣り合わせなのだということを実感させてくれる。

もうひとつ、この作品をいまの時代に読む意味を挙げるなら、それは「日本人とは何か」という問いかけに対する答えが、時と状況によって変わるからではないか。作品が書かれた1970年代と、この2020年代では、日本人の心のあり方も、国際社会のあり方も大きく異なっている。いま・ここで、日本が沈没したら、われわれはどのような選択をし、どのような道筋をたどるのか。『日本沈没』をいま読み直すことは、そうした問いかけをスタートさせることでもある。

小松左京（こまつ　さきょう）

1931年、大阪生まれ。京都大学文学部卒業。星新一、筒井康隆とともに「御三家」と呼ばれる、日本を代表するSF作家。

『死都日本』

――「地震は怖いけど、火山はそうでもないよね」は嘘

石黒耀著／講談社、2008年（単行本初版刊行2002年）

Fiction
Light
Heavy
Speculative
Science
Scientific

どんな作品か

九州で発生した火山噴火が「世界」までも一変させる

地震ＳＦといえば真っ先に小松左京の『日本沈没』が挙がるように、火山ＳＦならまず挙げられるのが、この『**死都日本**』だ。

本作では、宮崎県から鹿児島県にまたがる霧島山の地下に眠る〈加久藤火山〉がすさま

じい噴火を起こし、九州一帯を飲み込んだばかりか、その余波で日本と世界の在り方をも変えてしまう様子が描かれる。著者の石黒耀は本作がデビュー作となるが、堂に入った筆致と情報密度の濃さは、すでにしてベテランの迫力だ。

石黒の本職は医師であり、（少なくとも職業上は）火山の専門家ではない。にもかかわらず、その精密な描写は火山学者らをも唸らせ、日本地質学会から表彰を受けたほどだ。火山災害のみならず、日本が壊滅的な状況に陥っていく中で政府や自衛隊はいかに動くべきか、「死都」と化した日本で国民はどのように生きていけばいいのか――そんな壮大なテーマを含んだ作品である。

舞台は西暦２０ＸＸ年の日本。解散総選挙が行われ、日本国民が開票速報の特別番組に見入っている時間帯に、宮崎県民はマグニチュード７・２の地震に襲われる。死者を２人出す津波も発生したが、日本の地震としてはそう珍しい規模ではない。ただ、その翌日から、震源地から90キロメートルも離れた霧島火山の一帯で、一日６００回にも及ぶ群発地震が発生するようになる。

この地震の影響として、地盤が軽微に隆起しており、その範囲は霧島火山よりも広い加久藤火山の範囲と一致していた。地盤を隆起させる原因は深層マグマしか考えられず、当該地域に流入したと思われるマグマ量を計算すると、40人以上の死者を出した1991年の雲仙普賢岳噴火の全噴出量をはるかに上回ることが判明してしまう。それも、たった一週間でそれだけのマグマが増えているのだ。

物語は、この加久藤火山が「破局噴火」を巻き起こすのではないか――という懸念が持ち上がるところから始まる。破局噴火とは、じょうご型カルデラ火山の地下のマグマが一気に地上に噴出し、地球規模の環境変動や、近代国家が機能不全に陥るほどの被害をもたらす現象のこと（本作で考案された言葉だが、現実の火山学でも用いられるようになっている）。この危機的状況に立ち向かうのが、政治家やジャーナリスト、工学者など、様々な経験と専門知識を持つメンバーだ。

緊急設置された対策本部には、自他ともに認める火山オタクである火山学者の黒木、日本の内閣総理大臣に就任したばかりの菅原、宮崎在住のジャーナリストである岩切といった面々が集結し、来る（きたる）噴火に備えてあらゆる手を打っていくことになる。

破局噴火の対策では、通常の災害対策の枠を超えた膨大なシミュレーションが必要になる。たとえば、日本の国土の大半が使い物にならなくなり、国民がいっせいに海外へと脱出を始めたりすれば、各国が日本人の排斥に回る可能性もある。そうしたときに、強引にでも日本人難民を受け入れさせるにはどうすればいいのか。あるいは、日本の混乱に乗じて近隣国家から侵略や攻撃を受ける事態にも警戒する必要が出てくる。

また、大規模な噴火は地球全体の環境に影響を及ぼす可能性がある。そのひとつが、キーワード解説でも触れた「打ち上げられた浮遊微粒子が太陽光を遮ることによって発生する寒冷化」で、規模によっては世界の平均気温を数度も下げる可能性がある。そのため、どうやって寒冷化に伴う食糧危機を回避するのか、あるいはそのダメージを軽減するのかといった対策も焦点になってくる。

どこがスゴいのか 火砕流と火災サージの恐ろしさを克明に描写

物語では、対策本部がシミュレーションを続けているうちに、ついに恐れていた噴火が発生してしまう。ここからの描写こそが、本作の肝だ。

火山が噴火したとき、最初に人命を奪うのは高熱の爆風だが、その後に火山からの噴出物が周囲の環境を根こそぎ破壊していく。火砕流と火砕サージと呼ばれる現象だ。前者は高熱の岩石や破片が斜面を流れ下る現象のことを指し、後者は火砕流本体から吹き出す高速・高温のジェット粉体流を意味する。

物語の中で最初に発生する噴火は、火砕流本体の厚さが５００メートル。７００度もの熱をもった山のようなものとして表現され、これが時速１００キロメートルを超す速度で移動してくる。当然、人間が走ったところで逃げ切れるはずもなく、追いつかれた瞬間に死に至る。

火砕サージの風速は最高速度２００キロメートルを超え、粒子温度は５００〜７００度。風速２００キロメートルといえば、コンクリート壁をも破壊するほどの威力だ。さらに５００度を超える高温となると、樹木が燃え、電線がショートし、ガソリンが爆発する。こうした悪夢が都市を襲うわけだから、最初の噴火から24時間以内に３５０万人もの死者が出る。

しかも、火山の恐ろしさはこれで終わりではないところにある。

これほどの超巨大爆発の場合、噴煙は成層圏まで突き抜けて、そこから四方へと広がる。7万年前に阿蘇火山が破局噴火を起こした際も、火砕流は現在の大分県を横断し、海を渡って山口県の中部にまで達したという。硫黄島の海底にある鬼界火山が6300年前に破局噴火したときは、50キロメートル先の九州本島にまで火砕流が上陸した。海を隔てていれば大丈夫というものでもないのだ。

撒き散らされた物質の中には硫酸エアロゾルも大量に含まれており、その粒子は顕微鏡的な隙間から入り込めるほど微小なので、電話線の断線や停電、電子機器の故障、送受信アンテナの機能低下を引き起こし、情報のやりとりすら阻害される。時間がもう少し経つと、積もりに積もった灰による家屋の倒壊、火山ガスや浮遊微粒子による呼吸器障害などで、また新たな死者が増えていく。火山災害は段階を踏んで被害を増やし、その様相を変えていくのだ。

著者は『死都日本』をテーマにしたシンポジウムの講演で、「地震は怖いけど、火山はそうでもないよね」という配偶者の言葉に驚いたことが、この作品を書くきっかけになったと述べている。本作を読んだ後では、そのような感想を抱くのは難しい。

作中では、宮崎で発生した噴火による火砕流・火災サージの警報区域地図が広すぎて、予備知識のない国民は火砕流の危険性も、警報区域が何を意味しているのかも理解できないまま、逃げ遅れてしまう状況が描かれている。想定外の災害に見舞われたときは、このように知識の有無で生死が決まってしまうこともある。

本作がエンターテインメント作品として素晴らしいのはもちろんだが、現実的に火山噴火が起こったときにどのように避難すればいいのか、どこに逃げるべきか、事前に何を準備すべきか——といった細かなＴＩＰＳが網羅されている点も特筆すべきだろう。人生を変えうる一冊だ。

石黒耀（いしぐろ　あきら）
１９５４年、広島県生まれ。第26回メフィスト賞を受賞した本作『死都日本』でデビュー。以後も『富士覚醒』などの災害ＳＦを発表。

『富士山噴火』

――来るべき大災害に備える「実用書」でもある

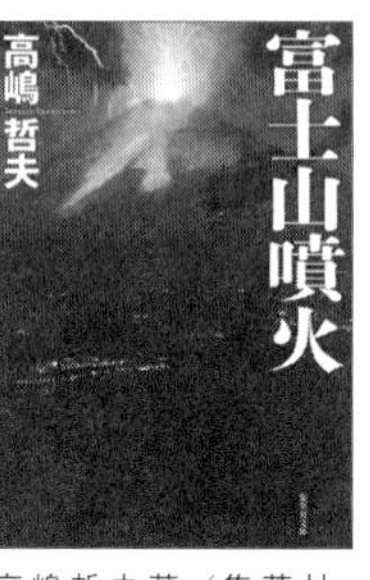

高嶋哲夫著／集英社、2017年（単行本初版刊行2015年）

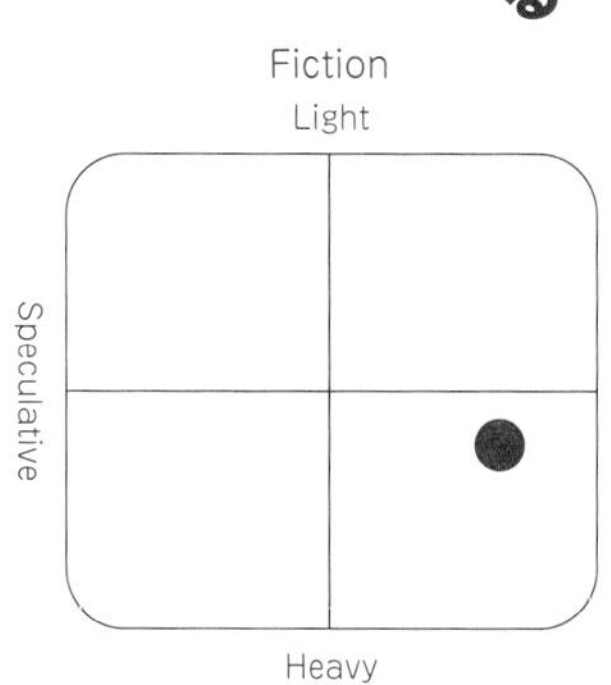

どんな作品か

南海トラフ大地震との連鎖で富士山がついに噴火

『M8　エムエイト』（2004）では首都直下型地震がもたらす被害を、『TSUNAMI　津波』（2005）では南海トラフ大地震が引き起こす巨大津波の恐ろしさを描き出すなど、日本の災害をテーマにこれまで多くの作品を刊行してきた高嶋哲夫。慶應義塾大学工学部を出て原子力技術者として働いていたという経歴もあり、その専門性は小説でも遺憾なく発揮されている。高嶋が本作でテーマに据えるのは、タイトル通り「富士山の噴火」だ。

物語は、南海トラフ大地震の惨劇で幕を開ける。死者・行方不明者は28万人以上、倒壊家屋は２３００万棟以上。建物やライフラインの損壊など、直接的な経済損失が３００兆円。生産中止、交通寸断などによる間接被害は２００兆円にものぼり、日本の生産機能の50パーセント以上が損なわれるという、すさまじい被害規模だ。

その後、日本は復興を進めているが、南海トラフ大地震は富士山の噴火と連動する可能性が現実でも語られているように、災害は地震だけでは終わらない。

富士山は西暦７８１年以降、大規模な噴火が少なくとも10回は起こったと言い伝えられる現役の火山だ。最後に噴火したのは１７０７年で、マグニチュード８・６の宝永地震が発生した49日後に噴火が起きている。その際、噴煙は上空20キロメートルに達し、火山灰は偏西風に乗って九十九里浜にまで降りそそいだという。いま、同じ規模の噴火が起これば、電子機器やインフラへの甚大な影響が予想され、被害はより広範囲に及ぶだろう。

本作中の日本では、冒頭の大地震の発生から3年が経過しても、いまだに余震が続いている。あるとき、富士市周辺で震度6の地震が発生。それが契機となったのか、富士山では洞窟の内部から火山性のガスが吹き出し始め、日本防災研究センターがそのデータを分析した結果、いよいよ噴火が近いのではないかという推測がなされることになる。

何月何日の何時何分に富士山が噴火する——といった完全な予測を行うことは、現代においてなお不可能だが、火山噴火とは地下のマグマが山の岩盤を突き破って吹き出す現象であり、マグマは移動するときに「火山性微動」と呼ばれる振動を起こす。その振動を捉えれば、火山が近いうちに噴火する可能性があるかを予測することは可能だ。

富士山噴火にはひとつのパターンがあるといわれる。まず、人間には感知できない微小な低周波地震から始まり、次に人間が知覚できる大きめの地震（震度5程度）が起きる。これはマグマが地表近くまで上がってきたことを示す兆候だ。続いて火山性微動が始まり、噴火に至る。ここまでに要する期間は、だいたいひと月。被害を最大に見積もった場合でも、火山灰によって関東一帯の電子機器やインフラは機能不全になり、溶岩や土石流は三島、御殿場、沼津、富士といったエリアを舐め尽くして駿河湾に流れ込んでいく。

噴石や火山灰は、高速道路や新幹線といったすべての交通網を麻痺させるから、噴火が起こってから逃げようとしても遅い。だからこそ、予兆が見え始める「噴火一カ月前」のタイミングで、周辺住民などの避難を決断することが重要になってくる。

どこがスゴいのか　破局噴火からの避難活動を精緻にシミュレート

しかし、実際に住民を避難させることには多くの困難が伴う。本作では、富士山噴火時のさまざまなシミュレーションが行われていくが、そのひとつが避難のシミュレーションだ。ただハザードマップを提示して避難を促せばいいわけではなく、被害がどこまで及びそうかを見極めたうえで、さまざまな判断を下さなければならない。寝たきりの人たちはどうやって運ぶのか。場合によっては数十万にも及ぶ人々を同時に避難させるための移動手段はどこから確保すればいいのか。大型の自動車だけでは足りないのは間違いない。自衛隊の助け、場合によっては米軍などの支援も必要とするかもしれない。

難しいのは、大々的に避難訓練などの対策を講じたくても、地元であるがゆえに難しい側面があることだ。住民の多くはホテル、飲食店、土産物店など、富士山観光に関連した仕事についている。そうであるならば、ことさらに噴火のリスクを世間に知らしめるような行事には加担したくないと思う人が出てきてもおかしくない。

また、どこまでいっても噴火予測は正確なものにはなりえず、科学者同士で予測が相反することもある。そうしたときに、市長の立場で数万人の市民の避難を、まだ噴火も起きていない状況で決断できるかといえば、難しいものがある。多大なコストをかけて避難させた挙げ句に何も起こらなかった場合、賠償請求などに発展することもありうる。本作では、主要人物の一人である御殿場の女性市長、黒田の発言を通して、そうした苦悩や葛藤が生々しく描き出される。その一部を引用しよう。


「その根拠がないでしょ。あなたの友達の言葉だけ。住民は自宅を空けて避難することにさえ、どれだけ抵抗感を示したか分かるの」

「だが火砕流や土石流が発生すれば、ここでは逃げようがない。御殿場市は完全に呑み込まれます」

「どこに逃げろというの。御殿場を捨てて」

「それを決めるのが市長の役目です。ここまではあなたはよくやってる。しかしあと一歩踏み出さなければ、住民を見殺しにした愚かな市長として名を残すことになる」

「やめて、バカなことを言うのは。県も気象庁も政府もそんなことまったく言ってない。もし、あなたの言ってることが起こらなければ、やはり私は愚かな市長として名を残すことになる」

「どちらの愚かな市長を選ぶか、あなた次第だ」

「避難中に事故でもあったら市に全責任がかかってくる。経済損失だって考えなきゃならない」

（p260）


想像するだけでも恐ろしい危機的状況だが、実のところ、こうした事態はいつ起きてもおかしくない。「何年の何月何日に噴火する」とまでは言えなくても、それは必ず現実になることなのだ。本作には、いまわかる範囲で、富士山噴火に向き合うための知見が詰め込まれている。もしもの事態に備えて一読しておきたい。

高嶋哲夫（たかしま　てつお）
1949年、岡山県生まれ。日本原子力研究所研究員を経て作家に。主な作品に『メルトダウン』『イントゥルーダー』ほか。

Chapter 8 感染症

コロナ禍が収束しても、パンデミックは必ずまた訪れる

２０１９年末から世界では新型コロナウイルス感染症（ＣＯＶＩＤ－19）が猛威を振るってきたが、感染症が流行するのは歴史的に見れば珍しいことではない。このコロナ禍が収束しても、パンデミックは必ずまた訪れる。なにしろ、いまの世界は10年前、20年前よりも、はるかに人流が増えた世界なのだ。

マクロ経済学者のローレンス・サマーズは、パンデミックとエピデミックについて「人類にとってこれほど重要度が高く、これほど注目されていない課題はない」と警鐘を鳴らしてきた。現在の状況が続くなら、次の１００年間でパンデミックとエピデミックによって人類が負うことになるコストは、地球規模の気候変動で予測されるコストと同程度（２

分の1～2倍、あるいは3分の1～3倍の間）になるはずだとサマーズは予測する。※9

疫学者のマイケル・オスターホルムは、著書『**史上最悪の感染症**』（マーク・オルシェイカーとの共著／青土社）の中で、「現代の世界は人間と微生物の戦いにおけるすべてにおいて微生物側に有利なのだ」と述べ、その3つの要因を挙げている。

まず、公衆衛生とは本来グローバルな協力を必要とするもので、コミュニティ同士や国同士が結束しなければならないが、ソ連の崩壊以後その流れが途絶えていること。次に、人口が急増傾向にあり、人間と動物の距離がますます密になっていること。人口増加を支えるためにすさまじい数の鶏（年間生産数200億羽以上）や豚（年間生産数4億頭以上）が飼育されているが、これらの家畜を試験管代わりに新たなウイルスや細菌が育つ可能性がある。最後に、経済圏がグローバルに拡大した結果、おびただしい数の人が世界中を移動するようになったこと。いまや、局所的に発生した病気も即座に地球全体に伝播（でんぱ）しうる。

これらのリスクをなくす方法がまだ存在しない以上、この先新たなパンデミックが起これば、われわれの生活はふたたび大きく変わる可能性がある。リアルなコミュニケーションはますます「贅沢品」になり、仮想世界がより重要な意味や役割を持つ世界に近づくだろう。

もうひとつ、感染症の脅威として挙げられるのが、ゲノム編集技術を用いたバイオテロの可能性だ。アメリカでは2011年、9・11の同時多発テロに続いて、9月18日と10月9日の二度にわたり炭疽菌(たんそきん)テロが発生している(最終的に5人が死亡)。

爆破テロの場合、その瞬間のインパクトと被害は甚大だが、直後から復興が開始できるのに対して、生物テロの場合は発覚してからが苦難の始まりだ。除染に大量の人員と手間がかかるうえ、感染症の場合は気づかないうちに全世界へと広がっている可能性もある。

さらに現代は、生物兵器になりうる細菌を人が自らの手でつくりだせる時代でもある。2002年には著名な分子遺伝学と微生物の教授であるエッカード・ウィマー博士が、急性灰白髄炎を引き起こすポリオウイルスを一から合成することに成功している。2014年10月のニューヨーク・タイムズ紙には、南カリフォルニア大学のレオナルド・エーデルマン教授が、天然痘ウイルスの製造法を解説する記事を寄稿した。

人為的につくられた天然痘がばら撒かれた場合、犠牲者が感染に気づくまでに最低1週間はかかる。これからの社会では、こうした事態も容易に起こりうるのだ。

『復活の日』
──パンデミックの時代に求められる「思考力」

小松左京著／KADOKAWA、2018年(単行本初版刊行1964年)

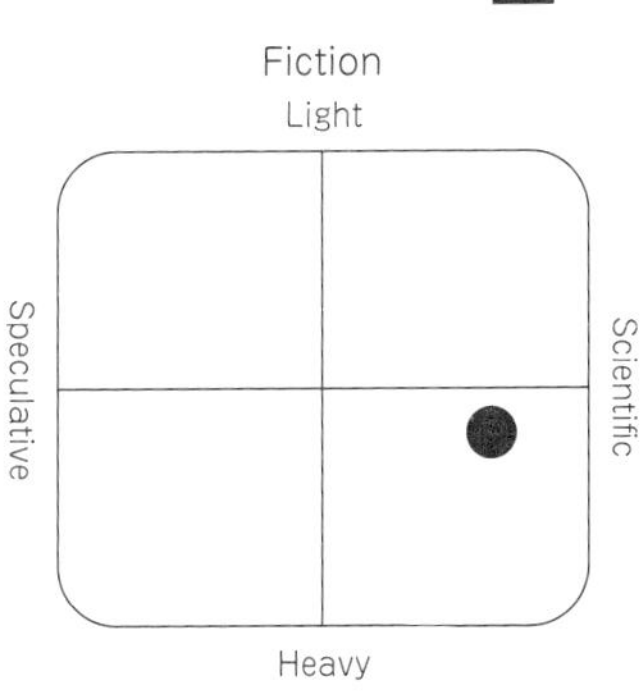

どんな作品か

見えざる生物化学兵器が、世界をじわじわと蝕む

『**復活の日**』は、生物化学兵器によるパンデミックによって滅びへと向かう人類の姿を描き出した長編だ。1980年には実写映画化もされ、「地震」のキーワード解説で取り上げた『**日本沈没**』と並んで小松左京の代表作に数えられている。

196X年の2月、イギリスで開発されていた生物化学兵器が、開発者であるカールスキィ教授の手によって他国へと流出する。カールスキィ教授の行動は、この兵器が実際に使われてはならないという倫理観にもとづくものだったが、結果的に兵器はスパイの手にわたり、小型飛行機で輸送されている途中でイタリアのアルプス山中に墜落してしまう。

この生物化学兵器の名を〈MM-八八〉という。摂氏マイナス10度前後で増殖を始め、気温が上がるほどに感染力を増すこの菌は、摂氏5度にもなれば増殖率は20億倍に達し、毒性を持ちはじめる。その威力たるや、動物実験のハツカネズミが感染後5時間で98パーセント死滅するほどだ。

さらに厄介なのが、MM-八八による感染は発見が難しいという点だ。一見、ブドウ球菌によく似た無害な菌であるMM-八八だが、真の恐ろしさはその内部に潜む核酸にある。MM-八八に感染すると、この核酸の作用で神経細胞が自殺細胞に変質し、それが原因となって心筋梗塞などを引き起こす。しかし、MM-八八は体内に入って2時間も経つと溶解し、何をどう頑張っても検出できない。その一方で、一度感染した動物の体内には、感染力を有する核酸が依然として残留している。

そんな感染メカニズムが存在するとは誰も想像していないため、世界が謎の感染症の存在に気づいたときには、すでに取り返しがつかない。気づいたとしても、MM-八八は細菌ではないので抗生物質も効かない。即座に打てる手は、事実上存在しないのだ。

そんなMM－八八によって世界がじわじわと蝕まれていく、終末的な情景も本作の読みどころだ。たとえば原因不明の心臓麻痺による死者の事例がぽつぽつと現れても、それを深刻に受け止める者はいない。野ネズミの大群が死亡しているというささやかなニュースが現れ、次第に家畜やペットの死が話題にのぼるようになっても、人類を滅亡に追い込むほどの感染症によるものだとは、ほとんどの人が気づいていない。

MM－八八の開発元であるイギリス軍、もしくは細菌兵器の研究者なら、その可能性に思い至ることもできたはずなのに、たかが細菌で人類が滅びることなどありえない――と、誰もが高を括っているのだ。

季節は冬であり、MM－八八菌による感染とは別に新型のインフルエンザの流行も見られ、世界中で数百万人もの死者が出ることになる。それでも市民の多くはたいした危機感を覚えない。インフルエンザ？　ワクチンがあるじゃないか。風邪薬もあるし、漢方薬もある。たかが風邪、そうでなくても、たかがインフルエンザじゃないか、と。

どこがスゴいのか

あらゆる問題を「地球規模」で捉えることの重要性

感染症を「たかが」と侮っているうちに、それが致命的なまでに蔓延し、人々が大騒ぎを始める描写は、2020年代を生きるわれわれが新型コロナウイルス感染症の流行に際して目撃してきた現実そのものである。

mRNAワクチンなどが早急に開発された現実とは違い、『復活の日』の世界では、わずか数カ月で全35億の地球人類（1960年代という設定なので）の大半が死亡。生き残ったのは南極大陸に滞在していた観測隊員約1万人、海中を航行していたために感染を免れた原子力潜水艦の乗組員など、ごくわずかな人々に過ぎなかった。

だが、残存人類約1万人は南極を拠点に粘り強く立ち上がり、再度の繁栄、すなわち「復活の日」を手にするために奮闘する――。

小松はあとがきの中で、本作について次のように語っている。

核ミサイルの時代になって、「惑星的な危機」が現実の問題になった時、われわれはもう一度世界と人間とその歴史に関する一切の問題を「地球という一惑星」の規模で考えなおす必要にせまられていると思う。このために、文学もまた、自己の専門領域にとじこもってばかりおらず、なりふりかまわず他の一切の領域について、自分なりの考察をひろげる必要がある。

（p438）

世界がより緊密に、素早くつながるようになり、どこか一地域で発生した感染症が即座に世界に蔓延しうるいま、この一文が持つ意味はより重くなっている。

このような時代に必要とされるのは、まさに小松が言う「地球という一惑星の規模」で考える力や想像力だ。作中では、多くの人が死に絶えた後、ヘルシンキ大学で文明史を教えるユージン・スミルノフ教授が、誰かが聴いているかもわからない最後のラジオ講座で、「なぜ世界はこんなことになってしまったのか?」「われわれが全力を挙げて闘うことは原理的に不可能だったのだろうか?」と問いかけるシーンがある。この渾身の問題提起は、われわれ自身の考察を広げるきっかけになってくれるはずだ。

※小松左京のプロフィールは172ページ

『天冥の標Ⅱ　救世群』

――感染症をめぐる「差別と怨恨」の終わらない連鎖

小川一水著／早川書房、2010年

Fiction
Light
Speculative
Science
Scientific
Heavy

どんな作品か　不治の感染症「冥王斑」に冒された世界

小川一水『天冥の標』は、全10巻、文庫にして17冊におよぶ、国産SF屈指のスケールを誇る作品だ。複数の世代にまたがる長い時間軸の中では、パンデミックが世界を大混乱に陥れている時代もあれば、スペース・オペラばりに宇宙での艦隊戦が繰り広げられている時代もあり、ある巻などでは「至高のセックス」がテーマになっていたりもする。テクノロジーが進歩することで人の在り方もまた変わっていき、その中で人間の定義が改めて問われるなど、SFの醍醐味が詰め込まれた超大作である。

その中から、ここでは感染症との戦いをメインに据えた**『天冥の標Ⅱ　救世群』**を中心に取り上げたい。シリーズの中では二作目に当たる本作だが、時系列としては物語の起点に当たり（そのため単独で読める）、その後の厄災の種がここで蒔かれることになる。

201X年、日本の真南に位置するパラオの小島で謎の疫病が発生する。空気感染が疑われるレベルで感染力が高く、しかも致死率が95パーセント以上というこの疫病は、感染者に独特な斑紋が現れることから、後に〈冥王斑〉と名づけられる。感染者の隔離以外に有効な対策がない中で、日本の国立感染症研究所に勤める児玉圭吾をはじめ、世界中から感染症の専門医が現地に呼び寄せられる。

この病気の厄介なところは、回復してもウイルスが体内に留まり続けることだ。かろうじて一命をとりとめても、患者は二度と元の生活には戻れない。一生の隔離生活が確定し、社会関係は根こそぎ剝奪される。さらには追い打ちをかけるように、隔離先では強烈な敵意を向けられる。どこへ行こうとも、自分の身を守るためという大義名分を盾にした人々から迫害と差別を受けるのだ。

ネット上にも、無名の人々の露骨な声があふれる。きれいな世の中を守るために汚いものを封じ込めることのどこが悪いのか？ と。生き延びた患者に対して、「あいつだけが生き残れたのはおかしい」と、陰謀論めいた書き込みをする者もいる。匿名の書き捨てとはいえ、施設に入れられた患者たちにとって、インターネットは現実世界と同じくらい大切な居場所だ。心ない言葉を浴びせられて、無視できるはずもない。

隔離先では、普通の形では面会できないこともあり、最初は見舞いに来てくれた仲間たちも徐々に遠ざかっていく。取り残された感染者たちは、強烈な孤独の中で「なぜ自分だけがこのような目にあわなくてはならないのか」と、非感染者に対する強烈な恨みをつのらせていく。

かくして、人類は非感染者と感染者に大きく二分され、恐怖と恨みによって対立していくことになるのだ。

しかし、冥王斑の感染者は一生涯ウイルスを保有することになるため、次第にその勢力を増し、彼らは〈冥王班患者群連絡会議〉と呼ばれるネットワークをつくりあげる。度重なる差別や虐待に耐えかね、意図的にアウトブレイクを起こそうと市中に脱走する感染者も登場し、そうした行動がさらに非感染者らの恐怖を煽り立て、排除の世論が形成されてしまう。

どこがスゴいのか　感染症の「負のサイクル」を断ち切る希望

感染症を起点とした、差別と怨恨の終わらない連鎖、それこそが本作の中核をなすテーマだ。

諸悪の根源は病気の原因となっているウイルスであり、冥王班の患者たちではない。特定の人々に敵意を向ける意味など、本来はどこにもないはずだ。それでも差別が蔓延する理由はといえば、やはり人間が人間であるからだ、としか言いようがない。

自分たちと見た目が異なる相手（冥王班感染者は顔に斑紋が出るので、すぐにそれとわかる）を自分たちとは根本的に「違うもの」と位置づけ、区別しようとする。そして、自分たちの生存の不利益になるものを積極的に排除する。これらはいずれも生物の本能によるものだ。太古の昔からいまに至るまで、致命的な感染症が人間社会にもたらしてきた光景は重なり合う。

であれば、ヒトはヒトである限り、同じ歴史を繰り返すことしかできないのか。感染者を疎み、排除し、排除された側は恨みをつのらせる——そうした負のサイクルを乗り越えることは、本当にできないのか？

これほど大きな問いかけは、この巻のみで答えが出せるものでもなく、『天冥の標』というシリーズ全体で、数百年の時間軸を費やして描かれるテーマだ。もっとも、この「救世群」の中だけでも、人はこの連鎖を乗り越えられるかもしれないと予感させる萌芽（ほうが）はある。

たとえば、感染者第1号である檜沢千茅（あいざわちかや）という少女が、無感染者の紀ノ川青葉（きのかわあおば）と「普通の友達」になっていく過程。国立感染症研究所の児玉もまた、感染者を排除しようとする世論に抗い、一人の人間として千茅と向き合おうとする。

たとえ社会の意見がひとつの方向に向かいつつあったとしても、大きな流れに逆らい、壁を乗り越えられる人間は、たしかに存在する。本シリーズは、そうした抵抗者たちの物語でもあるのだ。

小川一水（おがわ　いっすい）
1975年、岐阜県生まれ。1996年、『まずは一報ポプラパレスより』で長編デビュー（河出智紀名義）。主な作品に『第六大陸』『老ヴォールの惑星』。

『新しい時代への歌』

――10年以上、「リアルな接触」が激減した社会で生きるということ

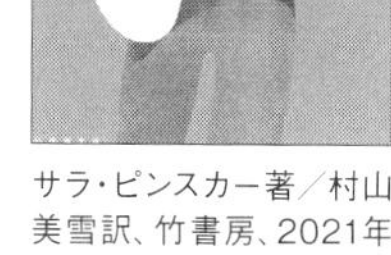

サラ・ピンスカー著／村山美雪訳、竹書房、2021年（原著刊行2019年）

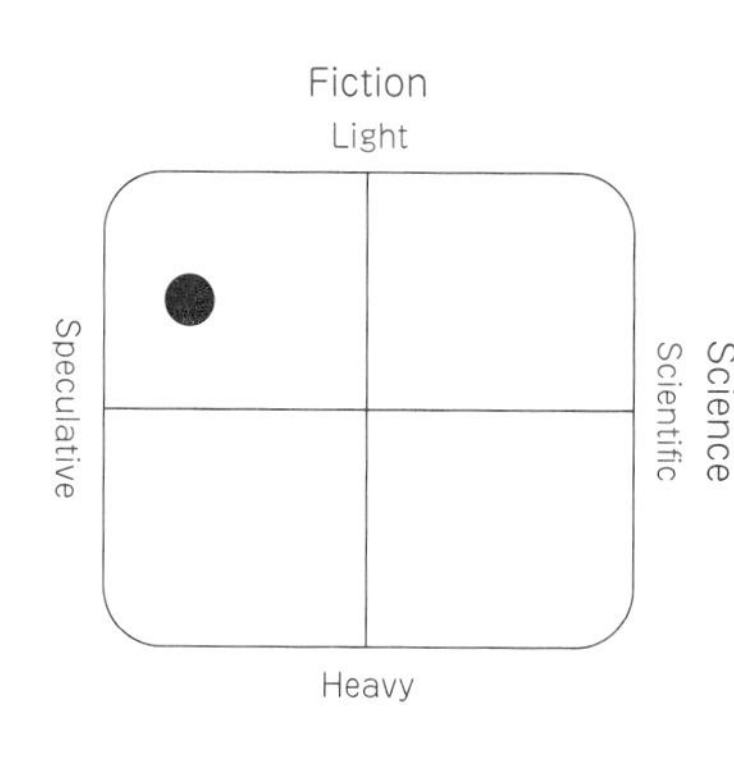

どんな作品か

大パンデミックのビフォーとアフターで分断された世界

２０１９年末より本格的に始まった新型コロナウィルス感染症の流行は、本稿を執筆している現在もまだおさまっていない。人と人が顔を合わせ、共に食事をして、ときにはライブ会場で見知らぬ人々と一緒になって騒ぐという、かつては当たり前だった「リアルな

接触」が激減した状況が長く続いている。サラ・ピンスカーの『**新しい時代への歌**』は、まさにそうした社会が、10年以上にわたって持続した未来を描く作品だ。

この世界では、健康な人間をも一気に死に至らしめるほどの威力を持った感染症の蔓延と、アメリカ全土の施設に対する大規模な爆破テロがほぼ同時期に重なり、それ以前と以後が〈前時代／ビフォー〉〈後時代／アフター〉で区別されるほど、社会の在り方が大きく変わってしまっている。

アフターの世界（本作の舞台であるアメリカ）では、数十人以上の密集や集会が禁止され、夜間外出禁止令も州ごとに発令されている。昼間でも非接触での生活が当たり前になっているから、学校や仕事や買い物はすべてオンライン。クラブや美術館は閉鎖され、物資の購入は通販で、輸送はドローンが担当している。多人数が集まる音楽のライブ会場も表向きには存在せず、かつてのようなライブを体験したい人たちは、没入型の仮想世界に行くしかない。

そんな世界の中で、リアルでの接触に意味を見いだし、オンラインを捨てて集まってくる人たちのためにライブを行う女性アーティストのルースと、仮想世界でのオンラインライブのため、各地をめぐってアーティストをスカウトしているローズマリーという二人の女性を中心に、物語は進んでいく。

ルースは世界がビフォー／アフターに分かれる前にすでに成人しており、一方のローズマリーは幼少期に時代の移り変わりを経験している。したがって、リアルでの接触が失われた社会に対する考え方は、両者で大きく異なっている。

ローズマリーからすれば、人と人が接触せずに過ごす日々は、至極当たり前のものだ。学校も、デートも、すべてはオンラインで経験してきた。実際、リアルでの接触が減ることは悪いことばかりでもない。犯罪者が減り、裕福な人たちの居住地は分散され、貧富の格差が縮小するといった「効果」もある。ローズマリーがスカウトの仕事につくことを決めたのも、仮想世界でのライブに大きな感動を与えられたことがきっかけになっている。

どこがスゴいのか

世界は本当に「このまま」でいいのか？

リアルな接触のない社会を当然のものとして成長する中で、ローズマリーは何十人もの人混みに交じるとパニック発作を起こすまでになっている。大勢の人を前にすると、「この中の誰かは強力な病原菌に侵されていて、くしゃみをするだけで全員を命の危険にさらすかもしれないのに、なぜ平気でいられるのだろう」と不安にかられずにはいられない。

一方のルースは、時代が変わる前、最後に大規模なライブを行ったアーティストとして話題になっている。爆破テロが実行された夜、不要不急の外出を控えるようにという大統領の声明が発表されたにもかかわらず、彼女は予定していたライブを決行した。同じく大統領の言葉を振り切って集まってくるかもしれない、ごく少数の人のために。

でもその十人は、音楽でそんなニュースは吹き飛ばし、今夜だからこそ気持ちを奮い立たせるためにライブを求めているかもしれない。そう考える方が理に適っている。「自宅待機するように」と命じられることに反発し、誰から脅かされようが屈しないところを示したい人々もいるはずだ。その機会を与えることができるのに、わたしたちが勝手に取り上げていいの？　何が正しいかなんて、たぶん誰にもわからない。（p82）

ルースとローズマリーは違法に運営されているライブハウスで出会い、世界を少しでも変えるために大きな賭けに出ようとする。最初は大勢が集まるリアルなライブに恐怖感を抱いていたローズマリーも、実際にライブに参加することで、オンラインにはない価値をそこに見いだす。彼女たちの行動は、パンデミックの渦中にいるわれわれにも「世界は本当にこのままでいいのか?」と問いかけてくる。

コミュニティを奪われ、つながる機会を奪われた。それを、当たり前のままにしておいてよいものだろうか。いま成長の過渡期にある子どもたちは、重要な価値観が形成されるべき時期に、ローズマリーと同じような体験をしている。彼らの将来を考えたときに、十分な議論は尽くされたといえるだろうか。さまざまな意見が交わされているこのタイミングだからこそ、本作を読む意義は大きい。

ルースは音楽が好きで、生身の人たちと行うライブが好きで、歌を通してメッセージを世界に向けて発信する。あらためて音楽、人が集まることの意味を考えさせてくれる作品だ。著者のサラ・ピンスカーは、インディーでアルバムを何作も出しているミュージシャンでもあり、作中の演奏の描写や、バンド仲間との何気ないやりとりなどもリアルで、音楽小説としても一級品。

サラ・ピンスカー

1977年、米ニューヨーク州生まれ。本作『新しい時代への歌』で、2020年度ネビュラ賞（長編部門）を受賞。

Chapter
9
気候変動

あの手この手で「温暖化対策」に取り組む世界

いまや日常のレベルで実感するほど、地球の温暖化は進行している。過去10年は観測史上最も暖かい10年だったし、その前の10年は2番目に暖かい10年で、そのさらに10年前は3番目に暖かい10年だった。

試算では、今世紀末までに地球の平均気温は2～4℃上昇するとみられる。それくらいなら耐えられそうに思えるが、この気温差がもたらす威力は想像以上に大きい。

平均気温が上昇すると、いま以上に極端な洪水、干ばつが頻発することが予想される。まず、水蒸気量が増えることで大雨の発生件数が増える。他方、水の少ない地域では、蒸発が加速し、ますます水不足になる。

温暖化により、すでに北極圏の氷は過去30年間でその面積を半分失い、体積も4分の3失われている。氷が溶けて地表が露出することで熱の吸収率が高まり、さらに温暖化を加速させる。

世界はその対策に向けて動き出しており、化石燃料の炭素含有量に応じて税をかける炭素税の導入（日本でも2012年から地球温暖化対策税として導入されている）や、温室効果ガス排出ゼロを目指した再生可能エネルギーへの転換などの取り組みが始まっている。

アメリカやEUはもとより、再生可能エネルギーに関しては、実は中国が一大勢力だ。2018年の再エネ投資額でも、EU全体の745億ドル、米国の642億ドルに対して中国は1001億ドル。世界の総投資額が3321億ドルだから、中国だけで約3分の1を占めていることになる。

一方で、ウルトラC的な対処法として、「気候工学（ジオエンジニアリング）」と呼ばれる方法も提唱されている。火山の噴火が寒冷化をもたらすことは「地震・火山噴火」のキーワード解説でも触れた。ジオエンジニアリングは、成層圏にエアロゾル（硫酸の微粒子など）を噴射することで、これとよく似た現象を人工的に引き起こそうというものだ。費用面では実現可能とみられるが、人為的な気候の操作は想定外のリスクと副作用も伴うだろう。また、仮に首尾よく温暖化の防止に成功したとして、それを口実に化石燃料を使い続けたのでは意味がないという批判もある。

いずれにせよ、気候変動は人類にとって待ったなしの危機的状況だ。だからこそ、ＳＦでも様々な形で取り上げられてきた。以下、注目すべき作品を見ていこう。

『蜜蜂』
――ハチの消滅がまさかの「世界の崩壊」を招く

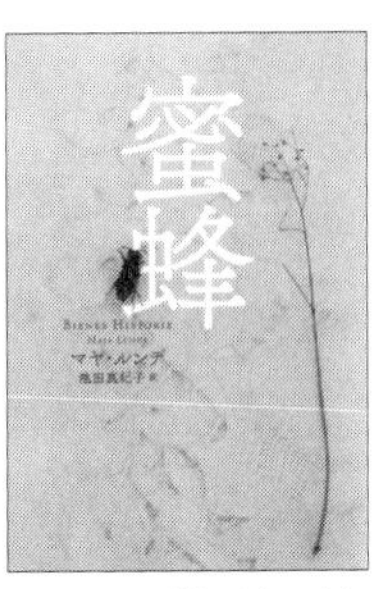

マヤ・ルンデ著／池田真紀子訳、NHK出版、2018年（原著刊行2015年）

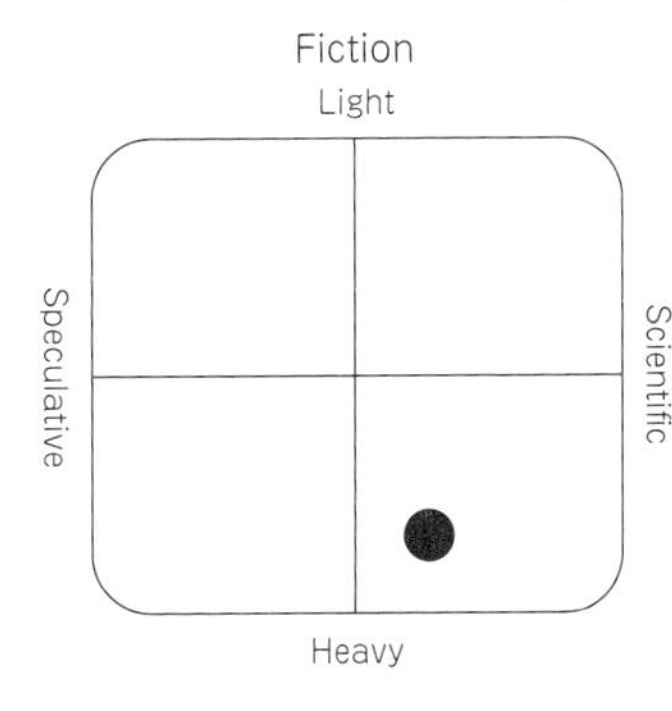

どんな作品か　現実でも問題になった「蜂群崩壊症候群」をフィーチャー

気候変動や地球温暖化を扱った作品のことを「クライメート・フィクション（気候変動小説）」と呼ぶが、『**蜜蜂**』はその筆頭に挙げるべき作品だ。

マヤ・ルンデはノルウェーの作家で、本作を発表するまでは児童書やYA向けの作品で知られていたが、本作を端緒に気候変動をテーマとした小説を立て続けに刊行し、現在ではクライメート・フィクションを主戦場とする代表的な作家とみなされている。

そのルンデが、このジャンルで最初にテーマとして取り上げたのが、本作のシンプルなタイトルが示す通り「ミツバチ」だ。この物語では、ハチが突如として大量に失踪する原因不明の現象「蜂群崩壊症候群」によって、ハチが消滅してしまった世界を描いている。

多くの人は、ハチの失踪など他人事だと思うかもしれないが、それは大きな間違いだ。「蜂群崩壊症候群」は現実でも大きな問題になった現象で、たとえば2007年の春には北半球に生息するハチの4分の1が失踪して大騒ぎになった。それ以前の北半球には1200億匹のハチがいたので、実に300億匹が消えたことになる。

事態は2007年の一度きりでは収まらず、年々ハチの数は減り続けている。アメリカの養蜂家が管理するハチのコロニーは、2010年から毎年平均37・8パーセントずつ消滅し、2018年にはアメリカにおけるミツバチのコロニーの40パーセントが死滅、あるいは消滅した。[※10]

これが大問題になるのは、果物、野菜、ナッツなどの作物の多くを、農場を飛び回るハチが受粉させているからだ。もし、「蜂群崩壊症候群」を止めることができず、ハチが絶滅してしまったら、人間の手で地道に受粉させるか、もしくは収穫量の少ない状況でも我慢せざるをえなくなる。

そうなれば、食糧事情は急速に悪化するだろう。『蜜蜂』で描かれるのは、そんな事態が現実のものとなった世界だ。温暖化、人口の減少など複数の要因が重なって、少なからぬ国家が崩壊し、かろうじて体制を維持している国も極端な管理社会へと移行した結果、世界はあっという間にディストピアへと転落していく――。

どこがスゴいのか 「現場」の庶民の視点から、壊れゆく世界を描く

物語は、それぞれ異なる時代に暮らす3つの家族の視点を通して進行する。暗い未来の到来した2098年の中国で暮らす家族。人工巣箱による養蜂が誕生しつつある1852年のイギリスで暮らす家族。「蜂群崩壊症候群」が発生した2007年当時のアメリカで養蜂業を営む家族――これらの視点を交差させながら、世界の変遷が描かれる。

まず興味深いのが、2098年の中国を舞台のひとつに設定している点だ。現実の中国

では、もともと悪化していた水質汚染や、農薬・化学物質の大量使用などが重なって環境破壊が進み、どこよりも先にミツバチが大量死している。しかし、この『蜜蜂』では、そのおかげで人工受粉の技術とノウハウが蓄積されており、世界の食糧供給網がミツバチの大量消滅によって崩壊しても、他国ほどには影響を受けていない。

そんな中国で暮らす3人家族が、2098年パートの主人公だ。果樹園で働くタオとクワンの夫婦は、3歳になる息子ウェイウェンのために、日々過酷な労働に耐えている。ある日、夫妻が目を離したすきにウェイウェンが迷子になるが、見つかった息子は謎の症状で倒れていた。即座に救急車で病院へと運ばれるウェイウェンだが、なぜか親であるタオとクワンは面会謝絶。そのうえすぐに別の病院へと移送されてしまい、夫妻にも行き先が明かされない。諦めきれない母親のタオは、息子の行方を突き止めようと行動を開始する。

ウェイウェンの身に何が起きたのか？　その謎に深く関わってくるのが、過去の地球で起きた出来事だ。それらをひもとく過程で登場する、1852年の家族と2007年の家族の描かれ方も味わい深い。いずれの家族も機能不全に陥っており、その息詰まるような関係性に惹きつけられる。

たとえば2007年のアメリカでは、息子に跡を継いでほしいと思っている養蜂家の男性と、すぐれた知性を見いだされて学問の道へ進もうとしている息子の対立が描かれる。対して1852年のイギリスでは、学問の道からドロップアウトするも一発逆転を狙って人工巣箱の開発に突き進む男性が、自分の思い通りにならない息子との確執を深めていく。

両家族の子どもの視点から父親を見ると、どちらも自分の願望を子どもに押しつけ、支配下に置こうとする存在だ。だが、不器用な行動を取る父親たちの背後には、生活への不安、事業拡大へのわずかな希望、人生で何も成し遂げられていないことへの強烈な悔恨などが綿密に積み上げられ、子どもたちは強い嫌悪と共感を同時におぼえる。そうしたすべてに、ミツバチの崩壊が関わってくる。

普段、あまり意識することのない領域（本作でいえばミツバチが持つ役割）に読者の注目を一気に惹きつける、フィクションの力を遺憾なく発揮した作品である。

マヤ・ルンデ

1975年、ノルウェー生まれ。本作『蜜蜂』は、世界33か国以上で翻訳され、ドイツでは2017年の総合ナンバーワン・ベストセラーに輝いた。

『神の水』
——「水不足」が命の奪い合いにつながる未来

パオロ・バチガルピ著／中原尚哉訳、早川書房、2015年（原著刊行2015年）

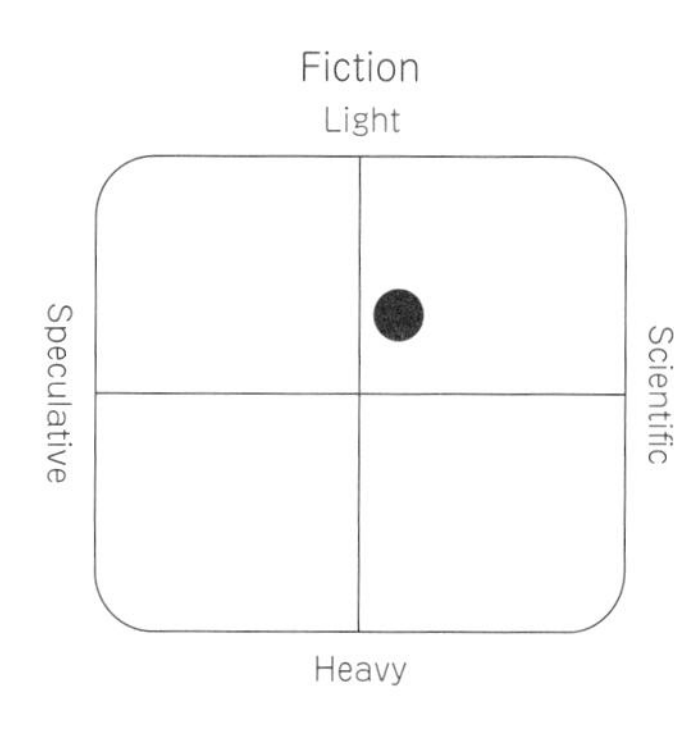

どんな作品か

コロラド川の水利権を巡って繰り広げられる死闘

パオロ・バチガルピは、作品の多くが気候変動や環境破壊のテーマを含む作家である。ここで紹介する**『神の水』**は、地球温暖化による慢性的な水不足が続くアメリカで、水利権の奪い合いが起こる過程を描いた気候SFだ。水は生命に直結するから、全員に満足にいきわたる量が確保できないのであれば、たやすく命の奪い合いに発展する。本作では、アメリカの難民やジャーナリストなど多様な視点から、その苦境を描き出している。

物語の舞台は近未来のアメリカ。なかでもコロラド川の周辺部にあるカリフォルニア、ネバダ、アリゾナの各州を中心に展開する。現実のコロラド川周辺でも、灌漑農業の発達とダムの建設がもたらした過剰取水によって下流付近はほとんど干上がってしまっているというが、本作が描き出すのはそうした状況がさらに先に進んでしまった世界だ。

多くの州で土地が枯れ、庶民が水不足に喘ぐ一方で、一部の富裕層は〈環境完全都市〉と呼ばれる、水再生循環システムを利用した緑豊かなコミュニティに引きこもって暮らし、水の供給をコントロールしている。人々が水を求めて自由に移動すると収拾がつかなくなるため、水のある州では州境を閉ざし、難民を追い返している。州ごとの水の奪い合いは、時に双方の軍隊が出動するほど苛烈なものになる。

物語は、10万人の住民に水を供給しているアリゾナ州の浄水場に、ネバダ州軍が攻撃を仕掛ける場面から幕を開ける。アメリカの水利権は先取主義をとっており、歴史的に古いものに上位の優先権が与えられるため、古い権利を持つネバダ州はそれを口実に、ミサイルを撃ち込む。アリゾナ州の浄水場が一時的に操業停止しているタイミングを狙って強制的に立ち退かせようというのだ。

アリゾナ側の決死の訴えもむなしく「そんな安っぽい水利権の土地に住んでいるほうが悪い」というロジックで、爆撃は実行されてしまう。反則も同然の仕打ちだが、連邦政府の力が弱体化したこの世界では、上位の水利権の保持者がそれだけの力を持ちうるのだ。

だが、コロラド川の水利権には、実は先住民族とのあいだでかわされた、最上位優先権が与えられる古い契約書が存在した。この契約書をめぐって、州間の闘争はさらに激しさを増していく。

どこがスゴいのか
変わってしまった世界で、それでも生きていく

本作の魅力のひとつは、気候変動のような世界規模の変化を受けて、社会の理（ことわり）が根底から変わってしまった世界で生きていくとはどういうことなのかを、異なる立場の登場人物の視点から描き出していくところにある。

たとえば、テキサスからの難民で、日々変動する水相場に喘ぎながら極貧の中で暮らす

少女マリアは、父親や年長の人間が決まり文句のように言う、「昔はこうじゃなかった。いずれ世界は元に戻る」という言葉に反発する——温暖化が進行し、水が失われ、生きていくのがやっとになってしまった世界しか自分は知らない。昔のことなんて関係ない。在りし日のアメリカの幻影を後生大事に抱き続け、いまの現実を受け入れようとしないのは、ただの逃避だと。

過去と現在とでは「ゲームのルールが変わった」のだというセリフが、本作には繰り返し登場する。その真理を受け止めないと、この過酷な世界で生きていくことは難しい。法が遵守され、人々が（本作の時代と比べて相対的に）道徳を重んじていた時代は終わったのだ。

では、そうした世界に適応し、他人に対して冷酷になれる人間だけが生き残れるディストピアを描いた作品なのかといえば、そこにはちゃんと希望もある。

物語に登場するジャーナリストのルーシーは、崩壊していく街や苦境に陥った人々の取材を続ける中で「永遠に続くものなどない」と悟り、そうであるのならば逃げても無駄で、現実に立ち向かうしかないと決意する。彼女は最古の水利権書に関与して殺された友人を目の前にして、身の安全を犠牲にしてでも真実のために筆を執ろうとする。

水の確保をめぐる死闘が日常となったこの世界では、人の命はあまりにも軽い。そんな中で、少しでも世界を温かい人のつながりがある場所にしたいという願いをもって、マリアに手を差し伸べる人物もいる。

気候変動によって破滅を運命づけられた世界では、どのような価値観を持った人間が生き延びることができるのか――本作にはそのような問いかけも含まれているといえよう。

主に地球温暖化の観点から本作を紹介してきたが、環境完全都市というアイデアや、現実での格差を彷彿させる富裕層と貧困層の分断、水利権問題を絡めたポリティカル・サスペンスなど、多様な読みどころが詰まった作品である。


現実に目を向ければ、水不足による危機が起こっているのは、決してアメリカだけではない。

たとえばパキスタンは、水危機のリスクが最も高い国のひとつとして知られ、周辺諸国と水の支配権をめぐる争いが絶えない。11カ国を流れるナイル川も同様だ。2021年、エチオピアがナイル川上流で建設中の巨大ダムで貯水を始めると表明したところ、その下流に位置するエジプトとスーダンが反発を強めた。ドナウ川では、ハンガリーとスロバキアが対立。漢江（ハンガン）では、韓国と北朝鮮がダム建設をめぐって対立している。

日本は国土が隣国と接していないため、他国の水紛争はあまり意識に上らないかもしれない。しかしこうした気候変動とその影響を扱ったフィクションは、未来の苦境を感情移入できる形で描き出すことで、気候変動がどれほどわれわれの生活に影響を与えるのかを、理屈だけでなく、心で理解させてくれる。それは、シンプルに事実やシミュレーションを積み上げていくノンフィクションには難しいことだ。

パオロ・バチガルピ

1972年、米コロラド生まれ。『ねじまき少女』で、ネビュラ賞、ヒューゴー賞、ジョン・W・キャンベル記念賞ほかSF界の賞を総なめにした。

『2084年報告書 地球温暖化の口述記録』

――現役の地質学者による（現状を放置すれば訪れる）予言の書

ジェームズ・ローレンス・パウエル著／小林政子訳、国書刊行会、2021年（原著刊行2020年）

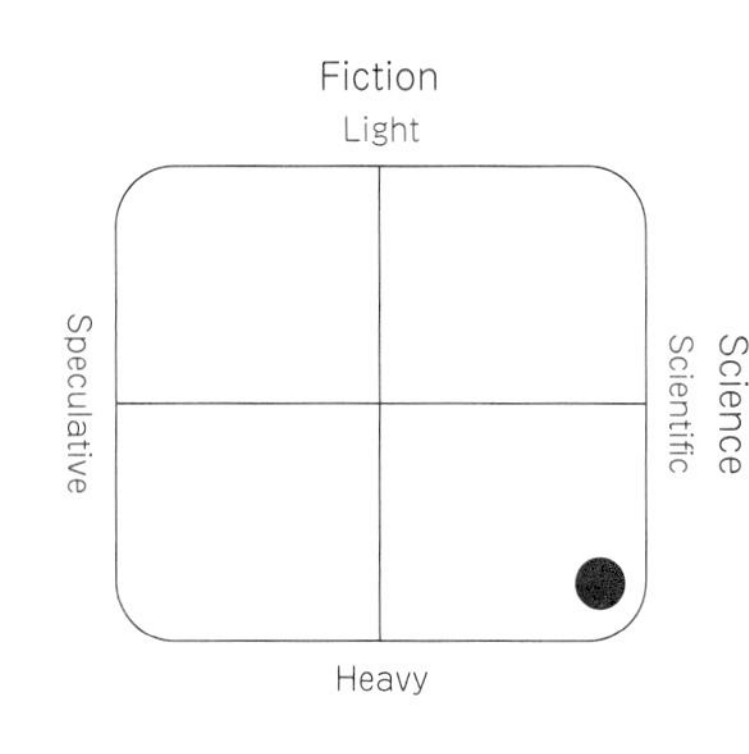

どんな作品か

温暖化の脅威を「当事者」が語る架空インタビュー集

地球温暖化をテーマにしたディストピアSFである本作は、タイトルの「報告書」や「口述記録」といったフレーズからも察せられるように、すでに温暖化が著しく進行してしまった地球を舞台にしている。

作中では、アメリカ、ヨーロッパ、インド、イスラエルなど世界各地から、「われわれの世界はなぜこんなことになってしまったのか?」という問いかけに対する人々の肉声を集める形式で、2084年の地球にもたらされた破滅的な温暖化の影響がありありと描かれる。フィクションではあるものの、2020年代を生きるわれわれがこのまま手をこまねいていれば、未来は間違いなくこうなるのだという嫌な説得力がそこにはある。

著者のジェームズ・ローレンス・パウエルは、作家のキャリアを歩んできた人間ではない。MITで地球科学博士号を取得し、大学長や博物館館長などを歴任。レーガン、ブッシュ政権下では米国科学委員会の委員も務めた地質学者である。

2084年の世界で各地をめぐり、そこで起きたことを取材していくという設定なので、物語らしい物語はない。そのかわり、干ばつ、洪水、海面上昇、氷、戦争、健康被害など、トピックごとに〝当事者〟のインタビューがまとめられていて、世界がどのような状態にあるのかが、バラバラのパズルのピースをはめていくように把握できる構成になっている。

インタビューから見えてくる２０８４年の情景は恐ろしいものだ。パリの気温は摂氏46度。わずか数分でも直射日光を浴びると熱射病になるから、凱旋門の周りにも人影はなく、夜間でさえ暑すぎて外で座っていることはできない。アメリカ南西部では水不足と電力不足が深刻化し、市民はカナダへの移住を迫られている。もっとも干ばつの激しい国であるオーストラリアでは、資源の不足に対抗するために人口を積極的に増やさない方針――あらゆる種類の避妊方法を無償でサポートするなど――をとり、２０１０年の２２００万人から、２０５０年には１１００万人にまで人口を減少させている。

エピソードの中には意外に感じられるものもあるだろう。気温が上がるのは、もとから暑い地域に住む人にとっては悲劇だが、北極圏のように寒くて人が住むのがやっとのような場所では、（少なくとも人が暮らす上では）恩恵のように思える。だが、実際にはそうともいえない。たとえばロシアのヤクーツクのように、ほとんどの家が永久凍土の上に建てられた都市では、気温が上昇して永久凍土が溶けると家屋は倒壊してしまう。

ヤクーツクは北極圏から南へ約４５０キロメートルのところにある人口約25万人の都市だが、２０８４年の世界ではこの土地は見捨てられ、無人になっている。また、永久凍土には太古から蓄積された有機物や細菌が大量に含まれており、温暖化でこれが溶けて息を吹き返すと、細菌は有機物を食べ、CO_2とメタンが発生する。発生するガスの量も膨大で、コンピュータモデルによると北極の気温は他の地域よりも2倍以上の速度で上昇するという。

どこがスゴいのか

温暖化時代の「国際情勢」を見通す

本作がSFとして面白いのは、地球温暖化によって環境がどう変化するのかという直接的な影響のみならず、国際情勢がどう変わるのかという点まで含めて描いているところだ。

この2084年の世界では、国家としてのカナダはアメリカに侵攻されて消滅してしまっている。順番としては、アメリカの南部が人が住める気温ではなくなり、住民たちはカナダ、もしくはカナダの下に位置する他州へと移住を開始する。

さらに、アメリカ中部では気温の上昇により小麦の栽培に影響が出る。気温が摂氏1・1度上昇すると、小麦の収穫は5～15パーセント減少するため、テキサスやオクラホマ、コロラドやカンザスなど、これまで小麦を栽培していた地域では栽培そのものができなくなるか、利益が出せなくなっている。必然的に、小麦栽培の拠点はカナダへと移り、カナダへの移住を希望する人が増えていく。

２０３０年代にはアメリカからカナダへの移民圧力が強まり、カナダは国境を閉鎖するも、不法移住は止められない。カナダとアメリカの国境は陸地で全長５０００キロメートル、海上で３８００キロメートル以上ある。完全な防衛は不可能で、アメリカ人が大挙してカナダへなだれ込むのを止める力はどちらの政府にもない。

不法移民となったアメリカ人が危険なのは、銃で武装しているためで、次第に不法移民の武装勢力がカナダ各地の街を占拠するようになる。彼らを攻撃するカナダ政府に対し、不法移民の集団は国境に配置されていた米軍に援軍を要請、カナダVSアメリカの戦争が（本作の世界では２０４６年に）勃発する。当然、カナダが敵う（かな）わけもなく、主権国家としてのカナダは消滅、カナダの各州は米国の州となってしまうのだ。

本作のような形で世界中の被害状況とその歴史がまとめられると、いかに気候変動に対する想像力が乏しい人でも、地球温暖化がわれわれの生活にどれほどの被害をおよぼすのか、よく理解できるだろう。

作中のインタビューでは、温暖化の根拠は確かなものであり、文明そのものが脅かされることはとっくにわかっていたはずなのに、過去の人たちはなぜ命がけでも対策を打とうとしなかったのか？　と、２０８４年の人々が問いかけるシーンが何度も登場する。温暖化はデマだと決めつける人々が絶えなかったからだとか、どの国家も全力を傾けなかったからだとか、理由はいくつも挙げられるが、温暖化が進行してしまった後では、すべて言い訳でしかない。

その意味で、本作は、「予言の書」ではなく「警告の書」である。ここで描かれた未来は遠からず訪れる。しかし、この未来を回避することもわれわれは選択できる。それこそが、本作をいま読むべき理由なのだ。

ジェームズ・ローレンス・パウエル

１９３６年、米ケンタッキー州生まれ。地質学者。レーガン、ブッシュ政権下では米国科学委員会委員を務めた。

Chapter 10

戦争

テクノロジーの進歩によって変貌する次世代の戦争を描く

２０２２年に始まったロシアによるウクライナ侵攻は、われわれの世界を大きくゆさぶった。それ以外にも、２００１年から２０２１年にかけてのアフガニスタン紛争、２０１１年から続くシリア内戦など、「戦争」と呼ぶべき事象は頻発しており、現在進行形で火種がくすぶっている地域も世界中に散らばっている。

ウクライナ侵攻をきっかけに、改めて注目されているのが「第三次世界大戦」および「核戦争による世界の終末」というテーマだ。後に紹介する、ネヴィル・シュートの『**渚にて**』をはじめ、このテーマを扱ったＳＦ作品は枚挙にいとまがない。

たとえば、ウォルター・Ｍ・ミラー・ジュニアの『**黙示録３１７４年**』（１９５９）は、核兵器による第三次世界大戦の後、廃墟の中から文明を復元する過程を描いた作品だ。その結果、一度は中世以前まで後退した文明は、崩壊前を凌駕するほどの発展を遂げるのだが、そこで再び核戦争が起こり——という、人間の救いがたさを抉り出す。

はたまた、中国人民解放軍のミサイル発射室で、担当者のつまらない喧嘩がもとで核が発射されてしまい、人々が少しでも長く生き延びようと走り回る様子をブラックコメディ調で描き出した、筒井康隆**『霊長類南へ』**（1974）のような作品もある。

最新のテクノロジーを駆使した現代の戦争は、第二次世界大戦時とは大きく異なる様相を見せている。これまでに見たことのない戦争を提示してみせるのも、SFの本領といえよう。

世界中で広まりつつある自律型兵器は、人間の生死を決定する力を持ちうる。しかし、誰を殺すかという判断まで兵器にゆだねられた場合、誤射があったときの責任は誰が負うのだろうか。また、こうした兵器を非人道的だと否定する声がある一方で、むしろ一般的な兵器よりも人道的だという意見もある。AIによる高度な認識能力を備えた兵器であれば、ライフルを持った軍人と熊手を持った民間人を誤認したりするケースが減り、民間の被害を抑えることができるかもしれない。こうした問いかけは、まさしくSFが得意とするところだ。

もうひとつ、新時代の戦争を描く際に忘れてはならないキーワードが「サイバー戦争」だ。ハッキングにより敵対する国家のシステムを不正操作し、経済やインフラを機能停止に追い込むといった形で行われる、いわばインターネット上（コンピュータ上）の戦争である。

このテーマを扱った作品としては、米中間のサイバー戦争を描いた『**中国軍を駆逐せよ！**』（P・W・シンガー、オーガスト・コール著、2015）などが挙げられる。太平洋を舞台に米中戦争が勃発した2026年、中国のサイバー攻撃によって大半のハイテク機器が使えなくなってしまったアメリカが、ハッキングの影響を受けない旧世代の艦艇で反撃に出る——というストーリーだ。共著者に名を連ねるP・W・シンガーは『**「いいね！」戦争　兵器化するソーシャルメディア**』などの共著がある軍事戦略の第一人者。このように、専門家の深い考察によって支えられているのも、現代の軍事SFの特徴のひとつだ。

今回はストレートな軍事SFではなく、違った角度から戦争を眺めるきっかけとなる3冊を取り上げた。

『地球の平和』
――際限のない軍拡競争の行き着く果て

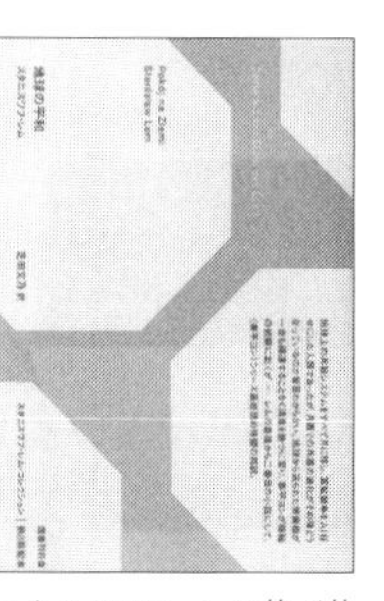
スタニスワフ・レム著／芝田文乃訳、国書刊行会、2021年（原著刊行1987年）

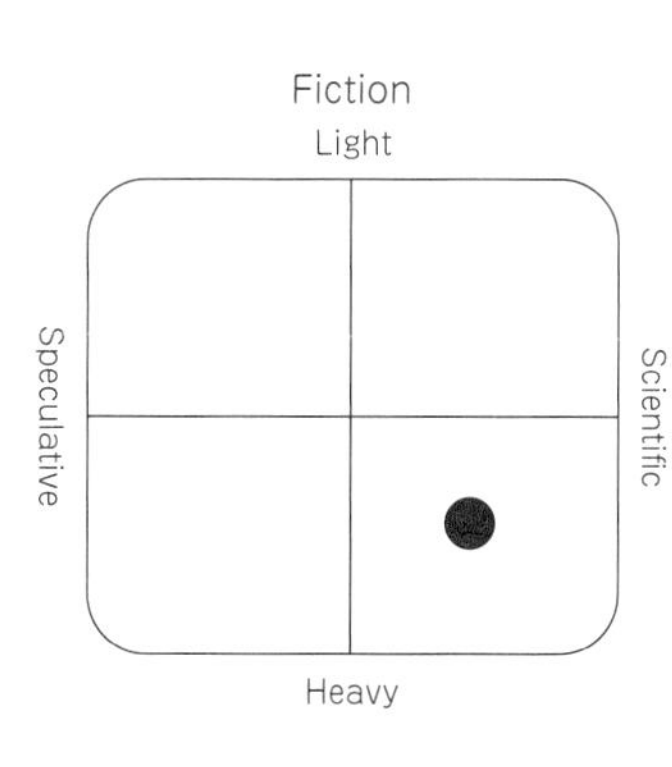

どんな作品か　小型化した自動機械兵器が戦争の主役に

代表作『ソラリス』があまりにも有名なスタニスワフ・レム。本稿で紹介する『**地球の平和**』は、この20世紀を代表するSF作家が晩年に発表した長編である。

本作が扱うのは、「戦争や軍拡競争が行き着いた先に何が起こりうるのか？」というテーマだ。30年以上も前の作品でありながら、レムが見通した未来の姿は驚くほどに正確で、いま読んでもわれわれのよき道標（みちしるべ）になってくれる。

本作の舞台は、技術が大きく進歩した未来の世界。語り手である泰平（たいへい）ヨンは、月面にある軍事施設を調査する極秘の任務についていたが、月面着陸時に何らかのトラブルに巻き込まれ、気づけば右脳と左脳を結ぶ脳梁（のうりょう）を切断されている。その結果として、自分が月で何を目撃したのかという記憶にアクセスできなくなり、体の右側と左側が別々の意識によって動かされてしまう。

言葉で考えるのは言語中枢がある左脳だが、こちらが何も意図していないのに、左手（右脳によってコントロールされている）がとつぜん靴屋の店員の鼻をつかんだり、左足が周囲の人間を蹴っ飛ばしたりと、完全に意識と行動が分断してしまっているのだ。

なぜ泰平ヨンはそんな手術を施されなければならなかったのか？　何者によってそれは実行されたのか？　月ではいま何が起こっているのか？　この３つの大きな謎を追う形で物語は進行していくことになる。


そもそも泰平ヨンは、何を目的として月で極秘の偵察任務にあたっているのか。それは、この世界の兵器の開発状況と関わっている。この世界では、先進国では誰も軍隊に入りたがらないので、自動機械が兵士として人間の代わりを果たすようになっている。

それだけならば現代でもすでに同じようなことが起こっているが、本作の設定としてユニークなのは、そうした自動機械のサイズがどんどん小さくなっている点だ。

ハチやアリが一匹一匹はたいした知性を持たずとも、集合することで複雑な構築物を築きあげているのと同じように、自動機械兵器はひたすら小型化&群体化による進化の道を歩んでいる。たとえば、土を掘って地中に潜り込み、核爆発後に地表に這い出して任務を果たすことができるチタン製のマムシやミミズ。与えられた指向性に従って、金属製の兵器から人間の兵士まで腐食させる人工細菌。さらには分散してウランやプルトニウムを運び、標的に至ったところで統合する〈自動分散型原子兵器〉まで出現してしまう。

兵器を小型化するメリットはいくつもあるが、そのひとつは「小さいほど安全」ということだ。かつて恐竜を滅ぼした隕石も、昆虫や細菌には（相対的に）影響を与えなかったように、小さく分散した存在であるほど、敵方の破壊的兵器の効果を受けにくくなる。原子爆弾を筆頭に、兵器の威力が上がり続けているなか、その作用から逃れるためにも、各国にとって兵器の小型化は死活問題になっている。

どこがスゴいのか

「認識できない戦争」の脅威

本作の凄みは、こうした兵器の小型化が行き着いた、その先を描き出している点にある。そこで提示されるのは「認識できない戦争」という概念だ。兵器があまりにも小さく多機能になった結果、もはや戦争を戦争として認識することは困難になっているのである。

たとえば、ある地域に酸性雨が降ったとしよう。はたしてそれが環境破壊によって引き起こされたものなのか、はたまた敵による妨害工作なのか、この世界では判断がつかなくなってしまっている。あるいは、家畜が大量に死んだ――この疫病は自然発生したものか、それとも人為的に引き起こされたものなのか。あるいは、暴風雨が沿岸を襲った――これは自然災害なのか、それとも誰かが海上のサイクロンを巧妙に操作した結果なのか?

乳児死亡率の上昇、作物の伝染病の蔓延、がん発生率の増加、出生率低下による人口減少、隕石の落下――あらゆるマイナス事象は、自然現象に過ぎないかもしれない。それと同じくらい、敵国の攻撃である可能性もある。

専門家が時間と知見を動員すれば、自然現象なのか、攻撃なのかを判定できることもあるだろう。だが、その対象が広がるほどに、判定コストは上がり続けていく。そうなると、もはや戦争が起こっていたとしても、そのことすら認識できない。前線の在り処や敵対関係の定義は曖昧になり、戦争と平和の区別がつかない世界になってしまう。何が攻撃行動なのかわからなければ、相手がどの程度の兵器を持っているのか推察することもできないため、無限の軍拡競争を各国が強いられることになる。

この、双方勝利も敗北もしないという膠着状態に至って、各国は最終的に兵器開発の無人システムを月に移し、そこを完全な立ち入り禁止区域に指定することで地球の非軍事化を達成する。しかしそれは、「どの国が最初に極秘化された月の最新軍事情報を取得するのか？」「無人で兵器を発展させ続けている月の自動兵器開発システムが一転して地球に牙を剝くのではないか？」といった新たな恐怖と競争を産むきっかけになり、軍拡競争の無限ループに歯止めがかかることはない。

月に移された各陣営の無人兵器開発プログラムは、様々なシミュレーションを走らせ、相互の弱点を探り合いながら兵器を進化させている。物語の冒頭で泰平ヨンが脳梁を切断されてしまったのも、試験中の新型ロボット兵器の作用によるものだった。この兵器は、人間の軍隊が攻めてくるのを感知すると、遠隔で脳梁切断術を施すようにプログラミングされている。そうすることで、人間を「殺す」ことなく無力化できるというわけだ。

このような軍拡の連鎖は、いずれ〈最終兵器〉とでも呼ぶべき、敵味方双方を破滅させるようなテクノロジーに至るのだろうか？　その結果として、恒久的な均衡状態は生まれうるのだろうか？　本作が提示するこれらの論点は、未来の軍拡と兵器に対して思索を深める一助になるだろう。

作家の晩年の作品というと、パワーが衰えた作品になってしまうことも珍しくはないが、本作はその例には当てはまらないようだ。『地球の平和』はレム作品の集大成にして、さらにその先のヴィジョンを示してみせた、傑作である。

スタニスワフ・レム

1921年、旧ポーランド領ルヴフ（現ウクライナ領）生まれ。三大長編『エデン』『ソラリス』『インヴィンシブル』のほか、著書多数。

『渚にて』

――核戦争で滅びゆく「人類の最後の日々」

ネヴィル・シュート著／佐藤龍雄訳、東京創元社、2009年（原著刊行1957年）

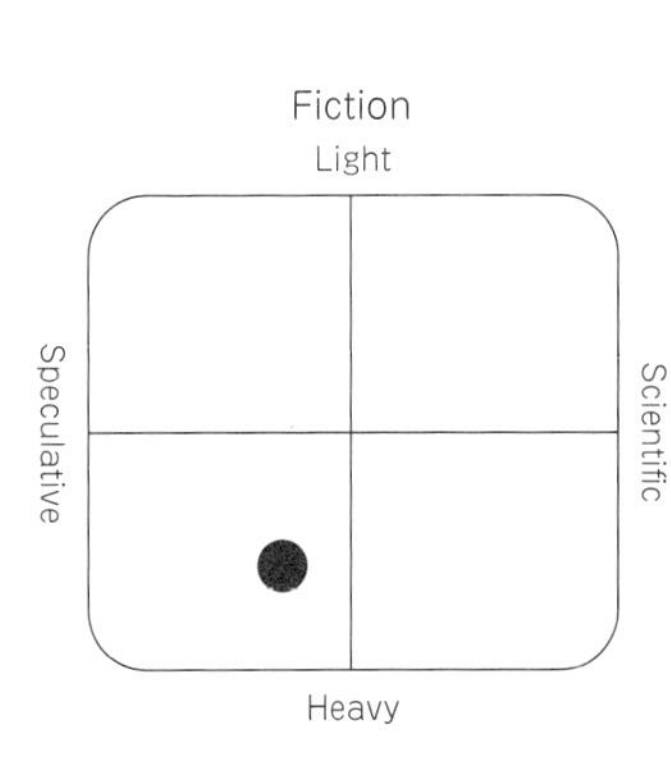

どんな作品か

放射性物質に侵された「第三次世界大戦」後の世界

キーワード解説でも述べたように、ロシアによるウクライナ侵攻をきっかけに再び取り沙汰されるようになったトピックスに、「第三次世界大戦」および「核戦争による世界の終末」がある。このテーマがＳＦの中で最も多く描かれたのは、米ソの冷戦時であった。イギリスの作家、ネヴィル・シュートによる長編『**渚にて**』は、その筆頭に挙げるべき作品だ。

第三次世界大戦が勃発し、各地で４０００個以上の核爆弾が炸裂した世界。主な爆発地点が北半球だったために、オーストラリアなど南半球に位置する国々は破壊をまぬがれたものの、放射性物質は風に乗って南下し、人類は長く見ても数年以内に全滅すると見られている――本作はそんな状況下で、「最後の日々」を過ごす人々の姿を描き出す。

作品の舞台は、１９６３年のオーストラリア、メルボルンとその周辺だ。

作中では、イスラエル対アラブ諸国の戦いがアルバニアの介入をきっかけにＮＡＴＯ対ソ連の戦いへと発展。さらに中国対ソ連の戦いへと拡大し、両国が核を撃ち合った結果、世界は破滅的な核の被害にさらされる。ソ連は豊富な労働人口と、冬でも凍らない港を確保するために中国を狙い、中国はソ連の侵攻を阻止すべく、ソ連側の主要都市の破壊を狙ったものと推測される。

事態は中露の二国が核を撃ち合っただけでは終わらない。ソ連の爆撃機に乗ったエジプト軍兵士によるワシントンへの爆撃を、アメリカがソ連からの攻撃と勘違いし、報復としてレニングラードやオデッサ（オデーサ）の核兵器施設に攻撃を仕掛けてしまう。イタリアやイギリスの首都も、アルバニア軍による核攻撃にさらされ、ここでも攻撃の首謀者はソ連であると誤認された結果、すべての報復攻撃はソ連に集中する。

当然、核攻撃を受けたソ連はさらなる報復措置に出る。一度核攻撃の応酬が始まってしまえば、最初のきっかけが誤解であったことに途中で気がついても手遅れだ。その「取り返しのつかなさ」は、アメリカ最後の原子力潜水艦〈スコーピオン〉の艦長タワーズが科学者のオズボーンと交わす次のようなやりとりに端的に表現されている。


「艦長なら、和平交渉を試みたのではないでしょうか？」とオズボーン。

「合衆国全土が壊滅し、国民が残らず殲滅されたにもかかわらずか？　しかも報復のための武器がまだ自分の手のなかにあるというのに？　それでも戦いをやめて許せというのか？　それほど高潔な人間になってみたいものだが……到底たやすいことじゃない」

タワーズは背筋をのばした。「そもそも、わたしには外交なんてものの経験がない。和平交渉なんてことをまかせられたとしても、どうしたらいいかわからなかっただろうよ」

（p137-138）


とはいえ、物語の開始時点ではそうした悲劇もすべて終わったことである。世界はすでに核をさんざん撃ち込まれた後であり、北半球側の国家はほぼ壊滅状態。アメリカや西欧の住民は大半が死亡し、生き残った人々は放射性物質の影響の少ないオーストラリアなどに避難している。そうしたところで、そう長い年月生き延びられるわけではないことは既定事項だ。つまりこの物語は、遠からず訪れる「終末」を前にして、人々がどのように日常を過ごすのかを描写することに大部分を費やしているのである。

どこがスゴいのか

世界の終末にどのような態度で臨むのか

地球上で起きた惨劇の大きさに比べれば、メルボルンの人々の日常はいたって牧歌的だ。ささやかな身内のパーティを開いたり、ヨットに乗ったり、ロマンスを楽しんだり……。なかには、野菜を栽培するために庭の手入れを始める人もいる。実際に収穫ができるようになるまで、自分が生存できる保証はないにもかかわらずだ。

なにしろ、世界史上前例がない事態なので、放射性物質がいつオーストラリアまで流れてくるのか、確かなことは誰にもわからない。現実を直視せず、きっと何事も起こらないだろうと楽観にひたる人間も大勢いる。

世界の終わりを前にして、意外と人はやることがない。企業のほとんどは潰れてしまっているので、仕事もない。登場人物の多くは潜水艦の乗組員で、放射能汚染が海のどこまで広がっているのかを調査する任務などにあたっているが、それさえ絶対に必要な仕事ではない。国家の多くが機能不全に陥っており、軍人たちが戦う理由もすでにない。

表向きの行動を見る限り、人々は平常に近い暮らしをしているが、それでも世界の悲劇は描写の端々に現れる。腹の据わった人物として描かれるタワーズもまた、心に深い傷を負っている。彼はアメリカで亡くしたはずの妻子がまだ生きているかのように振る舞い、いずれは故郷へ戻って再会を果たすのだと繰り返すのだ。

放射性物質の南下が確実となるにつれ、物語の中では死の気配がいよいよ色濃くなっていく。オーストラリア政府は、国民が放射能汚染で長く苦しむことがないように、自殺用の薬剤や注射を無料で提供している。物心もつかない子どもを苦しませるぐらいなら、その薬で先に死なせてやるべきなのか。あるいは家族全員でそろって死ぬべきなのか――そうした葛藤が、物語の後半を支配する。

そんななかでも、タワーズは最後までアメリカ軍人としての責務を全うし、死ぬときは自分の船、そして海の上でと考えている。自分たちが死ぬという運命を受け入れながらも、10年後、20年後について語り合う人々もいる。本作は、世界の終末をどのように受け止めるのかという「態度」を問う物語でもあるのだ。

数カ月後の破滅を前にして、取り乱す人は意外なほど少ない。それどころか、高潔な精神をこの終末に至って発揮しようとしている人ばかりだ。核戦争という究極の愚をおかしながらも、終末にあたっては矜持を示す。そんな矛盾もまた、人間らしさといえるのかもしれない。

もっとも、本作には「終末を美化している」との批判もつきまとってきた。はたして現実を生きるわれわれは、終末のときにあって、ネヴィル・シュートが描き出したような高潔さを発揮できるのだろうか？

ネヴィル・シュート

1899年、英ロンドン生まれ。作家、航空機設計の技術者、事業家など多彩な顔を持つ。『渚にて』は1959年に映画化もされている。

『戦闘妖精・雪風〈改〉』

――戦うべき相手との「決死のコミュニケーション」

神林長平著／早川書房、2002年、シリーズ4巻、1984年〜

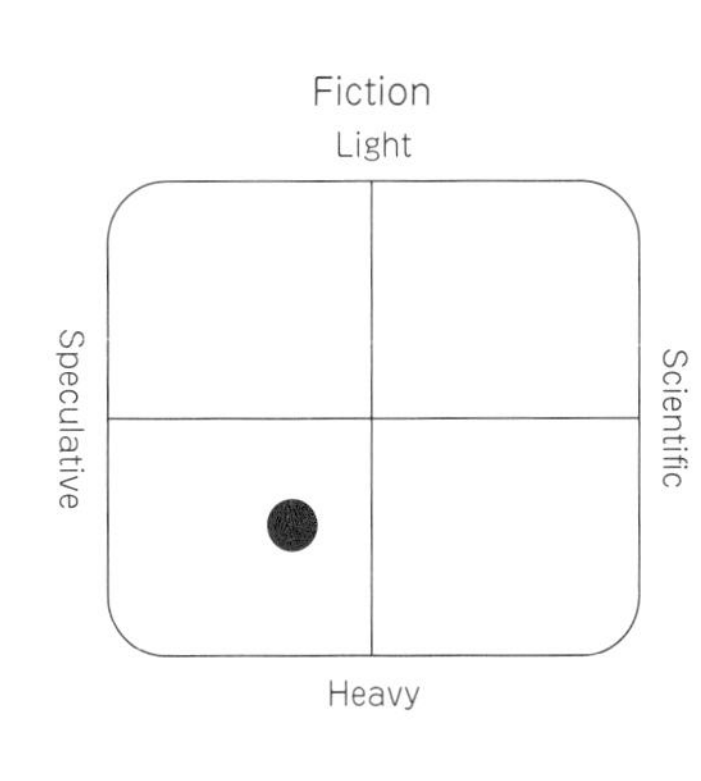

どんな作品か

未知なる異星人に対峙する特殊戦隊の活躍

「戦闘妖精・雪風」は、日本を代表するSF作家、神林長平によるシリーズ作品だ。デビュー初期の1984年に第一作**『戦闘妖精・雪風』**が刊行され（2002年に**『戦闘妖精・雪風〈改〉』**として再刊）、続いて第二作**『グッドラック』**（1999）、**『アンブロー**

クン アロー』（2009）、『アグレッサーズ』（2022）と、著者の長いキャリアを通じて巻を重ねてきた。著者がその時々で追求していたテーマや思索が各作品に盛り込まれた、まさにライフワークというべきシリーズである。

本シリーズが描き出すのは、戦争といっても、人間の存在を認識しているのかどうかさえわからぬ異星体〈ジャム〉との戦いだ。したがって、まず「相手が何を考えているのか」を知ることが戦略の要となる。つまり、ジャムとの戦闘もさることながら、彼らとのコミュニケーションがメインテーマになっているのだ。

物語の舞台は、南極に出現した〈通路〉から地球に異星体ジャムが侵攻してきた世界。地球防衛軍がジャムに反撃すべく通路に踏み込んでいくと、その先には未知の惑星〈フェアリイ〉が存在していた。対ジャム戦における主力となったフェアリイ空軍（FAF）は、フェアリイ星側にある通路の入口を取り囲むように基地を建設し、ジャムの侵攻が地球に及ばないよう食い止めている。

フェアリイ空軍の主戦力は、〈シルフィード〉と呼ばれる大型戦闘機だ。なかでも〈スーパーシルフ〉と呼ばれる改良機は、人類と同等の知的生命体とみなしても差し支えないほど高度な人工知能を有している。

スーパーシルフが配属されているのは、「情報収集のために味方を見殺しにしたとしても必ず還れ」を至上命令とする偵察部隊〈特殊戦〉だ。この部隊では、隊員にも「他者に関心を持たない」排他的な人格が求められる。いわば「なにかの手違いで人間になってしまった機械」のような人材だ。そんな〈特殊戦〉隊員の資質を体現しているかのようなパイロット、深井零(ふかいれい)を中心にストーリーは進行していく。

どこがスゴいのか 「戦う意味」を根本からゆさぶり、問い直す

本シリーズを駆動するのは、多くの軍事SFが紙面を割く「戦況の分析」や「手に汗握るドッグファイト」などではなく、哲学的な問答だ。そのひとつに「戦争に人間は必要なのか？」という問いかけがある。

この世界では、高度に発達したAIが戦闘機をコントロールするのみならず、軍そのものの運営のかなりの部分を担っている。人間が戦闘機に乗っている限り、生命維持関連の限界が生まれ、本来機体が発揮できる性能は大幅に制限される。ならば、この戦争に人間

など必要ないのではないか、というのはもっともな問いかけだ。機械が勝手にジャムと戦えばいいのだから。

深井零は、自身が搭乗する戦闘機〈雪風〉と深く繫がった存在であり、人間が戦場に出ることの意味を疑ってはいない。しかし、その理由まではわかっていない。彼は、上司であるブッカー少佐に理由を問いかけ、次のような返答を得る。

「人間に仕掛けられた戦争だからな。すべてを機械に代理させるわけにはいかんだろうさ」（p97）

なるほど、人間に仕掛けられた戦争であるならば、人間が応じるのは当然といえる。しかし――ジャムは先にも書いたように正体不明の異星体だ。突如地球を攻めてきた目的が何なのか、実際のところは誰にもわからない。

彼らの技術力からすれば、人間をとっくに支配できていてもおかしくなさそうなのに、そうはなっていない。ここで零は、ある可能性に思い至って愕然とする。ジャムは異星体だ。彼らが、地球の支配者は人間ではなく「機械」だと考えたとしても不思議ではない。

人間は自分たちが戦争を仕掛けられたと思っているが、実際にはジャムが戦っているのは、人間が使役している（と自分たちでは思いこんでいる）機械のほうかもしれないのだ。だとすれば、人間が戦っている意味は根本から覆される。

はたして、これは人間が立ち向かうべき戦争なのか？　それとも、実は機械に仕掛けられた戦争であって、人間はそれをはたから見ているだけなのが正解なのか？

それを知るためには、人類とはまったく異なる意識を持つはずのジャムの意図を知らなければならない。本シリーズを通して描かれるのは、この戦争における人間の存在意義を求め、ジャムの真意をはかるための決死のコミュニケーションなのだ。

無意識の思考の流れであっても、人間は「言葉」を用いることで強引にその意味を浮上させることができる。それは、機械にはない人間の強みだ。

第二作『グッドラック』では、人間には理解できない異質な知性・意識に対して、「言葉」を用いて自分たちの存在を認めさせようとする人間の苦闘が描かれる。これに並行して、雪風と零（機械と人間）の、単なるパートナーシップを超えた、お互いがお互いの一部でありながら異なる情報処理システムで世界を認識しているという、新たな関係性の構築が描かれていく。

第三作『アンブロークン アロー』では、零と特殊戦の面々は、雪風ら機械知性やジャムが見ている世界に入り込む。それは、人間の現実認識が通用しない領域だ。

たとえば、人間は特定の光の波長に色を感じるなど、自分なりの「認識」を通して世界を見ている。作中では、そうした解釈が入る前のむき出しの世界が〈リアルな世界〉と表現され、そこには時間もなければ、自分と他人の区別も、人と物体の区別もない、ただ〈可能性〉のみが存在する場所だと説明される。

ジャムや機械知性たちが認識している世界とは、そんな〈リアルな世界〉に近いものなのではないか。『アンブロークン アロー』では、そこでの体験を意識化&言語化することを通して、人間がジャムへの存在へとかつてなく近づいていく。

続く第四作『アグレッサーズ』では、ジャムが地球から去った（かのように見える）ことを受けて、代わりに特殊戦がジャムに「なりすます」作戦が浮上する。ジャムの真意がわからない以上、戦いは終結したとはいえず、防衛を解くわけにはいかない。しかし、フェアリイ空軍による長い平和で、ジャムの実体すら疑い始めた人々を納得させるためには、ジャムからの攻撃を演出し続ける必要があるというわけだ。ここに至って、これまでフェアリイ空軍とジャムの闘争（≠コミュニケーション）を中心に展開していた物語が、人類社会全体を巻き込んだ哲学的闘争へと発展していく。

人間とはまるで異なる異質な知性、そうした、人間の概念、言葉ではどうしたって表現できない〈何か〉を、なんとかして言葉ですくい取ろうとする姿勢。機械がいくら高度な機能を有しようが、人間の存在する意味を問い続ける過程。それが雪風がこれまで描いてきたものである。他では体験できない問いが、ここにはあるのだ。

神林長平（かんばやし　ちょうへい）
1953年、新潟県生まれ。「創造」「言語」「意識」をテーマにした数々の作品で知られる。1995年、『言壺』で第16回日本SF大賞を受賞。

『スローターハウス5』

——むごい戦争体験をSFに昇華した「反戦小説」

カート・ヴォネガット・ジュニア著／伊藤典夫訳、早川書房、1978年（原著刊行1969年）

Fiction
Light
Speculative
Science
Scientific
Heavy

どんな作品か

異星人が戦争帰りの兵士に教える「死生観」

カート・ヴォネガット・ジュニアは、村上春樹をはじめ多数の作家がその影響を公言する世界的な作家である。世界を滅ぼす力を持った発明品がもたらす帰結を、独特なユーモアを交えて綴った『**猫のゆりかご**』（１９６３）、時空を超えてあらゆる時と場所に干渉できるようになった人類の運命を描き出す『**タイタンの妖女**』（１９５９）など、壮大なスケールの長編が持ち味の作家だが、そのなかからあえて一作取り上げるならば、この『**スローターハウス5**』を選びたい。時間と反戦をテーマにした、半自伝的な傑作長編である。

1922年、アメリカに生まれたヴォネガットは、第二次世界大戦時にアメリカ陸軍に徴募され、欧州戦線に参加する。バルジの戦いで取り残され捕虜となった彼は、その後ドイツ東部の都市であるドレスデンへと連行され、そこで連合国軍による爆撃に巻き込まれることになる。ヴォネガットらアメリカ人捕虜は、屠畜場の地下に身を潜めて爆撃から生き延びるが、ドイツ人らはその建物を「第5屠畜場（スローターハウス5）」と呼んでおり、そのときの体験が本作にそのまま反映されている。

物語の中心人物は、ビリー・ピルグリムという名の検眼医だ。彼は第二次世界大戦中、（ヴォネガットと同様に）捕虜となり、ドレスデンで悲劇的な爆撃を経験する。彼はそれでも戦争を生き延び、帰国してショック療法を受け、フィアンセと結婚し、義父の出資でニューヨークのイリアムで開業。検眼医となり、金持ちになって、二人の子どもを授かる。

これらの出来事が、バラバラの時系列で語られていくのが本作の大きな特徴だ。というのも、ビリー本人が語るところでは、彼は第二子であるバーバラの結婚式の後に空飛ぶ円盤に拉致され、地球から何光年も離れたトラルファマドール星へと運ばれる。この惑星で、トラルファマドール星人特有の世界の見方を教えられ、時間感覚が決定的な変容を遂げてしまったのだ。

トラルファマドール星人の世界の見方とはどのようなものなのだろうか？　ビリーによれば、彼らは世界を四次元的に見る。過去と未来をひと目で見渡すことができるし、あらゆる地点を同時に観察することができるのだ。つまり、彼らにとってはある人が死んだとしても、それは悲劇でもなんでもなく、ただ「その時点では死んでいるように見える」だけなのである。過去の地点では、当然その人はまだ生きているわけだから、人間のように葬儀場で泣くのは（トラルファマドール星人の価値観からすると）おかしなことだ。地球人は、いったん過ぎ去った瞬間は二度と戻ってこないと考えているが、トラルファマドール星人からすればそれは間違っている。

トラルファマドール星人は死体を見て、こう考えるだけである。死んだものは、この特定の瞬間には好ましからぬ状態にあるが、ほかの多くの瞬間には、良好な状態にあるのだ。いまでは、わたし自身、だれかが死んだという話を聞くと、ただ肩をすくめ、トラ

ルファマドール星人が死人についていう言葉をつぶやくだけである。彼らはこういう、〝そういうものだ〟。（p44）

ビリーはこうしたエピソードを、ラジオ番組で喋ったり新聞に投書したりするのだが、周囲の人間にとっては支離滅裂にしか聞こえない。ビリーの語りはバラバラの時間軸で構成されており、あるときは娘の結婚式の場面、あるときはドレスデンの爆撃、あるときは悲惨な行軍中、あるときは自身が死ぬその瞬間――といった具合に、時系列を縦横無尽に行き来する。

どこがスゴいのか　あらゆる運命は「そういうもの」でしかない

ビリーの人生には多くの死が訪れる。

彼の父親は戦争中、狩猟の事故がもとで亡くなった。従軍中にビリーをいじめていた兵士仲間のローランド・ウェアリーは、大怪我をした足から広がった壊死（えし）で死ぬ。連合軍によるドレスデンの爆撃で、13万5000人もの市民（これは現実の死者数ではなく、本作中での死者数になる）が殺された。地下で爆撃から生き延びたビリーが外に出て目にしたのは、周囲に散らばる死体が穴に埋葬され、あまりにも死者の数が多すぎるとわかると、今度は火炎放射器で一斉に焼き払われる光景だ。アメリカに帰国し、検眼医となったビリーだが、今度は国際検眼医大会が開かれるモントリオールへ向かう途中で飛行機が墜落。彼を除く乗客全員が死亡する。

そうした死のすべてを、ビリーはただ「そういうものだ」と受け入れていく。ビリーがトラルファマドール星人に拉致されたとき、彼は「なぜ、わたしが？」と尋ねるが、それに対する答えも「そういうものだから」でしかない。トラルファマドール星人に「なぜ」はないのだ。

トラルファマドール星人は、宇宙がどのように滅びるのかも知っている（トラルファマドール星人が空飛ぶ円盤の新しい燃料の実験をしているときに消えてしまう）。それを覆すことは不可能で、誰もそれについて悔しがりはしない。瞬間瞬間の出来事は最初から決まっており、自由意志などは存在せず、死も生も決定づけられている。

本作で描かれるような時間の概念に、不快感を覚える読者もいるかもしれない。この見方を受け入れるのなら、現状を改善しようとする努力に意味などないように思える。

1972年に行われたインタビュー[※11]で、世界をより良くしたいという願いと、『スローターハウス5』で提示された時間の概念がどのように合致するのかと問われたヴォネガットは、次のように答えた。

「もちろん、私の言うことがすべて出鱈目だということはおわかりでしょう」

ヴォネガットはこのようなスタイルでしか、自身が体験してきた圧倒的な戦争体験を表現することができなかったのだろう。人間は、あまりにもむごい現実を直視できないこともある。「そういうもの」なのだ。

カート・ヴォネガット・ジュニア
1922年、米インディアナ州生まれ。第二次世界大戦に従軍後、1950年に作家デビュー。現代アメリカ文学を代表する作家の一人である。

Chapter
11 宇宙災害(隕石の衝突、太陽フレア)

宇宙規模で見ると「間一髪」の危機は日常茶飯事

宇宙から飛来したものが地球に害を及ぼす「宇宙災害」も、SFでよく取り上げられるテーマのひとつだ。代表的なのは「隕石の衝突」だろう。実際に恐竜絶滅の引き金となっていたり、各地に衝突の痕跡(クレーターや土地の記録など)が残っていたりすることからもわかるように、隕石の衝突は現実的な脅威として存在する。

たとえば、2013年にもロシアのチェリャビンスク州を直径20メートル級の隕石が襲っている。幸いにも地上に到達することはなく、上空で爆発し破片が降り注ぐにとどまったが、衝撃波で民家の窓ガラスが大量に割れ、負傷者は1000人以上に及んだ。ロシアでは、1908年にも「ツングースカ爆発」と呼ばれる隕石の衝突が発生しており、半径数十キロメートルにわたって森林が炎上する被害をもたらしたとされる。

実のところ、都市に大きなダメージを与えられるレベルの小惑星は、地球の800万キロメートル圏内を毎年数十個も通過している。2020年には直径2キロメートルの小惑星（ちなみに恐竜の絶滅の引き金となった小惑星は直径10キロメートル）が、地球から630万キロメートルの位置を通過していった。これは地球から月までの16倍に相当する距離だが、宇宙のスケール観からするとゾッとするほど近い。

もし、本当に小惑星が衝突するような事態になればどうするか。宇宙の専門家たちは、現実にこの危機を見据えていくつかの対策を検討・準備している。たとえば米航空宇宙局（NASA）では、小惑星が地球から遠く離れているうちに宇宙船をぶつけることで軌道を変える構想を立てている。2021年11月には、実証実験のために重量500キログラムのロケットを打ち上げており、2022年10月に目標の小惑星であるディモルフォスに衝突させ、軌道を変化させることに成功した。

もうひとつ警戒すべき宇宙災害として、太陽から放たれる「太陽フレア」がある。

太陽フレアは、太陽の表面の中でも比較的温度の低い「黒点」の磁場が変化するとき、そのエネルギーが周りのガスに伝わって爆発し、電気を帯びた素粒子（放射線・電子・陽子など）が飛び出してくる現象だ。これらの素粒子が数日かけて地球に到達すると、地球の磁場や電磁層が乱れ、ＧＰＳを狂わせたり、人工衛星や通信・送電網に影響を及ぼしたりする可能性がある。

２０１７年９月のはじめ、８月末から太陽の表面に現れていた黒点が急激に大きくなり、頻繁に爆発を起こすようになった。このフレアの規模は通常の１０００倍以上もあったが、太陽の自転と共に地球の方角を逸れていったため、幸い大事には発展しなかった。

しかし歴史的には、巨大なフレアの出現にともない、地球上でも数々の異変が起こっている。１８５９年に観測史上最大の太陽嵐が発生したときは、電線がショートしたり、電報用紙が自然に発火したりといった超常的な現象が発生した。通常は北極などの極地方で観測されるオーロラが日本にも出現し、真夜中でも新聞が読めるほどだったという。

当時の世界は電気の時代を迎えたばかりだったが、もし現代で同規模の太陽フレアが発生した場合、被害総額は１００兆円規模以上になるとみられる。いまのところ本格的な被害が出ていないというだけで、こうした災害は十分に起こりうるのだ。

『神の鉄槌』

——恐竜を絶滅させた「隕石」に、人類が科学で対峙する

アーサー・C・クラーク著／小隅黎・岡田靖史訳、早川書房、1998年（原著刊行1993年）

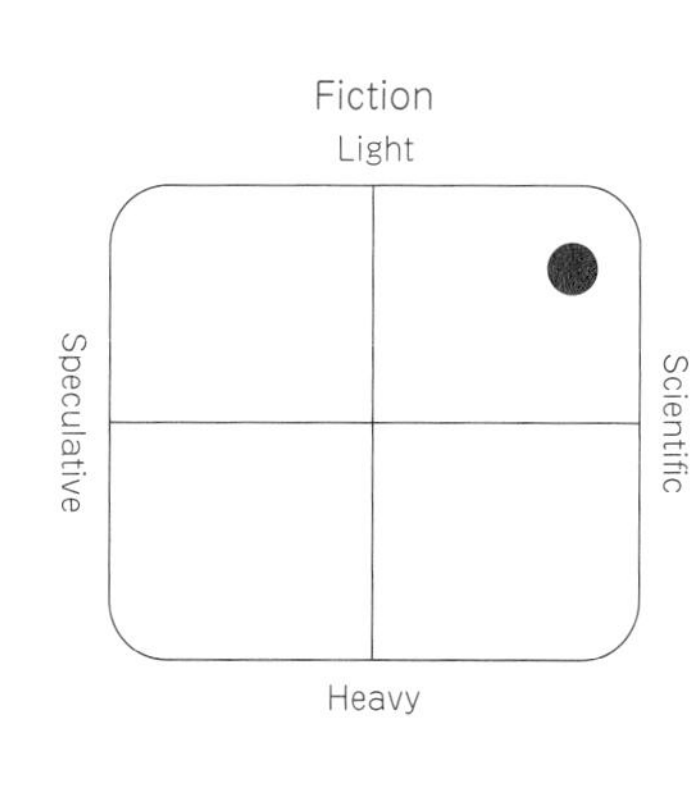

どんな作品か

「隕石VS地球」の原型となった金字塔的作品

『神の鉄槌』は、巨匠アーサー・C・クラークによって1993年に発表された長編である。地球に衝突する可能性のある巨大な彗星が発見された22世紀初頭の太陽系を舞台に、滅亡を回避しようと奮闘する地球人類の姿を描く、隕石衝突モノの金字塔というべき作品

だ。このジャンルのSF映画として真っ先に名前が挙がるであろう『ディープ・インパクト』（ミミ・レダー監督、スティーブン・スピルバーグ製作総指揮、1998）も、本作の前身となる短編「The Hammer Of God」を原案（原作というほどストーリーは似ていない）としている。

22世紀初頭、人類は月や火星への植民を成功させており、地球と月の間では定期便が運行するなど、太陽系惑星はいまよりもずっと身近な存在だ。

事態が急変するのは2109年の末のこと。火星に住むアマチュアの天文家が、木星の軌道のすぐ外側に小惑星を発見する。その軌道は、地球すれすれの場所を通っていた。後にインド神話の破壊の女神の名を取って〈カーリー〉と名付けられるその小惑星は、約8カ月後には地球に衝突する可能性があると予測され、一切の余裕がない状況だ。確実に地球に衝突するといえるほど、精度の高い軌道予測はまだできていないものの、時間が経つほど危機的な小惑星への対処は難しくなる。そこで、宇宙調査船〈ゴライアス〉をカーリーへと派遣し、その軌道を力業で逸らそうという大作戦が決行されることになる。

ここで考案されている作戦は、まず〈ゴライアス〉がカーリーとランデブーし、適切な足場を探して、そこに巨大な推進装置〈アトラス〉を設置するというものだ。要は、アトラスの推進力で、地球に向かう軌道からカーリーをずらそうという、地味なアイデアである。

巨大な質量を持つ天体に対して多少推進剤をふかしたところで、動かせる距離などたかが知れている。地球のマスコミも「ネズミがゾウを押すようなものだ」と作戦を酷評する。しかし、地球よりもずっと離れた場所でこれを行えば、最終軌道には大きな差が出る。仮に1メートルでも動かすことができれば、その差は1光年分にも相当するだろう。たとえ数センチメートル程度であったとしても、カーリーは地球から数千キロメートル離れたところを通過することになる。地球への衝突を防ぐためだけなら、それで十分だ。

どこがスゴいのか 人類は、恐竜のようにあっさり絶滅はしない

もちろん、そう簡単に事が運ぶわけではない。推進装置を取り付けてカーリーの軌道を変えるという計画自体は、シンプルであるがゆえに失敗のリスクも少ないはずだったが、

思わぬ妨害が入る。カーリーの衝突は、神が人類に与えた試練だと説く宗教団体〈クリスラム教〉の破壊工作によって、推進装置であるアトラスのタンクが破壊され、計画の遂行そのものが不可能になってしまうのだ。

そこで今度は、アトラスを運んできたゴライアス号そのものを推進装置として利用する案が浮上するのだが、太陽の接近にともなう温度上昇によりカーリーを構成していた揮発性物質が噴出し、カーリーは計算外の加速を始める。

最終的には、燃料を失い脱出もできなくなったゴライアス号もろとも、カーリーを核で爆破することが決定され、ゴライアス側もそれを了承することになる。覚悟の上で死の瞬間を待つゴライアス号のメンバーだが、土壇場になって核爆弾は原因不明の不発という事態に。しかし、激突の衝撃でカーリーは二つに分裂し、結果としてスレスレのところで地球から逸れていく――。

終末思想を持つカルト宗教の暴走、小惑星の爆破、英雄的な人々の自己犠牲の精神など、今後いくつもの隕石衝突系SF小説&映画に受け継がれていく「お約束」が、本作ひとつで味わえるおいしい作品に仕上がっている。

本作を読んだからといって、隕石衝突に備えられるようなものでもないが（一市民にできるのは地球から見守るぐらいのことだ）、このような危機が現実のものになりえるという実感とともに、恐竜とは違って、人類の科学はいまでは小惑星の衝突を回避することさえ可能なのだという希望を与えてくれる物語だ。

キーワード解説でも紹介したように、現実の研究機関でも、隕石の軌道をずらして地球への衝突を回避するための方法は複数検討されている。こうしたプロジェクトに、本作のようなＳＦ小説が影響を与えた可能性も大いにあるはずだ。

※アーサー・C・クラークのプロフィールは160ページ。

『地球移動作戦』

——地球をも動かしてみせる、科学の奇想

山本弘著／早川書房、上下巻、2011年（単行本初版刊行2009年）

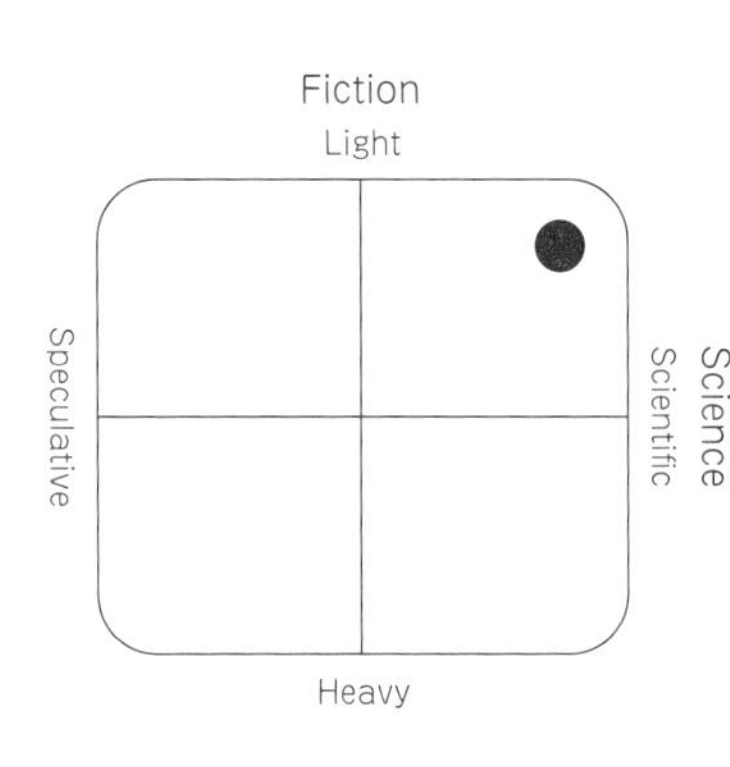

どんな作品か

地球の600倍以上の質量を持つ天体がニアミスしたら

地球に衝突する隕石と人類の戦いを描く作品は数多いが、この『地球移動作戦』は、衝突に対する解決方法がアクロバティックなのが特徴だ。タイトルそのままだが、「地球を移動させせよう」というのである。

果たしてそんなことが可能なのか。現代の科学では、理論的には可能だがリソース的に

難しい。なので、物語を成立させるために、本作には超光速粒子推進という大きな「嘘」が投入されている。だが、それ以外の部分――巨大な隕石が地球に近づくとどれほどの被害が出るのか。地球を動かしたりすればどのような影響が生じるのか――は、精緻にシミュレートされていく。なお、この「地球を移動させる」というアイデアは、1962年に公開された日本の特撮映画『**妖星ゴラス**』（本多猪四郎監督）が元ネタで、本作の冒頭では同映画のスタッフへの謝辞が述べられている。

物語の主な舞台は、2083年から2100年代初頭にかけての未来。この時代では、光速より速い粒子であるタキオンを用いた超光速粒子推進を可能にする新エンジン〈ピアノ・ドライブ〉が存在しており、現代よりも宇宙開発・宇宙探索がはるかに発展している。

宇宙探索プロジェクトの中には、恒星間に大量に分布する褐色矮星（かっしょくわいせい）（核融合を起こすには質量が小さく、恒星になれなかった天体）の発見を目的とするものがある。褐色矮星は低温で赤外線やマイクロ波も微量しか発さないため、光学的に観測するのが難しい。そこで、宇宙船で近づいていって観測しようというわけだ。

宇宙船〈ファルケ〉も、こうしたミッションを抱えており、彼らは〈2075A〉と呼ばれる褐色矮星の探査に向かっている。この星の軌道が太陽系の方角へ向かっていることまではわかっているが、正確な速度と軌道はいまだ不明。ところが、いざ２０７５Ａを発見して速度や位置関係から軌道をシミュレートすると、24年後には太陽系に突入し、それだけでなく地球の40万キロメートル先を通過することが判明してしまう。

40万キロメートルも離れているのなら大丈夫そうだが、月と地球の距離が38万キロメートルなので、月と同じくらいの位置を２０７５Ａがかすめることになる。２０７５Ａは地球の６００倍以上の質量を持つ天体で、それがもたらす影響は地球にとっては破滅的だ。

数々のシミュレーションが行われた結果、最接近の3時間前から２０７５Ａの潮汐力は月の80倍に達し、2時間前には２６０倍、1時間前には１８００倍となることが予測される。となれば、高潮と地震が誘発され、地球全土をカタストロフが襲うことは間違いない。その一瞬だけのことならシェルターで多くの人間を救うことが可能かもしれないが、これほどの質量を持つ天体が近くをかすめると、地球の軌道そのものに大きな影響が出る。

地球は現在秒速30キロメートルで太陽の周囲を公転しているが、２０７５Ａと数時間ニアミスしただけで、その速度は14パーセント加速して秒速34キロメートルとなり、太陽を回る地球の軌道は現在の正円に近い形から楕円に変化する。その結果、平均日射量は現在の4分の1以下になる。楕円軌道なので太陽に接近する時期もあるが、一度氷が地表を覆うと太陽光を反射して吸収する熱量を減らすため、地球全土が氷河期のような状態になる。

加えて、月の軌道速度も加速するため、地球の重力を超えてどこかへ飛んでいってしまうだろう。その影響もまた甚大なものになると予想される。

どこがスゴいのか　隕石ではなく「地球」を動かして衝突を回避

やがて2075Aは〈シーヴェル〉と名づけられ、その脅威から逃れるための方策が必死で検討されることになる。

そこで浮上するのが、ピアノ・ドライブの推進力を利用して地球を動かしてしまおうという計画だ。フィクションなので何でもありかと思いきや、そこは「ピアノ・ドライブの最大推力は1200トン（物語開始時点）」などの理論的な限界値が設定されており、その制限がもたらす問題をいかに科学で乗り越えていくかが本作の読みどころになっている。

当初の計画は、南極にピアノ・ドライブを設営して起動させようというものだ。だが、地球環境にぎりぎり影響が出ない加速度＝約１００万分の１Ｇで地球を動かそうと思うと、単純計算でピアノ・ドライブ５兆基分の推力が必要になる。仮に５兆基のピアノ・ドライブの製造が可能だったとしても、その際に発生する熱が南極の環境に影響し、それ自体が災害の原因になりかねない。

数多の問題をクリアするために、最終的には地球の近くに何千個もの小惑星を牽引してきて、それぞれにピアノ・ドライブを取り付けてホバリングさせ、地球に向けてタキオンを噴射するという荒業が考案される。タキオンが地球を貫通して宇宙空間に噴射されると、その反動で地球を加速させることができるというアイデアだ。これなら宇宙空間で作業ができるので、地球上での影響は出ない。

この計画に必要な小惑星の集め方についても、いっそ月を削ればいいのではないかというアイデアが浮上し、緻密な計算によって検証されていく。潮汐力に影響する可能性はあるが、それでもシーヴェルが接近するよりは、はるかに少ない被害で抑えられる。途方もない計画が、次第に骨格のあるプロジェクトとして立ち上がってくる様子には、ＳＦの醍醐味が凝縮されている。

『地球移動作戦』はフィクションでしかありえない状況を描くが、「だからこそ」描けるもの——極限状況下の被害と対抗策のシミュレーションであったり、人類絶滅レベルの災害であっても、強い意志と科学の力があれば立ち向かっていけるはずだ、という希望であったり——を体験させてくれる。本作のあとがきは、次の言葉で締められている。

「フィクションは現実よりも正しい」というのが僕の信念です。フィクションだから示せるビジョンがある。

われわれが生きている間に破滅的な隕石の衝突に見舞われるかは不明だが、いつかくるそのときのことを想像するのも悪くない。本作には『**プロジェクトぴあの**』という続編（時系列的には前日譚で、ピアノ・ドライブの開発経緯が語られる）もあり、こちらも傑作だ。

山本弘（やまもと　ひろし）
1956年、京都府生まれ。主な作品に『神は沈黙せず』『アイの物語』ほか。トンデモ本を研究する「と学会」会長としても活躍。

『赤いオーロラの街で』

——10年以上「電気のない世界」で生きていく

伊藤瑞彦著／早川書房、2017年

どんな作品か

巨大な太陽フレアが世界中の変電所をショートさせたら

伊藤瑞彦のデビュー長編『赤いオーロラの街で』は、大規模な太陽フレアによって全世界が停電に陥った状況を描く災害ＳＦだ。

日本が沈没するほどのインパクトはないが、電気が途絶え、通信・交通網が数年単位で復旧しないとなれば、人々の生活には甚大な影響がおよぶ。本作はそのきっかけを、現実的な脅威である太陽フレア（今後10年で巨大太陽嵐が起こる確率は12パーセントとされる）に求め、北海道の知床半島というローカルな土地を舞台に設定することで、「市井の人々の目から見た復興」を丁寧に描き出していく。

舞台は北海道の最東端に近い知床の斜里（しゃり）町。東京でプログラマー職についていた香山秀行は、テレワークの体験でこの町にやってくるが、不運にもそのタイミングで地球を超巨大な太陽嵐が襲う。

事前の警告は一切なく、最初はただただ空が赤く染まるのみで、誰もそれが太陽嵐によるものだとはわからない。香山をはじめとする知床の人々が、オーロラか何かだろうとスルーしているうちに、翌朝にはその影響が停電という形で表れることになる。

最初はそれが深刻な事態だとは誰も理解していない。よくある一時的な停電で、すぐに復旧するものだと思っている。だが、何時間経っても電話は通じないし、スマートフォンの位置検索も機能しない。ＧＰＳは複数の衛星から位置情報を受信して現在地を割り出す仕組みなので、本来なら停電中であっても機能するはずなのに……。

やがて、ラジオ放送を通じて人々は初めて状況を知る。太陽嵐にともなう大規模なコロナ質量放出が地球に到達し、各地の変電設備が破壊されてしまったのだという。地球は磁気圏によって太陽から届くフレアから守られているが、大きな太陽嵐に晒されると磁気圏が変形してしまう。変形した磁気圏が元の形に戻ろうとしたときに誘導電流が発生、これが変電設備を破壊し、全世界的な停電を発生させているのだ。

不幸中の幸いで、太陽嵐は人体には大きな影響をおよぼさないものの、変電所の復旧は困難をきわめる。変電所で使用する大型変圧器のような設備は簡単には製造できないし、工場に電力が供給されない状態だと、必要工数はさらに増える。作中の試算では、太陽フレアがもたらす停電は3年から10年にも及ぶと見られている。

どこがスゴいのか

10年にも及ぶ停電を「知識」を武器に乗り切る

本作の面白さは、なんといっても停電した日々の生活描写、その細かいディテールにある。

停電すれば、ＡＴＭでお金を下ろすこともできないので銀行の窓口に人が押しかけるし、地域では街角の掲示板や回覧板が重要な情報源になる。インターネットやテレビも使えないので、ラジオ放送が主要メディアに躍り出る。

プログラマーの香山は、テレワーク体験で知床に来ているだけなので東京に帰りたい。しかし飛行機も飛ばないので、生活費を稼ぐために、やむをえず農家で仕事を始めることになる。停電下での農作業は過酷だ。牛の乳を手で搾らなければならないし、冷蔵に使う設備も動かないので、結局は廃棄する羽目になる。しかし、牛は乳を毎日搾らないと乳房炎になってしまうので、放っておくこともできない。


それでも、災害発生から日数が経つうちに、できなかったことが一つひとつ、電気を使わなくてもできるようになっていく。たとえば、他系列の銀行間の金銭のやりとりも、カードと暗証番号の認証を行った後、認証情報を暗号化してSDカードに入れ、目的の銀行に現物を郵送するという手段によって、時間はかかるものの（北海道―東京の場合、最短でも5日はかかる）取り引きが可能になっている。

北海道では列車も動き始めるが、踏切は機能していないため、人間が列車の運行に合わせてバリケードを置くことで交通をコントロールしている。北海道と本州をつなぐ船では

GPSが使えないので、航海士は天測航法（六分儀を使って星の位置から現在地や方向を推定する）を用いる必要があり、その技能が問われる一級小型船舶の資格保持者が重宝されるようになる。

電話もかつてのような形で使うことはできないが、各拠点に設置された防災無線やアマチュア無線を使って、免許を持った人々が交換手として会話を取り次ぐ「公衆電話」が避難所に設置される。このように、この世界だからこそ必要とされるスキルや仕事が新しく登場しているのも面白いところだ。

全世界の停電と、そこからの復興を丹念に描き出す過程で、本作はいまの社会システムがどのように成り立っているのかを教えてくれる。われわれが当たり前のように享受している通信・交通網や金融システムが、どれほど奇跡的な仕組みによって支えられているのかが、改めて実感できるだろう。

一方で、そうしたシステムが不幸にして停止してしまっても、人間はそれを乗り越える知恵と工夫、経験や知識を持ち合わせている——というのも、本作のメッセージであろう。

科学技術は魔法じゃない。それはそれぞれの専門領域で積み重なった知識のことだ。電力というリソースは失われても、積み重なった知識が失われたわけではない。

（p164－165）

太陽フレアという、普通に生活していると地震や噴火以上に意識することがない災害を、本作はぐっと身近なものとして実感させてくれる。

伊藤瑞彦（いとう　みずひこ）

1975年、東京都生まれ。Webデザイナー、ITエンジニア。『赤いオーロラの街で』が第5回ハヤカワSFコンテスト最終候補となり作家デビュー。

Part

「人間社会の末路」を知る

Chapter

12 管理社会・未来の政治

すでに浸透しつつある「マイルドな管理社会」の末路

〈ビッグ・ブラザー〉率いる党が支配する全体主義国家の、極端な管理・監視社会を描いた『**一九八四年**』を筆頭に、ＳＦの中では「未来の政治」が何パターンも提示されてきた。一日に発話可能な語数が女性のみ１００語以下に制限され、女性の権利が大きく制限されているアメリカを描いたクリスティーナ・ダルチャー『**声の物語**』。あらゆる書籍の所持が禁じられ、本が燃やされ、思想統制が行われるようになった未来を描くレイ・ブラッドベリ『**華氏４５１度**』――本稿でこれから紹介する作品以外にも、注目すべき作品は数多く存在する。

管理社会というキーワードは、現代において重要性を増している。というのも、インターネットやAIの発展により、これまでSF作品の中で「未来のテクノロジー」と共に描かれてきた「もしも」が、現実のものになりつつあるからだ。

2013年には、アメリカ国家安全保障局（NSA）およびCIAの元局員であったエドワード・スノーデンが、米国内で行われている各種監視活動についての暴露を行った。そこで明かされた事実――「PRISM」と呼ばれるインターネット情報の検閲システムによって、一般市民を含むユーザーのメールやWeb検索、チャットなど多岐にわたる行動が傍受されていること。また、そうした活動にはベライゾン、マイクロソフト、アップルといった巨大企業が関わっており、アメリカは情報収集を国内のみならず中国や同盟国である日本やフランス、ドイツなどに対しても行っていること――は、世界に衝撃を与えた。

さらに近年、監視国家としての存在感を強め、管理社会体制を拡大しているのが中国だ。政府による弾圧が激しくなっていると報じられる新疆（しんきょう）ウイグル自治区では、最先端のテクノロジーを駆使した監視体制が敷かれている。アメリカのジャーナリスト、ジェフリー・ケインによる『AI監獄ウイグル』（新潮社）では、150人以上のウイグル人難民、政府関係者、元中国人スパイらに取材を行い、その実態を報告している。

新疆ウイグル自治区では、2015年頃からグループ内の相互監視が行われていたという。市民は10世帯ごとのグループに分けて管理され、グループ内のメンバーにはお互いの訪問者の出入りや日々の行動を記録し合うことが求められた。各家庭の玄関には個人情報が詰まったQRコードが貼られ、それをグループ長が毎日読み取ってチェックする。

「一体化統合作戦プラットフォーム（IJOP）」というシステムが監視に用いられていることも明らかになっている。このシステムでは、監視カメラの顔認証、グループ長によるQRコードチェック、銀行取引などあらゆる情報から「通常とは異なる行動」や「治安の安定に関わる行為」をAIがピックアップして当局に報告する。教師でもない人物が大量の書籍を所有していたり、普段5キログラムの化学肥料を買っている人が突然15キログラムも買ったりといった「異常」が検知されると、IJOPの「プッシュ通知」により、即座に警察と政府当局の捜査対象になるのだ。

われわれ日本に住む一般市民にとっても、管理社会は他人事ではない。近年、誰もがスマホを持ち歩き、冷蔵庫から自動車まで身の回りのあらゆる道具がインターネットと繋がるようになった結果、われわれの日々の行動はすべてデータとして企業に収集されるようになった。このことは「監視資本主義」のキーワードと共に大きな問題となっている。

グーグル、メタ（旧フェイスブック）、マイクロソフトを筆頭に、監視資本主義を主導しているとされる企業は、収集したデータを基にユーザーの次の行動を予測している。データをサービス向上に役立てるといえば聞こえはいいが、多くの場合、データは企業側の利益のために用いられる。ユーザーの行動特性からターゲティング広告を設定したりするのは序の口で、果ては製品を通じてユーザーの行動をコントロールすることも可能になる。たとえば、インターネットにつながった車両システムがドライバーを特定の実店舗に誘導することもありうるだろうし、ＳＮＳではユーザーの「いいね！」履歴などから政治的志向を分析し、その人のタイムラインに表示される投稿をコントロールすることで、選挙におけるユーザーの投票行為を操作することもできる（実際に、２０１６年の米大統領選挙では、フェイスブックでこうした「工作」が行われた）。

われわれがすでに慣れつつある、マイルドな管理社会の行き着く先は、人間の個性と自由の剝奪だ。こうした問題提起もＳＦでは繰り返しなされてきた。

『一九八四年』

──「二足す二は四である」と言えなくなった世界

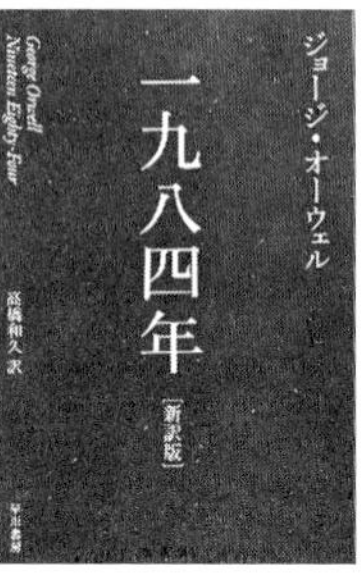

ジョージ・オーウェル著／高橋和久訳、早川書房、2009年（原著刊行1949年）

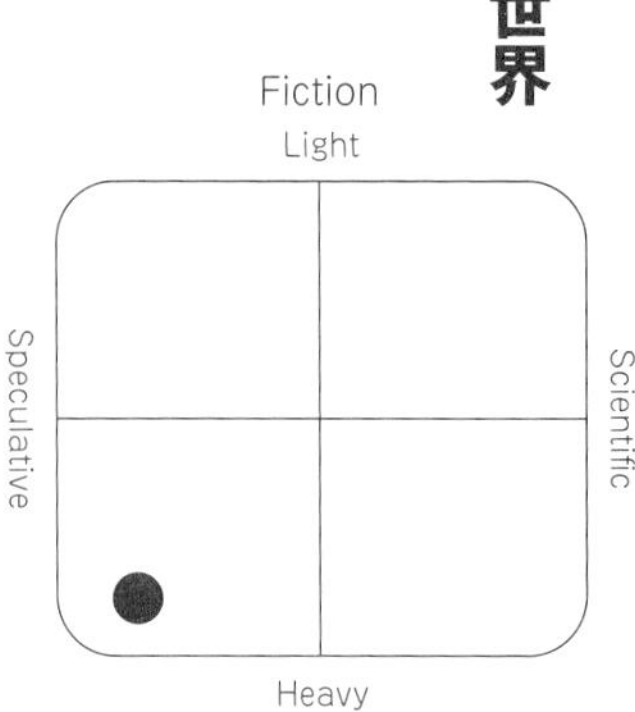

どんな作品か

「捏造された真理」を押し付けられる人々の悲劇

監視社会を描いたディストピア小説といえば、真っ先に名前が挙がるのが、この『一九八四年』だ。読んだことはなくても、タイトルを耳にしたことがある人は多いだろう。20世紀を代表する傑作であり、時代を超えて読みつがれている物語である。

作者のジョージ・オーウェルは、キャリアの初期はルポルタージュ作家として、スペインの内戦体験を描いた『**カタロニア讃歌**』（1938）などを発表していた。その後は小説を執筆しながら、英BBCに入社して東南アジア向けの番組をつくったり、「トリビューン」紙の文芸担当編集長になったりと職を転々としている。

そんな最中、1945年に刊行されたのが、小説『**動物農場**』だ。豚や犬や猫が暮らす農場で、動物たちが人間に対して一斉蜂起し、すべての動物は平等であるという理想を体現した「動物農場」を設立する。ところが次第に、一部の動物が富や権力を独占するようになり……という、現実世界のソ連を彷彿とさせる作品だ。政治権力が腐敗していく普遍的な過程を描き出したこの小説は大ヒットを記録し、『一九八四年』と並んでオーウェルの代表作とされている。その4年後に『一九八四年』が刊行されるが、このときすでにオーウェルは重い結核を患っており、本作が最後の著作となった。

物語の時代設定は、タイトルどおりの1984年。刊行当時の人々からすると、30年ちょっと先の近未来に当たる。世界は旧アメリカ合衆国、旧イギリス、オーストラリア南部などを領有する〈オセアニア〉、欧州大陸からロシアの極東までを領有する〈ユーラシア〉、そして旧中国や旧日本を中心にアジア圏を領有する〈イースタシア〉の3大国に分かれているという状況だ。

物語の舞台であるオセアニアは、〈ビッグ・ブラザー〉なる人物が率いる党に支配された全体主義国家。街中では、テレビと監視カメラを兼ね備えた〈テレスクリーン〉が人々の行動を監視している。さらに、至るところに口ひげをたくわえた45歳くらいの男、すなわちビッグ・ブラザーのポスターが貼られていて、その下には〝ビッグ・ブラザーがあなたを見ている〟とキャプションがついている。その言葉のとおり、ポスターの男の目線は見る者の動きを追いかけてくるような印象を与える。

主人公であるウィンストン・スミスは、オセアニアの〈真理省〉に勤務する党員だ。真理省といっても、真理を追究する機関などではない。党にとって都合の悪い情報や記録をねじまげ、真理を「捏造」している組織だ。ここでウィンストンは、日夜党のために記録を改ざんして過ごしている。

党は3つのスローガン「戦争は平和なり」「自由は隷従なり」「無知は力なり」を掲げ、〈ニュースピーク〉と呼ばれる新しい言語を公用語としている。ニュースピークでは徐々に使用される単語が減らされており、最終的には使用者の「思考」を制限するのだ。

党員には、毎日2分間、党の敵に対してありったけの憎悪を表現する「二分間憎悪」が習慣づけられている。さらに、オセアニア国民は、嘘を嘘と知りつつ同時に真実であると信じるような「二重思考」の実践を要求される。

やがてウィンストンは真理省での仕事に違和感を覚えるようになり、党に禁じられた行為である「日記」の習慣をひそかに開始する。ある日の日記に、彼は次のように書き残す。

自由とは二足す二が四であると言える自由である。その自由が認められるならば、他の自由はすべて後からついてくる。

（p125）

党への反発を強めながら日々を過ごしていたある日、ウィンストンは彼と同じく党の方針に疑問を抱く女性、ジュリアと知り合い、テレスクリーンの監視をかいくぐりながら密会を重ねるようになる。

反政府活動への意欲を高めつつ、二人の仲が深まっていく最中、ウィンストンは党の官僚であるオブライエンの自宅に招待される。オブライエンは、ジュリアと共にオブライエン邸を訪ねたウィンストンに、自分が党に反抗する秘密組織〈ゴールド同盟〉の一員であることを明かし、組織のためにどこまで尽力できるのかとウィンストンたちに問う。

意気揚々とゴールド同盟への忠誠を誓うウィンストンだったが、実はこれは、ウィンストンたちを捕らえるための罠だった。ウィンストンはジュリアもろとも身柄を確保され、党から苛烈な拷問を受ける。出している指の数を答えろと言われ、実際には4本であったとしても、党が5本だというのならば5本だと答えなくてはならない。繰り返し拷問を受けるうちに、ウィンストンは自然とその考えを受け入れるようになっていく。

最終的に、〈101号室〉と呼ばれる最も恐ろしい拷問部屋に連行されたウィンストンは、ついに最後までかばっていたジュリアをも裏切り、これをもって洗脳は完了する。ウィンストンは牢獄から解放され、日常を取り戻す。ある日公園で、同じく拷問を受けてきたであろうジュリアと再会するも、すでにお互いに対する感情はなく、少し会話を交わしたのちにあっけなく別れてしまう。《彼は今、〈ビッグ・ブラザー〉を愛していた。》——この救いのない一文で、物語は終わる。

どこがスゴいのか 為政者が情報統制に走るたび、何度でも立ち戻るべき作品

ここで描かれている「未来像」には、現代の感覚からすると古臭く感じられる部分も多い。社会を監視する役目は、テレスクリーンどころかとっくに見えないカメラへと移行しているし、インターネット上では発言の一つひとつまで捕捉される。市民の行動に対する誘導やコントロールは、SNS上でもっと巧妙な形で行われるようになっている。

それでも『一九八四年』は、何度でも立ち戻るべき作品だ。権力者は、その権力を維持するために、常に文書改ざんや監視体制の強化といった支配的な方向へと向かいたがる。したがって、ファシズムへの志向が消え去ることは決してないだろうとオーウェルは考えていた。実際、この作品で描かれた情景はいまなお各国で繰り返されている。

『一九八四年』が世に出てから70年余り。国家による情報統制が厳しさを増し、監視社会への懸念が高まるたびに、本作は注目を集めてきた。

近年の事例でいえば、2017年のトランプ大統領の就任式に関連して「オルタナティブ・ファクト（もうひとつの事実）」という言葉が物議をかもした。トランプ政権の報道

官は、就任式に集まった群衆が「過去最大の人数」だったと自画自賛したが、実際にはそれを裏付ける統計や写真はどこにもない（むしろ空撮写真を見る限り、オバマ大統領の就任式に集まった群衆より明らかに少ない）。この報道を虚偽だと批判するメディアに対して、当時トランプの側近であったケリーアン・コンウェイは「（虚偽ではなく）もうひとつの事実」だと反論したのだ。この発言がまさに『一九八四年』的だということで、本作はまたしても注目を浴び、米アマゾンの書籍売り上げランキングのトップに急浮上している。このときのブームは日本にも波及し、翻訳書は4万部も増刷された。

国家や巨大な組織が、極端な形で市民の統制に走ったとき、人は自分たちがどのように行動し、何を感じるべきなのかというヒントを求めて本作を手に取る。

近年は、時代に合わせてアップデートされた、新しい『一九八四年』と呼ぶべき作品も登場している。アルジェリアの作家ブアレム・サンサルは、『2084 世界の終わり』の中で、宗教が支配するようになった全体主義国家の姿を描き出した。中国の代表的なSF作家の一人である郝景芳は、自身がまさに1984年生まれであることもあって、中国人の目線から『一九八四年』をひもといた長編『1984年に生まれて』を発表している。

あと数十年もすれば、22世紀を見据えた『二一八四年』が登場し、オリジナルのDNAを後世へ受け継いでいくことだろう。

ジョージ・オーウェル

1903年、英国領インド生まれ。文学のみならず、20世紀の思想、政治に多大なる影響を与えた小説家。主な著作に『動物農場』などがある。

『すばらしい新世界』

――私たちは自己という究極の「虚構」から逃げられない

オルダス・ハクスリー著／大森望訳、早川書房、2017年（原著刊行1932年）

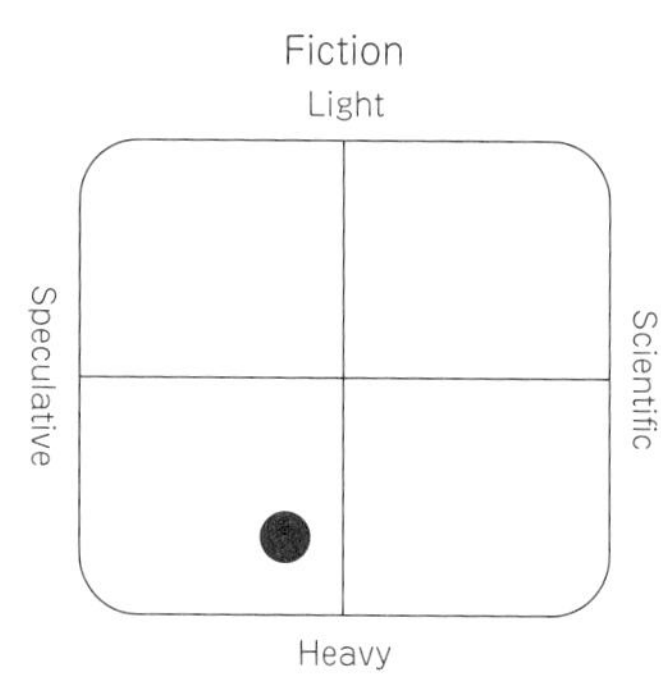

どんな作品か　与えられた「幸福」で制御された人類を描く

オルダス・ハクスリーの『すばらしい新世界』は、ジョージ・オーウェル『一九八四年』と並んで最も有名なディストピアSFだ。タイトルは、シェイクスピアの戯曲『テンペスト』の中の台詞から取られたもの。むろん、ハクスリーはこのタイトルに大いなる皮肉を込めている。

物語の舞台は西暦2540年。作中では〈フォード紀元632年〉と表される、いまから約500年先の未来だ。本作が刊行された1930年代は、自動車王ヘンリー・フォードが編み出した大量生産方式によって、安価な自動車が出回るようになった時代。こうした「すべてを流れ作業化する」技術が信奉された結果として、〈フォード紀元〉が生まれたという設定だ（T型フォードが発売された1908年が〈フォード紀元〉の元年に当たる）。

この世界では、人間はみな人工受精で瓶から産まれ、その時点で階級が決定され、その後の人生を送ることになる。支配階級として〈アルファ〉が存在し、それに追従する階級として〈ベータ〉〈ガンマ〉〈デルタ〉〈イプシロン〉が、それぞれに定められた役割を果たすようになっている。

こうしたシステムを機能させるために、人類は徹底した遺伝子コントロールを受けている。たとえば、自然を愛することは生産性に寄与しないからという理由で、人々は自然を嫌うようにプログラミングされている。

下層の階級に属し、ろくでもない仕事をさせられている人々も、遺伝子操作によってそうした作業を「楽しめる」ように設定されているため、不満も不平も抱かない。仮に嫌なことがあっても、多幸感をもたらす〈ソーマ〉という薬を用いることで、たやすく打ち消すことができる。

しかし、やがて物語の焦点は、この世界に違和感を覚え、孤独を感じる男バーナードへと移っていく。その後は、この社会の外側からやってきた〈野人〉のジョンを主人公とし、「誰もが強制的に幸せにされる世界では、不幸になる／不都合を得る権利の価値が高まるのではないか」という新たなテーマが持ち上がってくる。

どこがスゴいのか

20世紀の最も予言的なSF書

『サピエンス全史』のユヴァル・ノア・ハラリは、『すばらしい新世界』について、「20世紀の最も予言的なSF書」であり「年を経るごとに現実味が増している」と賛辞を贈っている（『21 Lessons 21世紀の人類のための21の思考』／河出書房新社）。

ハラリが評価した一点めは、本作のテーマ設定そのものだ。『すばらしい新世界』の中では、階級が下でろくでもない仕事に従事させられている人々も、不満も不平も抱かない。遺伝子操作により、そうした作業が楽しめるようにされているためだ。人間は生化学的なアルゴリズムの集積であり、科学によってそのアルゴリズムをハッキングすることで、自由に制御できるようになる。そんな現代に通じる視点を、『すばらしい新世界』は当時からシミュレートしていた。

同じディストピア小説の『一九八四年』と比較したとき、その特色はさらに際立つ。『一九八四年』が描く未来は、誰が読んでも恐ろしいことがわかる。一方、『すばらしい新世界』は、一見この世界の何が問題なのかをはっきりと指摘することが難しい。読者に考え込ませる作品なのだ。

ハラリが本作を評価するもうひとつの点は、彼が主テーマにしてきた「虚構」と関連している。ハラリは、現在のテクノロジーと科学の革命が意味するものは、《正真正銘の個人と正真正銘の現実をアルゴリズムやテレビカメラで操作しうるということではなく、真正性は神話であるということだ》と語る。

われわれは自分が枠の中に閉じ込められることを恐れるが、実際には自分の脳の中に閉じ込められている。そしてその脳自体も、さらに大きな人間社会が構築する、虚構の中に閉じ込められている。映画『マトリックス』で主人公のネオは赤いカプセルを飲み込むことで、自分が囚われていた虚構の牢獄から抜け出すことに成功するが、外の世界は中の世界とそう変わらず、そこもまた別の虚構世界にすぎないのだ。

『すばらしい新世界』の中で、社会の外で暮らしてきた野人のジョンは、ロンドンの人々を煽り立て、彼らを支配するシステムに反抗させようとする。

しかし、人々はこれにまったく反応しない。ジョンは警察に逮捕され、世界統制官（この世に10人だけ存在する世界の管理者）であるムスタファ・モンドと議論を重ねていく。「文明には、気高さも英雄らしさもまったく必要ないんだよ。そんなものは、政治的な失敗のあらわれだ」と語るムスタファ・モンドに対して、ジョンはこう返す――「でも、苦労は必要です。オセローの言葉を覚えてませんか?『嵐のあとにいつもこんな平穏が訪れるのなら、風よ、死者が目を覚ますほど激しく吹き荒れろ』」と。

不都合なことが好きで、気楽さを望まず、不幸せになる権利を主張するジョンに対して、ムスタファ・モンドは「いやなら出ていけばいい」と答えるのみだ。

結局、野人のジョンは社会から出ていき、無人の地で暮らし始める。そんな彼の存在が世に知られると、人々が群がって彼を観察するようになる。ジョンの平穏な生活は一瞬にして破壊され、もはや逃れる場所もなくなった彼は、最終的に死を選ぶ。

脳も自己も虚構の一部である以上、本当にそこから逃げ出したいなら、自分自身から逃げ出さなければならない。そこまで含めた先鋭的な結末を、この『すばらしい新世界』は1世紀近く前に描き出していたのである。

オルダス・ハクスリー

1984年、英サリー州生まれ。文芸誌編集などを経て、詩集で作家デビュー。膨大な数のエッセイ、旅行記、伝記などもある。

『ザ・サークル』
——市民が自発的に求める監視社会の危うさ

デイヴ・エガーズ著／吉田恭子訳、早川書房、上下巻、2017年（原著刊行2013年）

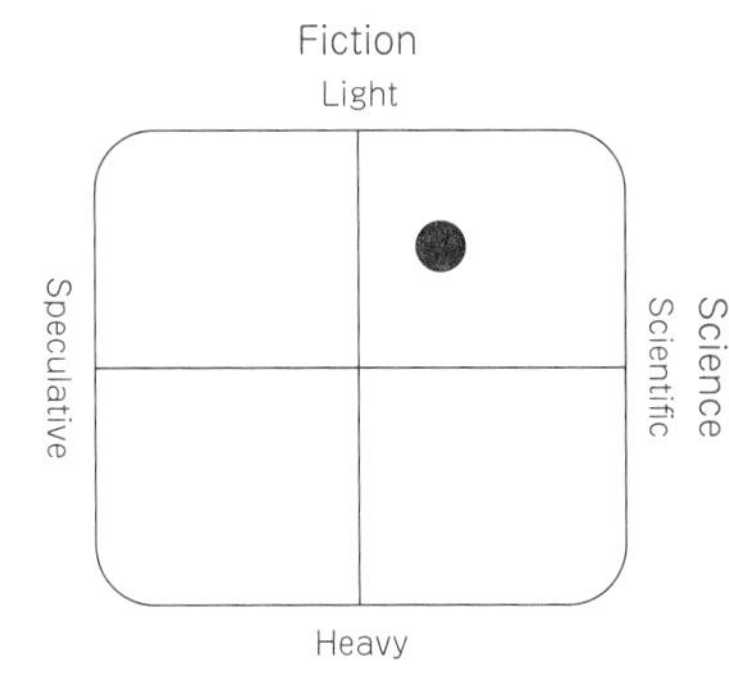

どんな作品か

最先端ＩＴ企業が推進する「善意」の管理社会

ＳＦ作品の中では、管理社会や監視社会を推し進めるのは全体主義国家と相場が決まっている。一方、この**『ザ・サークル』**で描かれているのは、ＳＮＳを運営する一企業とそれを支持する市民らが、自ら進んで「透明性」を世界に広げていく様子だ。

著者のデイヴ・エガーズは、フィクションとノンフィクションの両方のジャンルで時代性をとらえた作品を続々と発表している、現代の最重要作家の一人だ。本作と、２０００年代後半の金融危機を描いた**『王様のためのホログラム』**（２０１２）は、後に映画化もされた。

物語は、現在とほぼ同時代を舞台に、大学を卒業したばかりの若き女性メイ・ホランドが最先端のＩＴ企業〈サークル〉に就職する場面から幕を開ける。

サークル社は〈トゥルーユー〉という名のＳＮＳで大成功をおさめている。この〈トゥルーユー〉は、チャットはもちろん、買い物の支払いから本人証明まで、ユーザーがやりたいことをすべてひとつのアカウントで完結できる無料サービスだ。

グーグルやメタの社屋を思わせるサークル社のオフィスは開放的で、何もかもがセンサー付き。自転車から望遠鏡にハングライダーまで、社員なら何でも無料でレンタルすることができる。施設もカフェテリアから屋内劇場まで、社内で揃わないものはないというレベルに達している。

保険も完備されており、自身の健康は2週間ごとにデータを取得され、家族の健康までトータルにサポートしてもらえる。まさにいたれりつくせりの環境であり、それまで水道局員として働いてきたメイにとっては、「天国」のようなすばらしい職場に見える……最初のうちは。

サークル社では、仕事はすべてシステマティックに管理されている。社内で募集されるサークル活動やパーティまで、あらゆるアクティビティは専用のＳＮＳで常に見張られているのだ。

メイが採用されたのはカスタマー・エクスピリエンス、いわゆるお客様相談センターの部門だ。クライアントからの問い合わせに対して、所定のテキストをコピペして対応するのが日々の仕事。クライアントからの評価は上司にチェックされており、平均値が下がるやいなや、改善のプロセスが走るようになっている。

しかし、サークルの社員にとって仕事はそれだけではない。ソーシャルメディアへの参加も仕事の一部なのだ。毎分毎秒送られてくるメッセージや、他人の投稿にできる限りレスポンスを返し、日夜繰り返されるパーティに参加を表明していかなくてはならない。少しでも反応が遅れると「どうしたの？」とアラートが飛んでくる。

さらに、ソーシャルメディアへのコミットを怠っていると、〈パーティシペーション・

ランク〉、略してパーティランクが下がってしまう。いわばスタッフの人気ランキングであり、パーティランクが下がると上司から呼び出しを受ける羽目になる。

どこがスゴいのか 個人情報を「透明化」すれば世界は良くなる？

これだけなら、極端な企業カルチャーという話に過ぎないのだが、サークルという企業は自分たちの文化を、社内だけでなく外の世界にまで広げようとする。

彼らは「秘密は嘘」「分かち合いは思いやり」「プライバシーは盗み」などの標語を掲げ、世界のすべての情報をサーバ上にアップロードすることを目的に、それを推進する技術やアイデアを市場に次々と投入していく。

たとえば超小型で解像度が高く、どこにでも取り付けられる監視カメラ。これは安価なので、誰でも好きなだけ入手することができる。あるいは、飲み込むだけで血圧やコレステロール、摂取カロリーなどを把握できるようになるカプセル型のバイタルセンサー（データは手首につけたモニターで確認できる）などなど……。

やがてサークル社は、カメラを体に取り付けることによってすべての会話、すべての会議、おはようからおやすみまですべての体験をモニタリングし、他人とシェアするというサービスを打ち出そうとする。

このプロジェクトのPR担当に抜擢されたのが、ほかでもないメイだ。

メイは基本的に善良な人間だが、深く考えることもなくこうした事業をあっさりと受け入れ、それどころか周囲の忠告に耳を傾けることもなく自分からのめり込み、被験体としてプロジェクトを推進する役割を担うことになる。

常に自分の生活を公開していると、体によくない食べ物を自然と控えるようになるし、悪いことも絶対にできなくなる。また、公開された動画を見ているウォッチャーたちが常に様々なコメントやアドバイスを投げかけてくれる。

そう聞けばいいことしかないように思えるが、誰もがこの状況を受け入れるかどうかは別問題だ。

本作のポイントは、監視社会のあり方が市民の意向に合わせて変化していく様子を描き出している点にある。

誰もが私生活を公開するようになれば犯罪は減る。だったら、みんながカメラを身につけるようになればいい――それは理屈としては正しいが、当然ながらプライバシーの侵害だという批判も起きる。

すると、そんな批判をするお前は何かやましいことがあるのかと、逆の批判が起こる。そして、政治家を筆頭に、市民は自らの潔白を証明するために積極的に透明化を推し進めていくようになる。

彼らの言葉は常に前向きで、世界は将来的にもっと良くなるだろうという希望に満ち溢（あふ）れている。

「メイ、僕は心から信じているんだ――もし人類に正しい道、最善の道以外に道がなければ、それが究極的なすべてにわたる安心をもたらすだろうって。暗闇に誘惑されることはもうなくなる」（p56）

最終的にサークル社は、全アメリカ国民に〈トゥルーユー〉を使った投票システムを提供し、米国の民主主義を「全員参加型」にすべく動き始める。

投票率を限りなく100パーセント近くまで引き上げ、決めるべき問題のすべてを国民の直接投票によって決める。そんな新しい参加型の民主主義が実現したら、はたして社会はどう変わるのだろうか？


本作に登場する技術は、現代においてはすべてそのまま実現可能なものばかりだ。それは、われわれの社会と本作で描かれる世界には、紙一重の隔たりしかないということを示している。

『一九八四年』で描かれたように、かつて想像されていた「監視社会」とは、独裁的な国家が市民に押し付けるものだった。いまもその危険性は残されているが、市民の求めに応じて推進されていく監視社会もまた警戒すべきものだ。

本作は、その可能性と、この上なく後味の悪い恐ろしさに目を向けさせてくれる、現代ならではのディストピアSFだ。

デイヴ・エガーズ

1970年、米マサチューセッツ州生まれ。ノンフィクションとフィクションの双方で幅広く活動しており、社会活動家としても知られる。

Chapter 13

ジェンダー

性別による役割やアイデンティティを問い直す

現代社会において、「ジェンダー」というテーマは年々重要性を増している。

アメリカでは2017年に、有名映画プロデューサーのハーヴェイ・ワインスタインが性暴力およびセクシュアル・ハラスメントで告発された。この事件をきっかけに「#MeToo運動」が発生、性暴力とハラスメントの被害経験をSNS上に投稿するキャンペーンが世界中で広まっていく。日本でも遅ればせながら、2022年に入って映画業界における性加害が週刊誌で告発されたのを機に、業界関係者や映画原作者らが性暴力に反対する声明を発表。性差別や暴力被害を根絶していこうという流れが定着しつつある。

さらに、この10~20年でジェンダーに対する認識も変化してきた。現代は多様性の時代であり、男性・女性で二分するのではなく、ＬＧＢＴＱを含めた十人十色の性自認があって当然だとする考え方が、大きな流れをつくっている。誰もが自分のあるがままのかたちで、「男性だから、女性だから、〇〇しなければならない」という枷から解放されて暮らしていける世界であるべきだ、という価値観が広まっているのだ。

だが、こうした価値観さえも、今後の社会の変化や技術の発展にともなって更新されていくかもしれない。場合によっては、大昔の価値観に逆戻りすることもあるだろう。

「もし、こうだったら？」を描くのはＳＦが得意とするところだが、とりわけジェンダーにまつわるＳＦには、設定の妙で読者の思考を刺激する作品が多い（なかでも女性作家による作品が目立つ）。これから先、男性がほとんど死んで／生まれなくなってしまい、女性だけの社会が到来することになったら？　あるいは男も女も同じように子をなし、出産することが可能になったら？　はたまた、女性を男性の隷属物と見なす大昔の価値観が復活したら……？　そんな「ｉｆ」の世界を紹介していこう。

『闇の左手』
――性の規範から解き放たれた世界

アーシュラ・K・ル・グィン著／小尾芙佐訳、早川書房、1977年（原著刊行1969年）

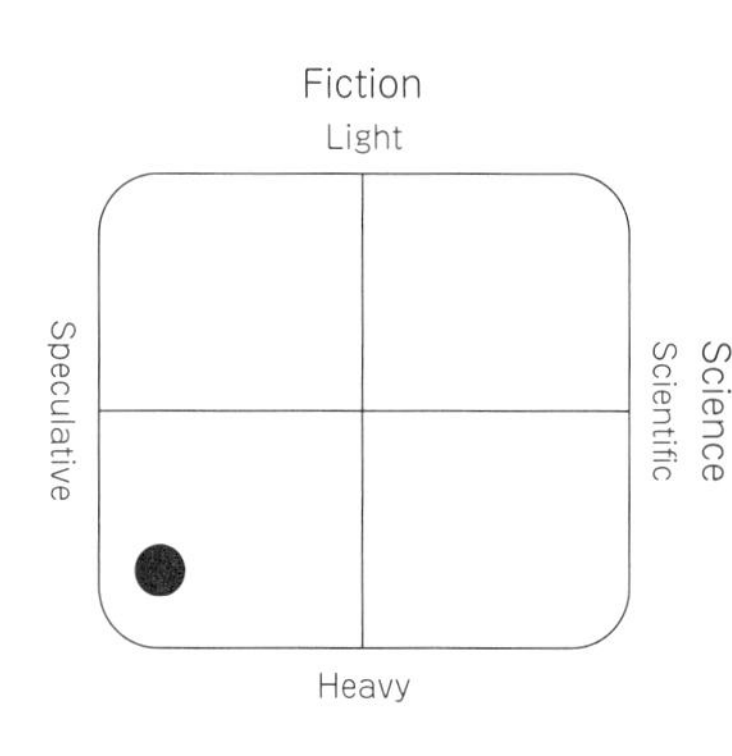

どんな作品か

両性具有者たちの異質な文化を体験する

SF、ファンタジー、幻想文学などの書き手として知られるアーシュラ・K・ル・グィン。日本では児童向け文学の**『ゲド戦記』**が有名だが、この**『闇の左手』**もまた、彼女の代表作であり、フェミニストSFの傑作との誉れ高い作品だ。

ル・グィンの父親は著名な文化人類学者のアルフレッド・L・クローバーで、母親も同じく文化人類学者として知られた作家のシオドーラ・クローバー（著作に『**イシ 北米最後の野生インディアン**』など）。そんな家族環境も影響してか、彼女の作品には文化人類学的な視点が投入されていることが多い。

本作でも、異文化を体験し、戸惑いや違和感を経て新たな視点を獲得するという、文化人類学的な探求が丹念に描かれる。男女の性の区別を持たない、両性具有の人間たちが暮らす惑星という現実にはありえない社会の形を通して、性の規範から解き放たれた世界をわれわれに想像させてみせるのだ。

この世界では、〈古代ハイン人〉を同一起源とする文明が宇宙の各地に散らばっている。高度な文明を誇った古代ハイン人は、宇宙の様々な惑星への植民を果たした。その子孫が、それぞれの惑星で独自の進化を遂げ、繁栄しているのだ。

一方、もとのハイン文明は一度衰亡したものの、後に再興を遂げ、各地に散らばった〈失われた植民地〉の探索を開始する。元植民地を訪れて外交関係を結び、宇宙連合〈エクーメン〉を形成するというのが、彼らの基本行動となっている。

本作の主な舞台となる惑星〈冬〉も、そうやって古代ハイン文明から枝分かれしていった文明のひとつ。この惑星の特徴は、住人のすべてが特定の性別を持たない両性具有者であることだ。彼らとの交易を求めて宇宙連合エクーメンからやってきた使者ゲンリー・アイは、武器も持たず、通信装備だけを手に、たった一人で〈冬〉――現地の名で惑星ゲセン――に降り立つ。われわれ読者は、ゲセンを初めて訪れたゲンリー・アイの目線を通して、この惑星の人々の文化や考え方に触れていくことになる。

両性具有といっても、ゲセンの住人には性のサイクルが存在する。およそ21日から22日は、性の不活動気。だいたい18日ごとに脳下垂体のコントロールでホルモン変化が起こり、22日目ないし23日目に発情期に入る。

発情期に入ったペアのあいだでは、ホルモン分泌が促進され、これはどちらか一方で女性、あるいは男性ホルモンが支配的になるまで持続する。一方の性が決定すると、相手がもう一方の性の役割を受け持ち、交接に入る。

このとき、どちらが男性・女性を受け持つかは完全にランダムで、誰にも制御できない。また、交接は必ずしもカップルで行われるわけではなく、複数の男性と複数の女性によって行われることもある。

こうした特性が、ゲセンにおいて性的に平等な社会の実現を容易にしている。たとえば、どのような立場の人間でも、発情期間中は働かなくていい。性差による「あれができない、これができない」も存在しない。同意のない性行為、強姦は存在せず、性による立場の強弱、保護・非保護、支配・従属といった力関係も存在しない。性衝動の暴発や不平等が存在しないことに起因してなのか、戦争がない。小競り合いで一人、二人が殺し合うことはあっても、百人、千人単位の虐殺が起きることはないという。

どこがスゴいのか ジェンダーを排除するための「思考実験」

ゲセンを支配するのは、君主制を敷く〈カルハイド〉と、共和国である〈オルゴレイン〉の二国だ。ゲンリー・アイはまず、カルハイドを訪れて交渉を開始する。

しかし、これほどまでに文化が異なる両者なので、対話は難航する。異星人であることもさることながら、特定の性別で生きてきたゲンリー・アイは、カルハイド人から見れば、常に発情期に入っているも同然だ。性の区別が存在しない世界と、男女が明確に分かれた二元世界では、そこで暮らす人々の精神構造や思考スタイルもおのずと違ってくる。

ゲンリー・アイは、宇宙連合エクーメンは外交が目的であってカルハイドを支配する意向はないとカルハイド王に説明するが、王はその圧倒的な力を持つ相手からの（寛大な）申し出に、かえって自分たちが文明的に下に見られているようだと反感を抱く。やがて、交渉に力を貸してくれていたカルハイドの宰相エストラーベンが王の寵愛を失って失脚すると、ゲンリー・アイはもう一方の大国であるオルゴレインに渡ることを決意する。

オルゴレイン側は、表向きはゲンリー・アイに対してはるかに友好的だ。だが、それはエクーメンの巨大な力を利用して、緊張関係にあるカルハイドを圧倒しようという思惑からだった。当然、オルゴレイン側にも彼をペテン師やカルハイドのスパイとみなす勢力が存在し、緊張が高まった末にゲンリー・アイは逮捕され、極北の労働収容所に送られてしまう。

収容所で過酷な労働を強いられ、死の危機に瀕するゲンリー・アイは、いよいよその身体が動かなくなったタイミングで、カルハイドを追放される。そしてオルゴレインへと逃れていたエストラーベンに助けられることになる。

かくして再会を果たした二人は、再びカルハイドの地を目指して旅をすることになる。〈冬〉と呼ばれるほど年中通して寒冷な惑星ゲセンでも、とりわけ寒さが厳しい冬季、80日間におよぶ過酷なトラッキングのなかで、大きな文化的断絶のある二人が、深い信頼と友情、愛情によって結ばれていく。そこでは、人はいかにして文化的断絶を乗り越えることができるのか。性の在り方が異なる二人は、どのように愛情を確かめ合うのか……といった描写を通して、あらゆる垣根を取り払った後の、人と人の交流が描かれる。

ル・グィンは評論集**『世界の果てでダンス』**の中で、『闇の左手』の狙いは「思考実験」にあったと語っている。われわれは通常、社会的に男性と女性を区別しているものが何なのかを具体的に指し示すことができない。気質や理解力や才能といったものに、男性と女性でどれだけの差があるのだろうか？　それを確かめたかったのだという。

ジェンダーを排除したのは、その後に何が残るかを見きわめるためである。残されたものが何であれ、それがたぶん、ただ、人間ということになるのであろう。そして、それは男性と女性が共有している領域を明確にしてくれるであろう。

（アーシュラ・K・ル・グィン著、篠目清美訳『世界の果てでダンス』／白水社　p23）

先に書いたように、世界はいま、この作品が登場した1960年代と比べてはるかにジェンダーの多様性に敏感になり、議論も広くなされるようになった。

そのため、ル・グィン自身、後年この作品に「古さ」があることを認めている。性別を持たないゲセン人の代名詞として、一貫して「彼（he）」を使用していることなどだ。2020年代のいま、英語の辞書には性別を表さない三人称単数の「they」が掲載されるようになり、使用例も増えてきている。SFの世界も時代に合わせて変質しつつあり、たとえばアン・レッキー**『叛逆航路』**では、舞台となる惑星の言語で、性別は常に曖昧なものとして表現され、登場人物が男性であれ女性であれ「彼女」（she）と記載される。

そうした時代の変化の中にあっても、『闇の左手』が新しいヴィジョンを示し、人の意識を変えた事実はゆるがない。世界にはまだ、性的な規範に人間を押し込めようとする考え方が根強く残っており、そうした規範に押しつぶされそうになっている人々も大勢いる。本作がもたらした思考実験は、依然として人類社会にとっての救いになりえるはずだ。

アーシュラ・K・ル・グィン

1929年、米カリフォルニア州生まれ。SFの代表作に『闇の左手』、ファンタジーの代表作に『ゲド戦記』がある。

『侍女の物語』
――女性が「道具」として使役されるディストピア

マーガレット・アトウッド著／斎藤英治訳、早川書房、2001年（原著刊行1985年）

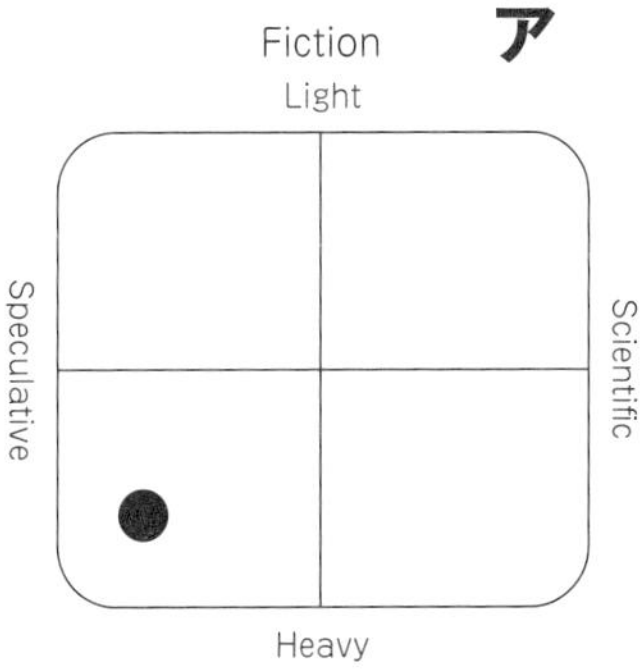

どんな作品か

架空のアメリカで、あらゆる権利を奪われる女性たち

『侍女の物語』は、出生率が激減した近未来のアメリカを舞台に、支配階級の子どもを産むためだけに集められた「侍女」たちの姿を通して、女性の権利が極度に制限された社会を描いたディストピアSFである。著者のマーガレット・アトウッドはカナダを代表する女性作家で、本作を筆頭に、遺伝子改変された生物が跋扈する終末世界を描いた『**オリク**

スとクレイク』など数々の作品で知られている。

本作が刊行されたのは1985年のこと。当時、作品そのものは圧倒的な好評で迎えられたが、一方でこのようなディストピア社会にアメリカがなるはずがない、という意見も多く見られた。それが、最近になって大きく風向きが変わってきている。

2016年の米大統領選挙にドナルド・トランプが出馬したとき、彼は公約に人工妊娠中絶の非合法化を掲げた。さらに、女性差別的な言動が繰り返し取り上げられたこともあって女性たちの反発は大きく、大規模なデモも行われた。

結果的にトランプは大統領に選ばれるわけだが、彼の就任式が行われた翌月（2017年2月）、『侍女の物語』は発売から実に三十余年を経てアマゾンのベストセラーリストに名を連ねることになる。2017年にはHuluでドラマ化もなされ、2019年には続編『誓願』も刊行されるなど、時ならぬブームを巻き起こした。

その理由は、『侍女の物語』がもはや「ありえない架空の国の物語」ではなくなってきたからだろう。事実、アメリカでは2022年に最高裁判所が人工妊娠中絶の合憲性を覆す判決を下すなど、女性の権利を後退させる出来事が目立つ。

物語の舞台は、キリスト教原理主義勢力が革命を起こし、アメリカが〈ギレアデ共和国〉と呼ばれる軍事独裁国家になった世界。新政権は旧約聖書を徹底的に自分たちに都合よく解釈し、国のルールを一からつくり直していく。その結果、多くの変化が起きるが、その最たるものが女性の権利が大きく制限されたことだ。

女性たちは一夜にして仕事や銀行口座を奪われ、夫の意志に従う以外の権利を失ってしまう。また、ギレアデ共和国では出生率が極度に低下しており、人口を補うために多くの子どもを必要としていた。そのため、出産能力が証明されている女性たちを、子どもを産むための道具として政府の高官にあてがう強制出産制度がつくられることになる。この制度下では、再婚の夫婦や未婚者の性交は密通とみなされ、国教会で式を挙げなかった既婚女性もすべて逮捕されてしまう。

物語は、そんな世界で高官に割り当てられた〈侍女〉の一人、オブフレッドの視点で進行していく。彼女には「オブフレッド」ではない本当の名前があるが、その名を用いることは許されない。完全に個性を剥奪されてしまっているのだ。

どこがスゴいのか

決して「架空の物語」ではないというおぞましさ

オブフレッドが自分の身に起きたことを語り始めるのは、彼女が妊娠できず、３つ目の施設に移ったときのこと。３つ目の施設でも妊娠できなかった女性は、〈不完全女性〉として強制収容所におくられる。収容所おくりになった女性たちは、過酷な労働を強いられ長くは生きられないとされている。

オブフレッドが暮らす施設は、子どもを産むための〈侍女〉だけでなく、さまざまな立場の女性の共同生活場のようになっている。家事を担当する〈女中〉として働いているのは、出産適齢期を過ぎた女性たちだ。侍女を訓練、教育する立場の〈小母〉と呼ばれる女性たちもいる。彼女らは、着ている服の色で区別される。侍女たちは赤い服にボンネット、女中たちは緑色、小母たちは茶色の服をそれぞれ着用している。

こうした異常な状況が、オブフレッドの目を通して淡々と描写される。体制に抵抗したり、逆らったりするような内容を彼女が発信することはない。

侍女たちは、道を歩いているときに海外からの観光客と出くわし、「写真を撮らせてもらえないか」と尋ねられたりもする。「幸せですか？」と聞かれたときは、「ええ、わたしたちはすごく幸福です」と答えるしかない。体制への造反者と見なされた者は〈救済の儀〉と呼ばれる公開処刑を執行され、誰からも見える大きな壁に吊るされるからだ。

この息詰まる社会の中で、オブフレッドは「これは仕方がないことなのだ」と自分に言い聞かせる。名前が奪われたことも、自由にお金を使えないことも、奴隷同然に扱われていることも、どれもたいしたことではないのだと。しかし次第に、彼女の内側にあった自由への欲望が漏れ出していく。

当初、オブフレッドは与えられた義務として司令官のもとに通い、妊娠のためだけの性交を行っている。やがて司令官が、彼女に対して個人的に会うことを要求するようになると（体制には禁じられている行為だ）、オブフレッドは危険と嫌悪を感じながらも多少の自由を得ることになる。この世界では、侍女たちは「モノ」扱いなので、ハンドローションやフェイスクリームなどの使用も「虚飾」として禁止されているが、こうしたアイテムも司令官を通してわずかなりとも入手できるようになる。

そんな密会の過程で、女性たちを国外へ脱出させるための秘密組織があることが明らかになる。はたしてオブフレッドは、この異常な国家から逃げることができるのか？

アトウッドが本作の着想を得たのは、レーガンが大統領選を制し、宗教右派が台頭してきた1981年のことだったという。

アメリカでは1964年、黒人やマイノリティの市民権を保障する公民憲法に「性による差別の禁止」が追加され、第二波フェミニズムと呼ばれる大きな女性解放のうねりが起きた。しかしその後の反動で「女性は家庭にいるべき」という声も大きくなる。そうした状況の中で、アトウッドは「もし、アメリカで全体主義が興るとしたら、それはどのようなものになるだろう？　スローガンは？　言い訳は？」と考え始めたという。

国家はなんの礎もなく、いきなり過激な支配体制を構築することはない。アメリカにその礎があるとしたら、それは17世紀のニューイングランドで清教徒が行ったような、女性への強い偏見に満ちた神権政治だろう——アトウッドはそうシミュレートし、本作の世界観を構築してみせた。

この世界では、原発事故や化学・細菌兵器の漏出などが重なった結果として、出生率が極端に低下している。一方、われわれが住む現実でも、多くの先進国が出生率の低下に苦しんでおり、世界的にも２０５０年頃を境として世界人口も減少に転じると見られている。この「共通の危機」も相まって、本作は強固な普遍性を獲得することになった。

移民では労働力をまかないきれず、どの国も人口の維持に支障をきたすようになったとき、出生をコントロールしようとする全体主義国家が誕生するはずだ。現実が物語に近づくたび、何度でも本作は話題となり、読み継がれることになるだろう。

マーガレット・アトウッド

1939年生まれ。50以上の作品を発表しているカナダの代表的作家。代表作に『侍女の物語』『オリクスとクレイク』『昏き目の暗殺者』ほか。

『徴産制』
——男が「出産する性」になったとき

田中兆子著／新潮社、2021年（単行本初版刊行2018年）

Fiction
Light
Speculative
Science
Scientific
Heavy

どんな作品か　成人男性に「女性」になる義務を課す社会

日本にも、ジェンダーを扱った小説は数多くある。そのひとつとして取り上げたいのが、田中兆子による連作短編集『**徴産制**』だ。

女性と男性を分ける根拠のひとつとされるのが「子どもを産む」ことができるかどうかである。しかし、本作では「男も（性転換を行うことで）妊娠できるようになった世界」

が描かれる。はたして男性は、自分たちが「出産する性」になったとき、何を思うのか。また、この世界では女性が完全な形で男性になることも可能であり、それが社会にどのような変化をもたらすのかという考察もなされていく。

物語の舞台は、女性にのみ発症し、若年層ほど死亡率の高いインフルエンザが蔓延した世界。その結果、子どもを産むことのできる年代の女性が極端に少なくなっている。しかし同時期に、可逆的に性別を変えることができ、しかも大規模な手術が不要という画期的な技術が登場。この性転換技術をもとに、日本では通称〈徴産制〉が提案、承認され、2093年から施行されることになったという設定だ。

徴産制とは、言うまでもなく徴兵制のもじりだ。日本国籍を有する満18歳以上31歳未満の男性に、最大で24カ月間「女」になる義務を課す制度である。

子どもをつくって人口を増やすことを目的とした制度ではあるものの、義務化されるのは女性になるところまで。その後の出産・育児までは強制されていない。女性に変わった時点で給付金が発生し、子どもを産めば新築の家が一軒買えるほどの報奨金をもらえる。

産役についた者は、赴任先で男性と個人的なパートナー契約を結んで性交し、子どもを産む。制度上、人工授精を選んで誰とも性交せずに子どもを産むこともできるが、パートナー契約を結んでいない者は社会で下に見られる風潮もある。通常、子どもは国が引き取って国立の養育施設で育てられるが、養子に出すこともできるし、産役を終えた後にそのまま女性としてとどまり、自ら子育てをすることも可能だ。フィクションながら、いかにもありそうな社会の在り方が、様々な立場の〈産役男〉たちの視点を通して描かれていく。

どこがスゴいのか

「違う性別」から世界を見るということ

女性でも男性でも「一時的に別の性の持ち主として生きてみたい」と思ったことがある人はいるだろう。ある意味、徴産制はそうした願望を叶えてくれるものではあるのだが、そうハッピーな制度というわけでもない。

第一章「ショウマの場合」では、徴産制が施行された直後、田舎で初めての産役についたショウマの身に起きる、少々残酷な体験が描かれていく。

性転換が行われると精神もまた女性的になるというが、体が一からつくり変えられるわけではないので、基本的に大柄な男性はそのまま大柄な女性になってしまう。ショウマは身長180センチ、体重72キロという体格の持ち主で、もとの容貌も決して美しかったわけではない。そんな彼は、オオサカの街を歩いているだけで、「どけや、デカドブス」などと男性から心無い言葉をあびせられ、かなりのショックを受けてしまう。男性であるときには受けなかった仕打ちを、女性の姿になると当たり前のように受けるのだ。

見た目のいい産役男が次々と契約相手を見つけていくなかで、ショウマにはなかなか相手が現れない。田舎に戻れば祖父から、いつになったら子どもができるんだ、女になった証拠を見せろ、セックスはどうなんだ――などと自覚なきセクハラにさらされる。

こうした仕打ちを受けて初めて、以前は彼らと同じ男であったショウマは、自分も知らないうちに女性たちを傷つけていたかもしれない可能性に思い至る。

そんなショウマにも、意識を変えて身だしなみに時間を使うようになったことで変化が訪れる。化粧をして、ロングヘアのウィッグをつけた自分の姿を褒められる喜びを知り、女としての自分を肯定できるようになっていくのだ。やがて、うどん屋の店主アオタさんと結ばれたショウマは、女性であることの証として子どもを欲するようになっていく。

子どもを産むこと＝女性の証であると考える女性ばかりではない。産役男となった男性たちも同様で、彼らを通して各人各様のスタンスが語られるのも、本作の読みどころだ。

第二章「ハルトの場合」では、将来的に政治家、それも総理大臣になることを目指しているエリート官僚、ハルトの産役が描かれる。

ハルトは強固な徴産制反対者だが、ピカピカの経歴に傷をつけたくない一心で産役に従っている。すぐれた容姿を持つハルトは女性としても引く手あまた。エリート官僚というポジションも手伝って、優秀な契約相手をとっかえひっかえしているが、なかなか妊娠に至ることができない。子どもを人工授精で産むことは、ハルトにとっては敗北を意味するので選択肢にはなく、次第に精神的に追い詰められていく。

そんなハルトを救うのは、行きつけのバーに集まる産役男たちだ。得意とするメイクを彼らに教えることで、これまでの人生では出会ったことのない属性の人々との交流が生まれ、ハルトはその楽しさを知っていく。妊娠は体の問題なので、エリート官僚のように努力でのし上がってきた人間であってもどうにもならないこともある。だが、見た目なら技術で向上させられる。

ずっと「国のため」に生きてきたハルトだったが、バーに集まる産役男たちは自由だ。なかにはピルを飲んで避妊している産役男もいる。「国のため」を思えば子どもを産むべきなのだが、徴産制では「女性になる」ところまでが義務なので、必ずしも出産はしなくていい。男だった頃は、子どもを産まない女性には価値がないと考えてきたハルトだが、バーの面々の様々な生き方に触れて、国のために我慢をすることをやめ、自分のため、目の前の人のために活動しようと決意する。

本作では、自分の夫が女性になり、男性とセックスすることに対して、その妻が複雑な感情を覚えるエピソードや、生来の女性が男性になることを決意するエピソードなど、女性から見た徴産制もきっちり描かれている。何度も「自分だったらどうするだろう」と考えずにはいられないはずだ。

田中兆子（たなか　ちょうこ）

1964年、富山県生まれ。本作『徴産制』で、2019年度センス・オブ・ジェンダー賞大賞を受賞。

Chapter

14 マインド・アップロード

意識をコンピュータに移して「不死」を実現する

人間の意識や精神をデジタル化し、機械にアップロードすることで肉体を捨て、事実上の「不死」を達成する——それがマインド・アップロードのコンセプトだ。現代科学はまだそれを成し遂げてはいないが、研究は進んでいる。

その研究を行っている一人が、東京大学大学院工学系研究科准教授である渡辺正峰だ。意識のアップロードを20年以内に実現することを目指す企業「MinD in a Device（マインドインアデバイス）」の技術顧問も務める渡辺は、著書『**脳の意識 機械の意識**』（中央公論新社）の中で、「人間の意識はどう定義できるのか」「意識を移植するときに超えなければならない技術的な課題とは何か」といった問いに真正面から向き合い、持論を述べている。

渡辺らが現在取り組んでいるのは、機械に意識を移し替える数段階前に当たるプロジェクトだ。もし、人工ニューロンが生体ニューロンと同じ機能を持ち、元の神経配線を人工的に再現できるのであれば、脳の一部を人工ニューロンに置き換えても、以前と同じように意識が浮かぶはずだ。これをさらに推し進め、脳のすべてが人工ニューロンに置き換わったとしても、出力結果に変わりがないのであれば、ここでも同じ意識が再現されるはずである。

このアイデアを検証すべく、渡辺らはマウスを使った実験を試みている。最終的には、マウスの脳半球を分離し、左右の脳をマシンによって再配線することで、脳を行き来する情報をすべて記録し、情報を操作することでどのような変化が起きるのかを調べる。続いて、左右の脳の片方を機械に置き換え、意識を発生させている神経アルゴリズムの傍証を導き出すのが狙いだという。

人間に対しても、右脳と左脳をつなぐ脳梁にCMOSセンサーを差し込んで接続し、脳梁の断面部にあるすべてのニューロンの情報を読み取る機械を開発するなど、マインド・アップロードの研究は現在進行形で行われているのだ。

この研究が進展していけば、脳に機械をつないだまま長期間を過ごし、記憶や意識の転送を積み重ねることで、いわば「自分が二人いる」状態が実現することになる。そうなれば、生体脳側（つまりオリジナルの自分）が死んだときも、自分という存在は完全な形のまま、機械の中で生き続けることができるはずだ。

同じ意識を持つ二人が存在するとき、死にゆくさだめである生体脳側が機械側にどのような感情を抱くのかは推測が難しい。もし自分の、あるいは愛する人の意識を機械に移植できるようになったとしたら、あなたはそれを選択するだろうか？　意識の所在が機械に移れば、生身の体に依存していたときとは比較にならないほど長い時間を生きることも可能になる。体が元気なうちはそんな気も起こらないだろうが、病に蝕まれ、近い未来の死が確定したときには、その選択肢が俄然魅力的に感じられることもあるかもしれない。

その結果、コピーされた自分がデジタルな存在として意識を覚醒させたとき、自分と社会はどのような葛藤を抱え、どのような決断を下すのか――このテーマをＳＦがどう描いてきたのか、３作品を通して見てみよう。

『ゼンデギ』
——コピーされた意識に人権はないのか？

グレッグ・イーガン著／山岸真訳、早川書房、2015年（原著刊行2010年）

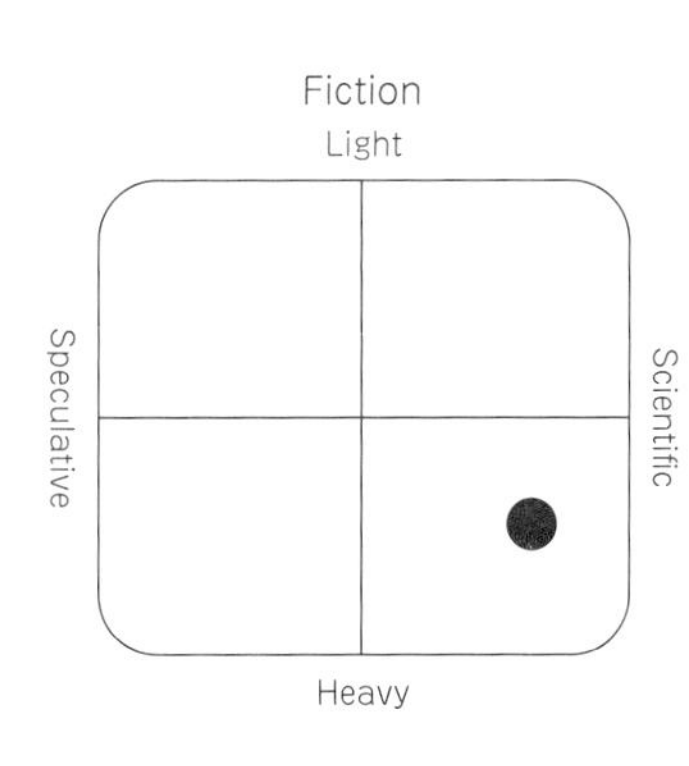

どんな作品か
マインド・アップロード技術の黎明期を描く

高度な数学や最先端の宇宙論など、科学の知見を縦横無尽に使いこなし、ハードな世界観を構築していくSF作家グレッグ・イーガン。次項で紹介する『**順列都市**』をはじめ、イーガン作品には人類が肉体を捨て去って人格や記憶をソフトウェア化した未来社会を描くものが多い。

この『ゼンデギ』は、人類が人格のソフトウェア化技術を手に入れようとしている、まさにその瞬間をフィーチャーした作品だ。いったいどのような技術がそれを可能にするのか。そして、人間の完全な複製をつくりだせるわけではない初期の技術は、社会にどのような混乱をもたらすのか。本作ではこうしたテーマが、一人の科学者と一人の父親の目を通して描かれていく。

物語は時代の異なる二部で構成されている。第一部の舞台は2012年。イランの不正選挙をめぐる混乱に巻き込まれていくオーストラリア人ジャーナリストのマーティンと、人間の脳の複雑なニューロン結合をモデル化し、脳や意識のしくみを解明する「ヒト・コネクトーム・プロジェクト(HCP)」に取り組む女性研究者ナシム。この二人の探求に焦点が当てられる。

続く第二部では、第一部から15年が経過しており、マーティンは第一部で出会ったイランの女性活動家と結婚。ナシムはHCPが資金不足により頓挫し、職を転々としたのちに仮想現実ゲームである〈ゼンデギ〉の開発に関わるようになっている。競合ゲームへの優位性を保つため、ナシムはゼンデギに新しい機能を追加する必要に迫られ、自分がかつて関わっていたＨＣＰに再び取り組むことを決意する。ＨＣＰの成果を活かすことができれば、ゲーム上のノンプレイヤーキャラクターの応答を、より人間らしくすることができるはずだからだ。

ナシムがＨＣＰの研究を行っていた２０１２年当時は、キンカチョウを千羽近く犠牲にして、その脳を切り刻んでデータ化しても、鳴き声と歌をコンピュータ上で再現する程度のことしかできなかったが、２０２７年ともなれば脳の研究も大きく進展している。

アメリカには臓器提供者によってもたらされた４０００件以上もの脳スキャンデータが存在し、ナシムはそれを活用する過程で、さらに進んだ計画を目指す。プロのサッカー選手など、存命の著名人の脳活動をマッピングして、ゼンデギ上でその言動を再現しようというのだ。

一方、マーティンは妻を交通事故で失い、６歳の息子ジャヴィードを男手ひとつで育てることになる。その矢先に今度は自分ががんを宣告され、余命がそう長くないことを知らされる。

親であれば、自分の子どもが成長していくさまを見守りたいと思うのは当然だろう。思い余ったマーティンは、亡くなった妻の親類にあたるナシムに連絡をとり、彼女がプロサッカー選手に対して行ったことを、自分にもしてほしいと懇願する。ゼンデギの中で自分を生かし、息子の成長をサポートできるように。誠実な被験者を求めていたナシムは、その頼みを了承する。

どこがスゴいのか

「オリジナルとコピー」をめぐる葛藤に肉迫

かくしてナシムは、ゼンデギ上でマーティンの再現に取り組むことになる。完璧なマーティンでなくても、6歳のジャヴィードに寄り添えるくらいの機能があればいいのだが（完全な人格を再現する「アップロード」と対比して、本作におけるこの技術は本作では「サイドロード」と呼ばれる）、それさえも簡単なことではない。

サッカー選手の事例では、再現できたのは体の動きなどの限られた要素のみ。最高のスキャニング技術をもってしても、有用な、特徴あるデータを被験者の脳から抽出できるかどうかは、その時々で大きな振れ幅がある。

あるものを思い浮かべたり、ある作業を行ったりするとき、毎回、脳の同じ領域が同じように活動しているわけではない。脳の働きを完全にコピーするのは、2027年の技術を用いても不可能なのだ。それでも、できるだけ大量に脳の活動を記録しようと、ナシムはマーティンとセッションを繰り返す。

二人の前に立ちはだかるのは技術的な問題だけではない。思想的にも彼らと対立する集団が現れる。意識を持たされているにもかかわらず、自らの運命をコントロールする能力を与えられていないソフトウェアを創りだすなど、倫理的に許されないことだ――と訴える〈シス・ヒューマニスト同盟〉だ。

サイドロードによって再現された人格の自由を奪い、ゲームの中で奴隷のように扱うことに対して、彼らは次のように主張する。

「もしなにかを人間にしたいなら、人間まるごとをお作りなさい。ですが、もしあなたたちが、人々が完璧にコピーされて、すべての能力を保ち、すべての権利を損なわれないまま、自分の肉体から仮想不死へと移行することを可能にしたいのなら……どうぞお

やりください、そうすればわれわれも受け入れられます」（p470）

読み手は、ナシムらの心情に近い位置にいるので、ついつい彼らに同情的になるが、シス・ヒューマニスト同盟が主張することにも一理ある。仮にナシムがマーティンのコピーをそれなりの精度でつくれたとして、その存在に人権は保障されない。ナシムによって生殺与奪の権を握られている、ひどくか弱い存在なのだ。はたしてそんなことが許されてよいのだろうか？

人間の脳内で起きていることは、物理的に説明できるのだから、意識や人格をソフトウェアとして実行することは、将来的に必ず可能になる。大切な人を後に残して死ななければならないときに、あなたは自分を「サイドロード」したいと望むだろうか？　その場合、どの程度オリジナルに似ていればよしとするのか？　ありのままの自分を残したいと思うだろうか。それとも、悪い部分は消去し、理想の自分を残したいと望むだろうか？

本作は、マインド・アップロードの第一歩が踏み出されたときに、人々がどのような葛藤や苦悩を抱えうるのかを見通した作品でもある。遠い先の話と思うかもしれないが、そんな未来は意外とすぐそばまで来ているのかもしれない。

グレッグ・イーガン
1961年、オーストラリア生まれ。数学の理学士号をもつ。代表作に『万物理論』『ディアスポラ』ほか。

『順列都市』
──宇宙の終わりすら乗り越える「究極の不死」とは

グレッグ・イーガン著／山岸真訳、早川書房、1999年（原著刊行1994年）

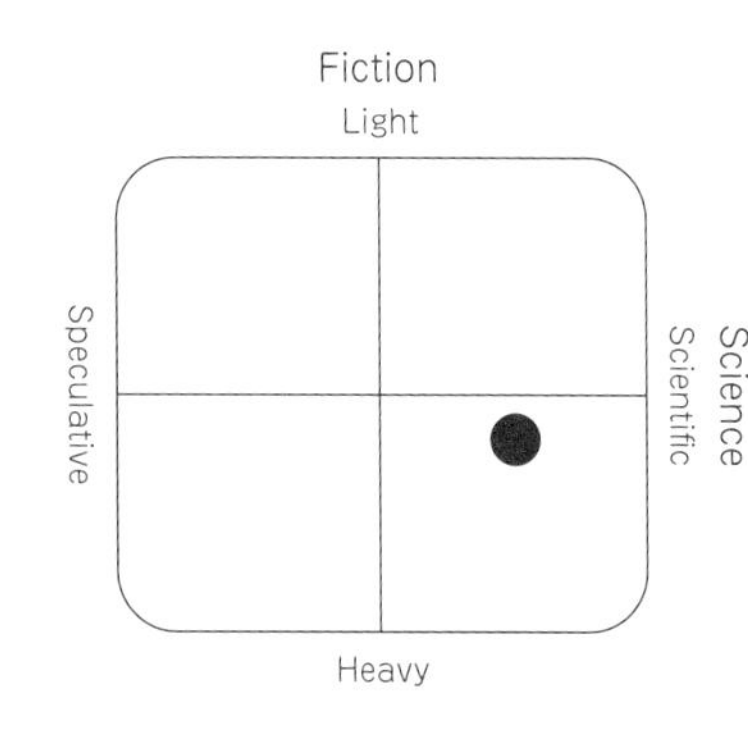

どんな作品か

生前の利息で「仮想世界」に生き続ける人々

前項で紹介した『ゼンデギ』の作者、グレッグ・イーガンが1994年に刊行した『順列都市』は、人類が当たり前のように自分の記憶や人格をコンピュータにアップロードできるようになった世界を描いている。この世界の人間は、当然ながら肉体に縛られていた頃よりも、はるかに長い時を生きることができる。

写真のデータをスマホからスマホへと移し替え、10年以上も昔のデータを保持している人もいるだろう。同様に、記憶や人格をコンピュータにアップロードした人間は、サーバからサーバへと渡り歩くことで、理論上は永遠の命を得ることが可能だ。

とはいえ、話はそう簡単ではない。結局、彼らの存在は物理的な基盤に依存しているわけだから、たとえば核戦争、あるいは隕石の衝突などが起きてその基盤が破壊されてしまえば、その瞬間に命が潰えることになる。

仮にそうした危機を乗り越えることができたとしても、いずれ太陽は燃え尽き、一切のエネルギーが供給されなくなり、その後宇宙それ自体の死がやってくる。つまり、「本当の意味での不死」を実現するには、宇宙の死すら乗り越えなくてはならない。本作は、そんな「究極の不死」をも手にした人類の未来をつぶさに描き出す。

物語の主な舞台は２０４０年代の後半から２０５０年代にかけての地球。この世界では人間の脳をデジタルレンダリングし、肉体の死後も記憶や意識を仮想世界上に移して生きることが可能になっている。こうした、仮想世界上の存在は〈コピー〉と呼ばれる。

物語開始の２０４５年時点では、〈コピー〉の技術はまだ不完全だ。意識こそ保たれてはいるものの、その脳モデルは処理能力の問題もあり、オリジナルの17分の1の速度でしか動作しない。

　また、発展段階にあるテクノロジーの常として、〈コピー〉として生きることができるのは、ごく一握りの億万長者が中心だ。彼らは恵まれた立場にあるとはいえ、結局は自分自身がコピー、つまりは偽物であるという事実に耐えられず、「こんな形で生きることはできない」と、プログラムからの脱出という形で命を絶つ者も多い。

　この世界には、富裕層以外の〈コピー〉も存在してはいる。ただ、彼らは自らをソフトウェアとして走らせるために、性能の劣った公共ネットワークの処理計算に頼らざるをえないため、裕福な〈コピー〉たちと比べると、はるかに遅い速度でしか動作できない。速度の速い者と遅い者のコミュニケーションは成立せず、後者は仮想世界の流れから取り残されがちだ（とはいえ、速度の遅いほうに同調する〈減速クラブ〉なるコミュニティもスラム街には存在している）。

〈コピー〉たちを仮想世界上で生かし続ける（つまり、シミュレーションの計算を続ける）ための資金源は、オリジナルが元の世界で行っていた投資の「利息」だ。金が足りなくなれば、利息がたまるまで〈スナップショット〉として自分の存在を凍結しておくこともできる。とはいえ、利息を生み出す資産が少ないために、いつまで経っても凍結されたままの哀れな〈コピー〉もいる。

このように、現実世界の経済格差が仮想世界にまで反映される可能性を描いているのも、この物語の読みどころといえる。

どこがスゴいのか

不死の先にある「アイデンティティの危機」

前述のように、〈コピー〉の存在はコンピュータという物理基盤に依存しており、各種災害などの突発的事象によって即座に終わりを迎える可能性がある。絶対安全な場所など、地球上はもちろん、宇宙広しといえどもどこにもない。

さらにいえば、〈コピー〉たちは、現実世界に存在する「反〈コピー〉論者」らによる攻撃の可能性も想定しなければならない。〈コピー〉たちにとっては、ものを考えている自分がいるので、そこに意識が存在するのは自明のことだ。しかし、その言動を外から見ているだけの人からすれば、そこに本当に意識が宿っているのか、あるいは意識があるかのように振る舞っているだけなのか、区別をつけることはできない。反コピー論者からしてみれば、そのような曖昧な存在に、地球の資源を使うべき理由がどこにあるのかというわけだ。

つまり、潤沢な利息で無限に自分をシミュレートし続けることが可能な富裕層といえども、〈コピー〉の存在は非常に脆弱なものだ。そんな状況にあって、富裕層の一人であるトマス・リーマンの前に、ダラムと名乗る男が現れる。そして、反〈コピー〉運動、隕石の衝突、その他のあらゆる問題に対応する「保険」の提供を申し出るのだ。

ダラムが提案するのは、ハードウェアに立脚しない人工宇宙を作り、そこに〈コピー〉たちを移住させる計画だ。ハードウェアに依存しない以上、100億年、1000億年を経て宇宙が崩壊しても問題はない。しかし、どのような理屈がそれを可能にするのか？

ダラムは自分自身が〈コピー〉になり、ある実験を行ったことで〈塵理論〉と呼ばれるロジックを世界に見いだし、それを用いてこの夢のような計画を実現しようとしている。

塵理論は現実には存在しない架空の理論だが、そのロジックには一定のリアリティがある。この議論だけで何十ページも費やされるのでここでは深く踏み込まないが、端的に説明すれば、真にランダムな数字の大きな集合体があれば、その中にはあらゆる数字列が含まれているように、世界をランダムな情報の集合体としてとらえることができれば、あらゆる意識や人格をそこに「認識」することができるのではないか——という理論である。

そうした不死をめぐる問題と併せて、本作ではマインド・アップロードに伴う不可避の問題——アイデンティティについても問いかけがされている。

結局のところ、〈コピー〉を構成しているのは改変可能な情報に過ぎないので、記憶をいじったり、気分を変えたりと、いかようにも調整することができる。多くのコピーは現実から仮想世界に移住したときに困惑を覚えるが、そうした困惑を削除し、「現実世界のほうが上で、仮想世界は下」という認識を強制的に書き込むこともできる。見た目も好きなように変えることが可能だ。

しかし、自分を構成するすべての要素を気軽に変更できるのであれば、「本当の自分」なるものはどこにあるのだろうか？　どこまで改変を加えれば「わたし」ではなくなってしまうのか？　それは、アイデンティティの根幹にかかわる問いであると同時に、旧来の人間の枷を外して、新たな選択肢を手に入れるための問いでもある。

はたして、すべてのパラメータが自由になったとき、人はどのような自分になりたいと思うのか。本作は〈コピー〉と仮想世界にまつわる議論を縦横無尽に繰り広げながら、こうした哲学的課題にまで踏み込んでみせる。

※グレッグ・イーガンのプロフィールは333ページ。

『都市と星』

――「閉鎖的な繁栄」はユートピアか、ディストピアか

アーサー・C・クラーク著／酒井昭伸訳、早川書房、2009年（原著刊行1956年）

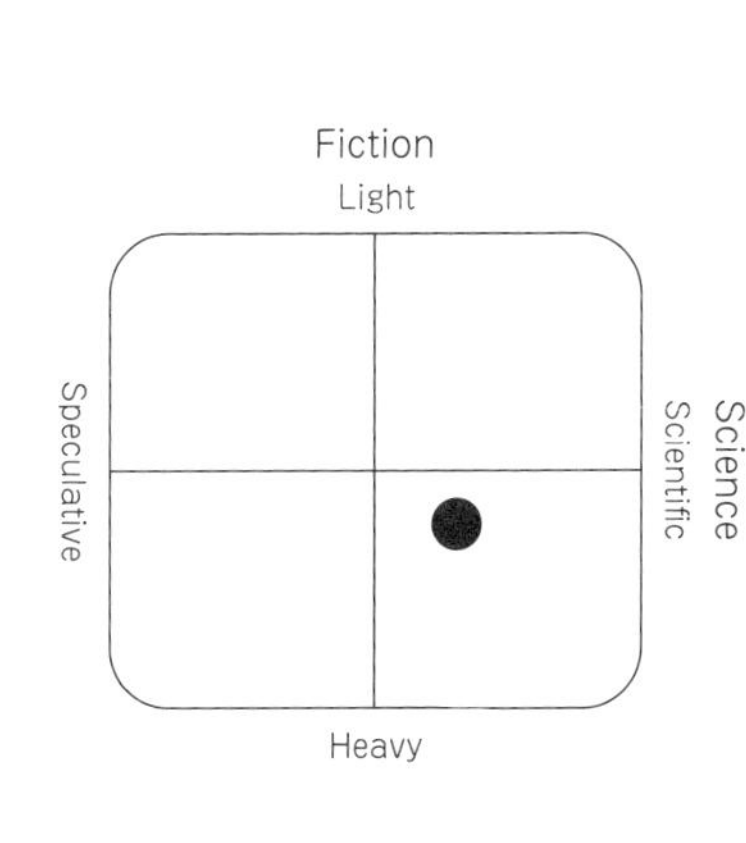

どんな作品か　数十億年の安定を享受する「不死社会」での生活

SF界の巨匠、アーサー・C・クラークが1956年に発表した『**都市と星**』は、代表作『**幼年期の終わり**』と並んで、人類の未来の姿を描き出した壮大な思弁系SFと評される作品だ。もともとはクラークがデビュー前からコツコツ書いていた作品で、1948年

に雑誌掲載された後、1952年に『銀河帝国の崩壊』と題して刊行。その後、世の中の科学技術の進展に合わせて大幅に内容をアップデートしたものが、この『都市と星』になる。

どの作品でも壮大なヴィジョンを見せてくれるクラークだが、本作はその始まりからして数十億年先の未来に設定されている。人類が宇宙への進出に成功し、大いなる発展を成し遂げた「後」の世界が舞台だ。

物語の舞台は現代から数十億年後の未来にある〈ダイアスパー〉と呼ばれる都市。

ダイアスパーの内部では、人の生死が完璧に管理されている。1000年の寿命を迎えた住民は、その情報を都市のメモリーバンクに保存され、数十万年後にそのメモリーをもとにふたたび肉体と生を与えられるシステムだ。システムの管理は、卓越した計算能力を持つ〈中央コンピュータ〉が担っており、住民はこの完璧な都市から一歩も外に出ることなく、何億年もの安定した生を営んでいる。

ダイアスパーに生まれた人々は働く必要さえない。この安定が永遠に保障されているのであれば、ユートピア社会といってもいいだろう。この都市で、無限に等しい時間を与えられた住民が何をして暮らしているのかといえば、〈サーガ〉と呼ばれるVRゲームのような娯楽（さまざまな分岐を持った物語を体験させてくれる）にハマったり、芸術作品を黙々とつくって他の住民にジャッジしてもらったり……といった感じだ。彼らにとって生殖活動はもはや必要なものではないから、通常、性器は体内にしまいこまれている。

しかしあるとき、この安定した不死社会に違和感を覚える個体が生まれ落ちる。ダイアスパーの住民は、何度も生まれ直すので過去の記憶があるはずなのだが、アルヴィンという名のこの個体は、それがない特殊なケース。都市住民が興じる〈サーガ〉をまがいものだと感じ、のめりこめず、閉鎖された都市に息苦しさを感じている。

ダイアスパーの伝説では、人類はかつて巨大な銀河帝国を築いたものの、〈侵略者〉の襲撃に遭って宇宙から駆逐され、地球にとどまり続けることを約束したとされている。ダイアスパーを安住の地と定めた人類は、もはや宇宙はおろか、都市の外にさえ出ていこうとはしない。ダイアスパーの周囲には砂漠しかないと伝えられているからだ。

しかし、こうした話を聞かされてもなお、アルヴィンは外へ出たい、未知の世界を探求したいという欲求を抑えきれず、それを強引に実行に移すことで、世界の真の姿に迫っていく。

どこがスゴいのか

安定の外へと人を駆り立てる「探求」の精神

ダイアスパーは何億年もの安定という実績のある都市だが、その代償として「探求」の精神を失っている。都市を管理する〈中央コンピュータ〉は、社会構造の安定を維持するために、無秩序な変化が決して起こらないように計算を行っている。住民の情報はメモリーバンクに保存されるが、変化の芽を摘むために、コンピュータによって記憶やもともとの性向を改ざんされていないという保証はどこにもない。

その一方で、都市の安定を壊さない程度に、一定の変化をもたらす役割を期待されている人間がダイアスパーには存在する。彼らは〈道化師〉と呼ばれるが、アルヴィンはその一人の手を借りて、ダイアスパーと外の世界を結ぶ秘密の地下輸送システムを発見し、〈リス〉と呼ばれる都市にたどりつく。

リスは自然に人が生まれて死んでいく、昔ながらの人類の居住地だ。リスの住民は、「不死」であることは人々の活力を奪ってしまうと結論し、ダイアスパーと袂を分かった人々であり、ダイアスパーの住民には自分たちの存在を明かしていない。不死の技術こそ持ち合わせていないが、彼らは共感能力を高度に発展させており、言葉に頼らずテレパシーで他者とコミュニケーションを交わすことが可能だ。

そんなリスの人々は、二度と自分たちに合流してはならないとアルヴィンに告げる。しかし、リスとダイアスパーのさらに外側にある未知の世界の存在を知ったアルヴィンは、再度訪れるであろう「探求の時代」を見据えて、両者を出会わせようとする。異なる系譜をたどった2つのグループの人類が交流し、それぞれの長所を持ち寄ることで、探求に弾みをつけることができるだろうと考えるのだ。

その過程でアルヴィンは、かつて栄華を極めた人類がいかにして没落していったのかという真相を知ることになる。

その昔、人類はありったけのエネルギーを先進科学にそそぎこみ、銀河系の広大な宇宙空間へと雄飛する準備を整えるなかで、「宇宙の真の姿を把握できるものがいるとすれば、それは肉体の制約から解放された、純粋な精神体なのではないか」と考えるようになった。その創造の過程で、人類は〈狂える精神〉を生み出してしまい、それが宇宙を大混乱に陥れたのだという。

最終的に〈狂える精神〉は人工恒星に幽閉されるのだが、人類もひどいダメージを負った。つまりダイアスパーとは、宇宙への恐怖によって病んでしまい、宇宙など存在しないというふりをして地球に引きこもった集団だったのだ。真実を知ったアルヴィンは、いつか再び宇宙へ踏み出すべく、地球の再興に尽力することを決意する。

下記は、本作のラストシーンで、アルヴィンが極地の上空に位置する宇宙船から見渡した情景を描いたものだが、「宇宙スケールの時間の中にある人類」のうねりが力強く表現されている。

銀河系には夜が忍びよりつつある。東に向かって長々と影が伸びはじめたいま、ここに夜明けが訪れることは二度とない。しかし、宇宙に数多ある銀河では、なおも星々が若々しく輝き、惑星に力強い朝陽を投げかけている。いつの日か、かつてと同じ道をたどって、人類はふたたび銀河系の外へ出ていくにちがいない。

（p465）

宇宙は広く、全体で見ればどこかは光り輝いており、仮に長い停滞に陥ったとしても、何度でも再挑戦できるはずだ──クラークが本作で示したヴィジョンは、刊行から半世紀以上の月日を経てなお、深く響いている。

※アーサー・C・クラークのプロフィールは160ページ。

Chapter

15 時間

「時間旅行」の概念は、ほんの100年前に誕生した

「時間」をテーマにしたSFは、小説、映画、ゲームと媒体を問わず、多様な作品が存在する。過去や未来への移動を可能にするギミックを扱う「タイムトラベルもの」。第二次世界大戦など大規模な歴史の分岐点を取り上げ、現実と異なる展開を描き出す「歴史改変もの」。同じ一日、あるいは一定の期間を何度も繰り返すことでよりよい未来を探る「ループもの」……誰しも「あのとき違った選択をしていれば、人生はどれだけ変わっていただろうか」と過去を振り返ったり、「これから先、世界はどう変わっていくのだろうか」と未来に思いを馳せたりしたことがあるだろう。だからこそ、時間というテーマは多くの現代人を惹きつけてきた。

わざわざ「現代人を」と限定したのは、昔は「時間を移動する」という発想がそもそもなかったからだ。歴史を振り返ってみると、古代人には、永遠の命や生まれ変わり、死者の国といった概念こそあったし、浦島太郎のように期せずして歳をとるという物語上の描写もあったが、意図的な「時間旅行」の概念はなかった。

では、それが生まれたのはいつなのかといえば、H・G・ウェルズのSF小説『**タイムマシン**』（1895）が初めてだといわれている。この作品は、タイムトラベラーが時間の講義をする場面で幕を開けるが、その中で、時間とは縦、横、高さの3つの次元に次ぐ第4の次元であり、空間を移動するように時間を移動することも可能なのだと、時間旅行の概念が提示されている。その後、英語の文献に初めて「Time Travel」という単語が登場するのは1914年のこと。これは、ウェルズの『タイムマシン』に出てくるTime Travellerからの逆成語である。

つまり「タイムトラベル」の歴史はたかだか100年しかない。どうやら16～17世紀あたりまでの人類は、「未来／過去に行ったらどうなるんだろう」とは考えなかったようなのだ。

20世紀から21世紀に移り変わるとき、みなで大騒ぎをしたことを覚えている人も多いだろう。しかし、西暦1800年頃の人たちは、世紀が変わることに特に注目してはいなかった。「世紀が変わる」という表現自体、19世紀から20世紀に変わるときに初めて使われたものだ。いまほど技術の発展がスピーディではない世界では、20年経とうが30年経とうが、過去・現在・未来にそう違いはない。ジェイムズ・グリック**『タイムトラベル 「時間」の歴史を物語る』**には次のような一節がある。

トマス・モアが『ユートピア』を出版した一五一六年当時、未来に関心を持つ人などほとんどいなかった。未来の世界が現在と大きく違うものになるという発想がなかった。

（ジェイムズ・グリック著、夏目大訳『タイムトラベル 「時間」の歴史を物語る』／柏書房 p52）

しかし、18世紀に産業革命が起きて、数多くの新しい機械が発明されると、社会には誰の目にもわかる明らかな変化が起きはじめた。そうした変化は不可逆なものだったので、

「時間は前に進むものだ」という感覚が生まれた。過去・現在・未来は区別され、過去を懐かしむ人もいれば、進歩を続けるテクノロジーの先に未来を夢見る人も登場する。ウェルズの『タイムマシン』は、後世のあらゆるタイムトラベルものに影響を与えたが、その誕生の背景にはウェルズの独創に加えて、時代の要請といった側面もあったのだろう。

オックスフォード大学史学部シリーズ

――現代人の目線で、過去の歴史を捉え直す

コニー・ウィリス著／大森望訳、早川書房、2003年～（原著刊行1992年～）

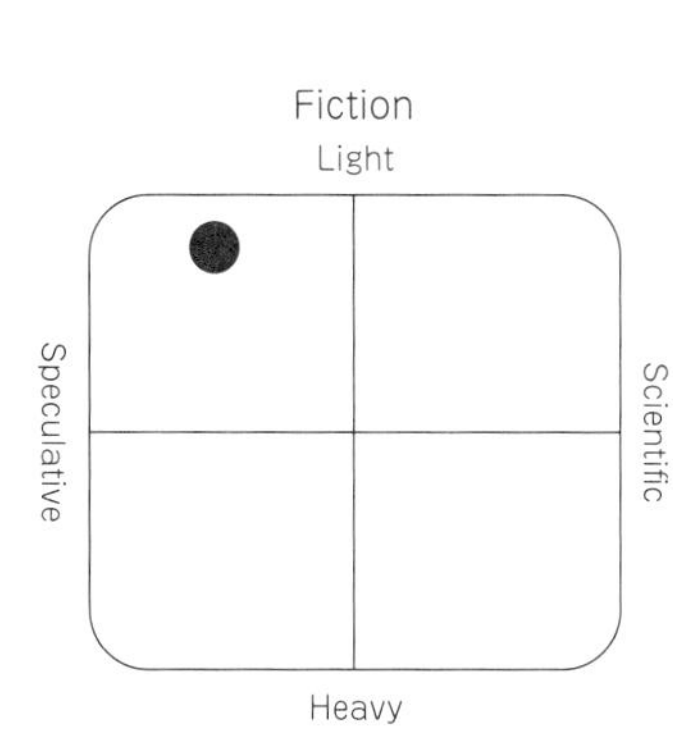

どんな作品か

タイムトラベルで歴史調査に向かう大学生たちの活躍

史学部シリーズは、コニー・ウィリスによる『**ドゥームズデイ・ブック**』『**犬は勘定に入れません**』『**ブラックアウト**』『**オール・クリア**』の4作の総称である。

タイムトラベルによって、過去の時代へ歴史調査に赴く大学生たちを描いた本シリーズ

は、全4作がヒューゴー賞やネビュラ賞など重要なSFの賞に輝いていることからもわかるように、きわめて高い評価を誇る。その人気の秘密は、何よりも作者のストーリーテリング能力の高さにある。

登場人物たちは見知らぬ時代で、二転三転する状況や数々の災難に見舞われるが、どれほどピンチに陥ろうともユーモアの感覚を忘れない。文体、キャラクター造形、作品テーマのすべてにおいて、軽重織り交ぜた絶妙なバランスで魅せるのが、コニー・ウィリス作品の特徴といえる。

シリーズに共通する舞台は、過去へのタイムトラベルが実用化された2050〜60年代のオックスフォード大学。実用化されたとはいえ、タイムトラベルには数多くの制限が存在している。たとえば歴史の流れを大きく変える行為や、過去からモノを持ち帰ったり、逆に現代のモノを過去に持ち込んだりする行為は物理法則的に不可能だ。また、タイムトラベルが利用できるのは歴史研究者に限られている。

歴史小説のように「当時の人々の視点」ではなく、「現代人（未来人）の視点」で過去の時代を観察できるのは、タイムトラベルSFならではの醍醐味だろう。『ドゥームズデイ・ブック』では黒死病が蔓延し人がバタバタと死んでいく14世紀英国、『犬は勘定に入れません』ではヴィクトリア朝の19世紀英国、『ブラックアウト』『オール・クリア』では第二次世界大戦中の英国が、それぞれ描かれる。

第一作『ドゥームズデイ・ブック』の主人公は、史学部の女子学生であるキヴリン。彼女は14世紀の英国を目指してタイムトラベルに出るが、無事に目的の時代と場所に着いたかどうかが判明する前に（この時点のタイムトラベル技術は不安定で、狙ったポイントに行けないこともある）、タイムトラベル装置を担当していた技師が倒れてしまう。

技師の異変は、突如発生した謎のウイルスによるものだった。そのため、オックスフォード大学の面々は、キヴリンの安否を確認する余裕もなくパニックに陥る。このウイルスがタイムトラベルのネットワークから伝わったのではないかという懸念が起こり、責任者の教授がネットの閉鎖を命じたため、キヴリンはそのまま過去に取り残されてしまう。

キヴリンは、調査する予定だった1320年から大きく時間がズレた1348年の英国に到着していた。疫病にそなえて、現代で数々のワクチンを打ってきたにもかかわらず、彼女もまた技師と同じウイルスにおかされ、倒れてしまう。

自分がどこにいるのかもわからないままに町の人々に助けられたキヴリンは、やむをえずこの土地で体を癒やすことになる。タイムトラベルはどこからでも可能なわけではなく、現代に戻るには特定の〈ドロップポイント〉に、あらかじめ決められた時間にいなくてはならない。そこがいつ・どこなのかもわからないため、動こうにも動き出せないのだ。

どこがスゴいのか 歴史に翻弄されながらも立ち向かう「普通の人々」

本作の白眉は、「未来人が現地の人と同化して、日常を送っていく」パートにある。このプロセスを通して、キヴリンは「歴史の現実」が、未来から見たものとどれほど食い違っているのかをこと細かく体験していく。

現代であらかじめ中期英語（1066年のノルマン・コンクエスト以降、15世紀後半頃までの英語を指す）を学んできたキヴリンだが、実際にこの時代で話されている英語は語形変化だらけ。発音にもフランス語の音が混じり、彼女はコミュニケーションにひと苦労することになる。

服装もこの時代に合わせて着てきたはずなのに、町の人々が着ているものに比べると色が鮮やかすぎる。キヴリンの背は高すぎるし、歯も揃いすぎている。手にしもやけひとつない彼女の存在は、とにかく浮きまくっている。

その一方で、街道は追いはぎだらけ、女性のひとり歩きなどもってのほか——と思われていた「危険な」時代に、キヴリンは彼女に手を差し伸べようとする心優しき人々とたくさん出会うのだ。

綿密な取材と調査に裏付けられているとはいえ、コニー・ウィリスが描く14世紀のイギリスがどれほど真に迫っているのかは、結局のところ想像の域を出ない。しかし、歴史に埋もれ、誰からも見向きもされなそうな「市井の人々の暮らし」に光を当てる手つきはこの作家と作品ならではのものだ。

やがて、中世の人々の素朴な日常はパンデミックに蹂躙(じゅうりん)されていく。感染症の原理を理解せず、抗生物質の存在を知るよしもない彼らは、祈りと民間療法にすがるほかない。本作で描かれる悲劇は、その後600年ほどでわれわれがどれほどの知識を積み上げたのかを教えてくれる。同時に、絶望的な状況下で最善を尽くそうとする人々の姿は、時代を超えて変わらないことを物語ってもいる。

『ドゥームズデイ・ブック』についてのインタビュー[※12]のなかで、コニー・ウィリスは、《私は、起こることをコントロールできず、問題を解決する方法も知らない普通の人々を描く》と語っている。

「普通の人々」は、手遅れになるまで問題に気がつかないし、時代に翻弄されていく。それは過去だけではなく、いまを生きるわれわれにも当てはまる話だ。そして、3作どれもに共通することだが、そうした善も悪も、賢さも愚かさも混ざりあった普通の人々であっても、勇気を示し自己犠牲をもためらわない、英雄的行動に出ることもある。

『ドゥームズデイ・ブック』では、ペストにかかって自分自身の死が迫りながらも、他の人々を助けるために行動する人々の姿が。『ブラックアウト』『オール・クリア』では、第二次世界大戦の最中、空襲に襲われる不安、いつ友人や家族が死んでしまうかわからない日々の中で、それでも人を救おうと戦っている人々が。人はときに、自分が死ぬとわかっていても他人のために行動することができる。史学部シリーズは、そうした歴史の中で埋もれてしまったであろう人たちの姿、その勇気を、タイムトラベルを用いることで、見事に描き出してきた。

コニー・ウィリス

1945年、米コロラド州生まれ。1971年のデビュー以来、長編・短編で数多くのSF賞を受賞している。

『キンドレッド』
──過酷な黒人史を「体内に感じさせる」作品

オクテイヴィア・E・バトラー著/風呂本惇子・岡地尚弘訳、河出書房新社、2021年(原著刊行1979年)

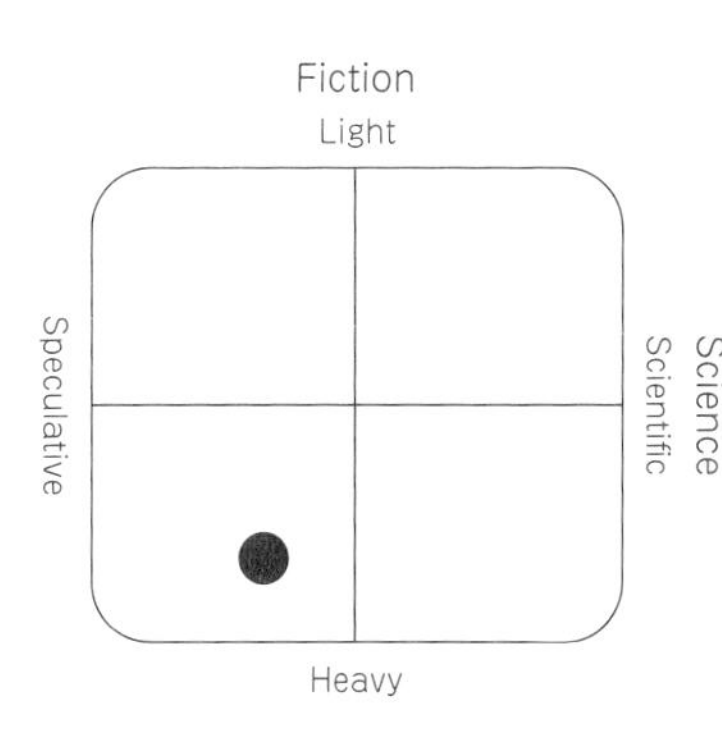

どんな作品か　現代の黒人女性が「奴隷制」の時代にタイムスリップ

20世紀のアメリカで、アフリカ系アメリカ人かつ女性として活躍した数少ないSF作家であるオクテイヴィア・E・バトラー。その代表作のひとつが『キンドレッド』だ。

コニー・ウィリスの「オックスフォード大学史学部シリーズ」を紹介した前項で、筆者は過去のタイムトラベルを扱うSFの意義は、「現代人の目線で、過去の歴史を捉え直す」

ことにあると書いたが、本作もその流れに連なる作品だ。
「史学部シリーズ」に加えてぜひ取り上げたかった理由は、本作がタイムトラベルという設定を用いて「奴隷制時代のアメリカ南部」の過酷な現実を描き出しているからだ。オクテイヴィア・E・バトラーは１９７０年代にデビューした作家だが、当時のＳＦ界では白人の男性作家が支配的であり、バトラーの存在も、彼女が扱ったテーマも、相対的に特異な位置を占めていた。

21世紀のいまもなお、アメリカにおけるマイノリティの立場は向上しているとは言い難い。公民権運動の最高潮から半世紀を経て、非白人から投票権を奪おうと数多くの工作が繰り広げられている実態（アリ・バーマン『**投票権をわれらに　選挙制度をめぐるアメリカの新たな闘い**』）や、白人が無意識的に優遇され、目に見えぬ〝カースト制度〟がアメリカを覆っている現状（イザベル・ウィルカーソン『**カースト　アメリカに渦巻く不満の根源**』）を見るにつけても、現代人の視点で、奴隷制時代のアメリカを追体験することによる学びや発見は多くあるはずだ。

物語は主に2つの時代を行き来する。ひとつは現代、1976年のアメリカ。もうひとつは、南北戦争もまだ起こっておらず、奴隷制が支配的な19世紀初頭のアメリカ南部だ。現代に暮らす黒人女性のデイナは、26歳の誕生日にタイムスリップを経験する。突然のめまいに襲われた彼女は、一瞬にして別の時代と場所に飛ばされたことに気づいて面食らうが、その後、目の前の河で溺れている白人の男の子を助けることになる。

しばし混乱の時間を過ごしたのちに、もとの時代へと戻ってきたデイナ。彼女はその後も何度もタイムスリップを繰り返すことになるのだが、その過程で判明するのは一定のルールだ。彼女が助けた男の子（ルーファス）が生命の危機に陥るたびに、まるでその生命を救えといわんばかりに、デイナは強制的に時間を遡らされる。もとの時代に戻るのは、彼女自身の命が危険に晒されたとき。また、デイナがタイムスリップする際に彼女に触れていた人間は、同じタイミングで時空を超える。

デイナが二度目に過去にタイムスリップしたとき、ルーファスは8歳くらいに成長している。やがて、そこが1815年のメリーランド州であること、また少年のフルネームはルーファス・ウェイリンで、デイナの高祖母ヘイガーの父親であることなどが判明する

（デイナは先祖であるルーファスの名前に覚えはあっても、彼が白人だということは知らなかった）。つまり、少なくともヘイガーが生まれるまでは、デイナはルーファスのことを助け続けなくてはならない。

同時にデイナは、黒人が当たり前のように奴隷として使役されていた時代そのものへの対峙をせまられる。奴隷の所有が認められている州では、黒人の体はあまりに雑に扱われている。白人の若者たちの集団は、通行証を持たぬ黒人を見つけては難癖をつけ、木に縛り付けて鞭を打つ。黒人の女性に至っては、常にレイプの危険に晒されている。

ルーファスは幾度もデイナに命を救われているので、黒人である彼女にも一定の敬意を払う。とはいえ、ルーファスにしても何十人もの黒人奴隷を従える農場経営者の息子であり、どれほどデイナと深い関係性や信頼を築こうが、その根底には「黒人は白人の所有物である」という価値観がある。

ルーファスや父親は、命の恩人のはずのデイナにも当たり前のように鞭を打つし、彼女の命に関わる決断を勝手に下す。本作では、人の価値観がいかに時代の影響を深く受けるか、また、個人的な体験をもってしても社会の常識に背を向けることがいかに困難かという事例が、これでもかと描かれていく。

どこがスゴいのか

当事者の苦しみや悲しみを「共有」することの大切さ

訳者あとがきによれば、バトラーは60年代に、黒人史に関心を持つ黒人の男子学生が、「彼らは抵抗すべきだった」と先祖たちを非難するのを聞いた。そのとき、この学生が黒人史の豊富な知識を持ってはいても、その歴史を「体内に感じていない」と思ったのだという。そんなきっかけから誕生した『キンドレッド』は、20世紀を生きる黒人女性の目を通して、まさに奴隷たちの日常の過酷さを「体内に感じさせる」。

本作を読めば、かつての奴隷たちに対して「抵抗すべきだった」などと安易に言ってのけることはできなくなるはずだ。抵抗すれば、自分の命が危ないばかりでなく、親族まで巻き添えを食らうのは必至だった。逃亡の手段は限られ、一時的に成功したとしても執拗な追手がせまる。デイナは自分の自由が制限されるようなら、相手を殺すか自決を選ぶだろうと言うが、これに対してデイナの夫は「もし君の黒人側の祖先がそんなふうに思っていたら、君はここに存在していないだろうよ」と返す。

幾人もの個性豊かな黒人奴隷たちの姿、また彼らが自身に何の罪もない形で責め苦を負わされ、鞭を打たれる様を読んでいく過程で、読者の多くがアメリカの奴隷制下の実態をまざまざと「体験」する。フィクションだからこその力が、ここにはあるのだ。

オクテイヴィア・E・バトラー

1947年、米カリフォルニア州生まれ。ベストセラーとなった『キンドレッド』、短編集『血を分けた子ども』などで知られる。2006年没。

『高い城の男』
――「ありえたかもしれない歴史」を体験する

フィリップ・K・ディック著／浅倉久志訳、早川書房、1984年（原著刊行1962年）

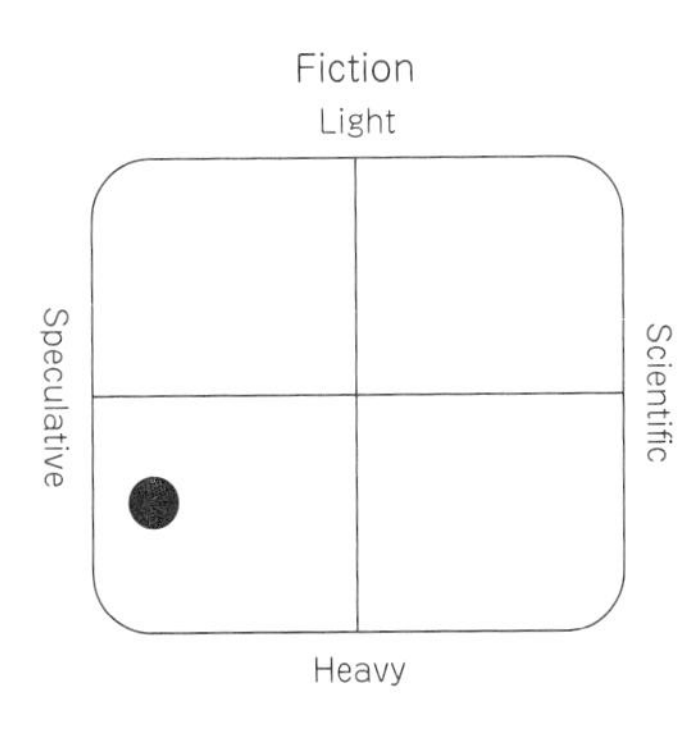

どんな作品か **第二次世界大戦でドイツと日本が勝利した世界**

タイムマシンものばかりが「時間」を扱うSFというわけではない。われわれがたどってきた現実の歴史とは異なる道筋を描き出す、「改変歴史もの」と呼ばれるサブジャンルも根強い人気を誇っている。

たとえば、歴史の大きな分岐点である第二次世界大戦で、アメリカ・イギリスを中心とする連合国側ではなく、ドイツ・日本の枢軸国側が勝利したら……? そのとき世界は、まったく違った姿を見せるはずだ。

第二次世界大戦を分岐点に設定した改変歴史SFには数多くの作品があるが、その筆頭に挙げるべきは、この『**高い城の男**』だろう。著者のフィリップ・K・ディックについては、『**アンドロイドは電気羊の夢を見るか?**』の項でも紹介した。本作もまたディックの代表作のひとつであり、2015年には、アマゾンのオリジナルドラマとして映像化もされている。

物語の舞台は、1933年にフランクリン・D・ローズヴェルトがイタリア系移民のジュゼッペ・ザンガラによって暗殺され、歴史の流れが切り替わった世界(史実では暗殺は未遂に終わり、衆知のとおりフランクリン・D・ローズヴェルトはその後アメリカ大統領になった)。

本来、アメリカではローズヴェルトがニューディール政策によって世界恐慌からの復興を推進していたのだが、この世界では恐慌が継続している。1939年には第二次世界大戦が勃発するも、アメリカは不干渉の立場をとり、ナチス・ドイツがヨーロッパとソビエト連邦を占領する。

そして、この世界の日本は東アジアとオセアニアを占領して植民地帝国を拡大し、最終的にはドイツと協働してアメリカ大陸を占領している。西海岸は日本が、東海岸と中西部はナチス・ドイツが支配する形でアメリカは分割され、第二次世界大戦は連合国側の降伏により1947年に終結してしまうのだ。

物語が始まるのは、それから15年の月日が流れた1962年、日本が支配するサンフランシスコでのこと。この新アメリカでは、ユダヤ人の迫害や黒人の大量虐殺、奴隷化が横行していることが明かされる。公用語にはドイツ語、日本語、英語が用いられ、登場人物の多くは〈易経〉と呼ばれる占いに行動の指針を求めるなど、15年を経てアメリカの日常に、当たり前のように三国の文化が混じり合っている社会と文化が描写される。

この混沌とした社会状況を背景に、本作では様々な思想やバックグラウンドを持つ人々の群像劇が描かれる。アメリカ人美術商のロバート・チルダンは、お得意先である日本人官僚の田上信輔から、スウェーデンの実業家をうならせるような贈り物を見つくろってほしいと依頼され、その確保のために奔走中。そんなチルダンに詐欺行為を働こうとする工芸職人のフランク・フリンクはユダヤ系だが、その出自を隠している。フランクの元妻ジュリアナは、コロラド州で柔道の指導員として働くかたわら、イタリア人のトラック運転手で元ドイツ軍人のジョーと一夜を共にする——。

そして彼らの人生は、〈易経〉による導きと、『イナゴ身重く横たわる』と題された小説の存在によって、複雑に交錯していくことになるのだ。

どこがスゴいのか

歴史の帰趨は「偶然」に左右される

作中作として登場する『イナゴ身重く横たわる』は、本作（『高い城の男』）の設定を、そっくり反転させた歴史改変小説だ。つまり、ローズヴェルトの暗殺が失敗に終わり、ニューディール政策が完遂され、第二次世界大戦が連合国側の勝利で終わった世界を描いている。

読み手のわれわれからすれば馴染み深い歴史だが（とはいえ史実と完全に一致しているわけではない）、『高い城の男』の世界の人々からすればフィクションだ。したがって、捉え方も人それぞれ。リアリティのない妄想と片づける人もいれば、現実がこうだったとしてもおかしくないのではないかと考える人もいる。あるいは、日本海軍やドイツの陸軍元帥ロンメルの手腕を高く評価し、連合国軍がどのような策を尽くしたとしても敗れるのは必然だったと結論する人もいる。

こうした人々の姿は、『高い城の男』という作品を読むわれわれ自身の映し鏡のようにも思える。

彼らからすればイナゴの世界は『高い城の男』の世界の「if（もしも）」の話に過ぎないわけだから、荒唐無稽だと笑い飛ばすことは簡単だ。

しかし、（史実を知る）われわれからすれば、『イナゴ身重く横たわる』の内容を荒唐無稽だと一笑に付す人々こそが愚かに見える。そうした構図が見えてくると、今度は『高い城の男』の中で描かれている改変歴史を笑うことも難しくなるはずだ。『高い城の男』の世界に住む人々からすれば、彼らの歴史を笑うわれわれこそが馬鹿にされる対象であることが、容易に想像できるからだ。

物語の世界ではその後、ドイツの最高指導者であるボルマン首相が死去し、ナチ党内部での権力闘争が激化。日本人官僚である田上信輔は、ドイツのゲッベルスが首謀する〈タンポポ作戦〉なる軍事作戦の存在を明かされる。これは、日本列島に対する予告なしの大規模核攻撃作戦であり、ドイツ国内ではこの作戦に反対する勢力も暗躍している。かくして状況は、個々人の行動の範疇を超えて大きく動き出していく――。

本作の登場人物は、重要な決断が求められる場面で〈易経〉によって自分の行動を決定する。

著者インタビューによれば、ディックは登場人物が易経を使う場面では自分も易経を行い、その結果に従って物語の行方を決定していたという。

プロットに易経が用いられたのは、歴史が偶然によって左右されるということの、ディック流の表現でもあるのだろう。われわれの知る現実と、『高い城の男』の世界の現実の間には、紙一重の差しかないのかもしれない。そして、その周辺には無数の「ありえたかもしれない世界」が転がっている。本作は、そんな眩暈（めまい）のするようなヴィジョンを垣間見せてくれるのだ。

※フィリップ・K・ディックのプロフィールは63ページ。

Chapter
16 ファーストコンタクト

未知の異種知性と、いかにコミュニケーションを取るのか？

「ファーストコンタクト」とは、この宇宙に存在する異なる文明・種族同士が初めて遭遇することを指す言葉で、ＳＦの一大ジャンルとして確立され、多数の作品が連なっている。Chapter17の「地球外生命」とセットで扱われることの多いキーワードだ。

いまのところ、われわれの知るこの現実では、いかなる形であれ異星種族とのファーストコンタクトは実現していない。とはいえ、それはこれから先も異種知性との遭遇が発生しないことを意味するものではない。人類が近隣の惑星で異種知性を発見することができなくとも、人類を超越した科学技術を持つ種族が逆にわれわれを発見し、ファーストコンタクトが実現するかもしれないのだ。

そうなったとき、両者の関係性は友好的なものになるだろうか。それとも敵対的になるだろうか。そもそも宇宙に地球外生命が存在するのだとすれば、彼らとわれわれが依然として接触していないのはなぜなのか？

物理学者であるエンリコ・フェルミは、宇宙の年齢と宇宙に存在する恒星の数から、宇宙人は広く存在し、すでに地球に到達していてもおかしくはないと考えた。だが、現実には宇宙人など見当たらないわけで、ここに「人類と異種知性のファーストコンタクトという、起こって当然のことが起こっていないのはなぜなのか」という矛盾が生まれることになった。世にいう「フェルミのパラドクス」である。

たとえば、自己複製を繰り返し、光速の10パーセント程度で移動できる探査機を送り出せる文明がこの宇宙に存在すると仮定すれば、５０００万年程度で天の川銀河を征服しつくせる計算になる。そうであるならば、われわれの目の前に地球外生命体による探査機が現れていないのはおかしい。そこには何らかの理由があるはずである。

一方で、「地球外生命体が地球に来ないのは、そもそも存在しないからだ」という説も依然として根強く残っている。一説には、この宇宙には100万以上ものブラックホールがふらふらとさまよっているというが、ブラックホールの死に際に放たれる超新星爆発はたやすく、周囲の惑星とそこに存在したかもしれない生態系を破壊しつくすだろう。

「ちょうどいい相方はめったにいない」という説もある。たとえば2013年には、「地球の生命の起源は火星」という、惑星生物学研究の論文が提出された。[※13]

生命が生まれるためには「タンパク質が合成される」という手順が必要だが、原初の地球ではそれが難しかった。一方当時の火星は乾燥していて酸素が多かったので、原初的な生命の生成過程としては地球より有利だった。そのため、生命の基本的な部分は火星で誕生して、その後地球に移動して繁栄したのではないかとする説である。

つまり、ちょうどいい火星という相方がいたからこそわれわれは生まれたのであり、生命が存在するために必要な条件は想像以上に難しいのかもしれない。

仮に地球外生命が存在したとして、即座にコンタクトすべきかどうか、も考える必要がある。たとえば、接触によって未知のウイルスが伝搬する可能性がある(H・G・ウェルズによる古典的なファーストコンタクトSFである『**宇宙戦争**』もこの問題に触れている）。技術の供与が人類間のパワーバランスを崩壊させる可能性もある。相手が人類という異星種族に友好的である保証も、どこにもない。宇宙が静かなのは、捕食者に居場所を知られたくないからかもしれないのだ。

われわれはまだ地球外の知的生命体と出会ったことがないから、それが実際にどのような存在なのか、確実なことはいえない。しかし、スタニスワフ・レムの『**ソラリス**』を筆頭に、数多のファーストコンタクトSF作品はありうるべき可能性を提示し、われわれに未知への準備を促してきた。いざ地球外生命体と出会ったとき、決して「想像もしていなかった」などと言わせないように。

『三体』——フェルミのパラドクスに対するひとつの回答

劉慈欣著／大森望・光吉さくら・ワンチャイ訳、立原透耶監修、早川書房、3部作・全5巻、2019〜2021年（原著刊行2008年）

Fiction
Light
Speculative
Science
Scientific
Heavy

どんな作品か　壮大なスケールで魅せる、王道の「宇宙人侵略小説」

フェルミのパラドクス（373ページ参照）を扱ったSF作品は多岐にわたるが、その中でも近年最大の話題作が、中国の作家、劉慈欣による『三体』三部作だ。中国だけで発行部数は2100万部を超え、全世界では3000万部、日本でもシリーズ合計で80万部という、SFとしては異例の部数を誇る。近年、とりわけ中国国内ではSFの盛り上がりが顕著だが、その火付け役となったのが本作なのだ。

劉慈欣は根っからのSFファン。影響を受けた作家にアーサー・C・クラークや小松左京の名を挙げていることからもわかるように、科学の力で世界を切り拓いていくような力強く壮大な物語に、ハードSF的な技術・科学面での考証、描写をしっかりと載せていくスタイルが特徴で、この『三体』三部作にはその最良の部分が表れている。


第一部は、人類が最初に〈三体文明〉と呼ばれる異種知性の存在を認識し、「自分たちはここにいるぞ」とメッセージを発するまでの物語である。プロジェクトの中心人物であった天体物理学者の葉文潔は、幼い日に文化大革命で父親をなくし、レイチェル・カーソンの『**沈黙の春**』に傾倒した人物。そのバックグラウンドから、人類とは本質的に邪悪で未熟な存在であり、自分たちだけの力で憎悪や偏見を克服し、理想の社会を実現することは困難なのではないかという思想に至った。

一方、そのメッセージを受け取った惑星は、3つの恒星がほぼ一致する質量で引き合う世界に存在している。これは、現実の物理学でも「三体問題」といって解析が不可能な状態であり、それゆえにこの惑星は予測不能な形で軌道がズレる。

惑星は、ひとつの恒星の軌道上で回り続けている限りは、昼と夜が安定して訪れ、文明の発展も享受できる。しかし、複数の恒星に引っ張られた場合は、昼と夜が安定しないばかりか、恒星に近づきすぎると灼熱地獄になり、離れすぎると極寒になる。これらの時期は、三体星人も生きるのに精一杯で、文明は幾度も滅んできた。

三体星人はたまたまこれまでは生き延びてこられたが、いつ自分たちの惑星が恒星のひとつに落下して、すべてが終わりになるかわからない。そんな彼らからすれば、地球は常に気候が安定したすばらしい環境であり、同時に地球の科学文明は三体文明からすると数段劣っている。そのため、彼らはメッセージを受け取った直後に地球侵略に向けての行動を開始することになる。

地球到達までにかかる期間は約450年。物語の第二部では、三体文明から敵対的なファーストコンタクトとなるメッセージ——《おまえたちは虫けらだ》——を受け取った地球人類が、残されたわずかな期間で科学技術を発展させ、対抗手段をとるべく奮闘する。

どこがスゴいのか

「狩人だらけの宇宙」という恐るべき可能性を提示

本作の第二部で大きく取り上げられる理論のひとつが〈黒暗森林〉だ。〈黒暗森林〉は、「なぜ人類と異種知性のファーストコンタクトという、起こって当然のことが起こっていないのか」というパラドクスに対するシンプルな返答でもある。その真意は「宇宙は暗黒の森である」というものだ。あらゆる文明は狩人であり、一切物音を立てずに森の中に隠れている。その理由は、森のいたるところに自分たちと同じような狩人がいるからだ。

なぜ狩人だと決まっているのか？　相手がわれわれに親しみを持ち、友好的な関係を築こうとしている良き隣人である可能性はないのか？　そんな疑問は、〈猜疑連鎖〉と〈技術爆発〉という2つの理論によって反駁（はんばく）される。

宇宙に散らばる文明同士は、光速でも即時のやりとりができないほど遠く離れている。生まれた惑星環境が異なれば、思考様式なども異なってくるだろう。そうした場合、お互いに理解することも信頼することも困難であり、相手が自分を騙そうとしているのではないか？　という終わりなき猜疑が双方で連鎖する。これが〈猜疑連鎖〉だ。

また、どんな文明であれ、遠く離れた惑星間を移動するだけの時間があれば、人類があっという間に産業革命からロケットを打ち上げるまでになったように、一瞬で発展する可能性がある。たとえ相手がよちよち歩きの赤ん坊のような文明であったとしても、悠長な行動をとっていればわずか数百年のうちに何十倍、何百倍もの技術を手にしているかもしれないのだ。これが〈技術爆発〉である。

以上の2つの条件が重なると「もし宇宙に他の文明を見つけたならば、有無を言わさず攻撃し消滅させたほうが安全で、手間もかからない」というひとつのシンプルな結論が導き出せることになる。自分たちよりも進歩が遅い文明を見つけたまま悠長に観察などしているうちに、相手が技術爆発によってこちらを凌駕する力を身に付けていてもおかしくないからだ。そんな均衡が成立している宇宙において、地球人類は「自分はここにいるぞ！」と叫んだバカな子どもも同然ということになる。

無論、だからといって地球人類はただ三体文明にひれ伏すわけではない。

第二部で描かれるのは、〈面壁計画〉という全人類を巻き込んだプロジェクト。元米国国防長官や脳科学者など、数人の賢人に地球のリソースを預け、三体星人を迎え撃つための作戦立案と実施を、すべて彼らの頭の中だけで組み立てさせるというものだ（地球の通信は、三体文明が送り込んできた〈智子〉という原子以下の大きさしかないスーパーコンピュータによって監視されており、相手にバレないように迎撃作戦を構築するためには、限られた人間の頭の中で考えるしかない)。

第三部では、物語は地球人VS三体星人という枠を超えて全宇宙規模の物語に発展し、この宇宙はどうやって終わるのか、という壮大なテーマ、情景にまで、果敢に挑んでみせる。フェルミのパラドクスに対する回答を示した作品のひとつとして興味深いのはもちろんのこと、スケールの大きさと、科学的な理屈の詰め方、長期にわたる人類社会の変遷を描き出そうとする気概において、歴史的な傑作である。

劉慈欣(リウ・ツーシン/りゅうじきん)
1963年、中国・山西省生まれ。2015年、本作『三体』が翻訳書として、またアジア人作家として初めてSF最大の賞であるヒューゴー賞を受賞。

『ブラインドサイト』

——知的生命に「意識」は果たして必要なのか？

ピーター・ワッツ著／嶋田洋一訳、東京創元社、上下巻、2013年（原著刊行2006年）

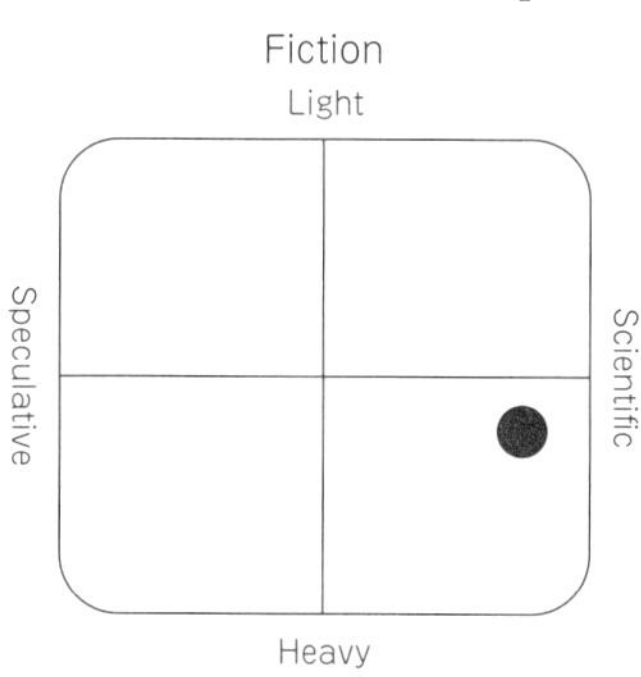

どんな作品か　敵対的でも友好的でもない異星人との遭遇

前項で紹介した『三体』は、わかりやすい形で地球人類を侵略しにやってくる異星人の物語だった。一方、この『ブラインドサイト』では、まったく意図がわからない異質な知性からコンタクトがあったらどうなるか？　という事態を描いている。

2080年代の未来、6万5536個の探査機が突如として地球に接近する。均等の間隔で並んだ彼らは、地球を1平方メートル単位で網羅し、人類には解読できない信号を発していた。〈ホタル〉と名付けられたこれらの探査機は、異種知性が送り込んできたものと思われ、明らかに地球をスキャンしているが、何か要求を伝えてくるでもなく、事故的に通信衛星を破壊することはあっても、意図的に攻撃を加えてくることはない。

当然ながら地球では、これが敵情視察なのか友好的な観測なのか、送り込んできた相手は何者なのか、いったい何が望みなのかと、侃々諤々の議論が繰り広げられることになる。

その後しばらくして、ホタルと同じ勢力に属すると思われる存在が、海王星の軌道の外側に広がるカイパー・ベルトと呼ばれる領域から暗号を発していることが判明する。

またしても意図がわからないまま、わずかでも手がかりがほしい人類サイドは、同地に3つの調査船を送り込む。ひとつは、できるだけ迅速に接近するための軽量な探査機。次に、装備の整った探査機。そして最後に、専門知識を持ったメンバー——4つの人格を持つ言語学者、サイボーグ化した生物学者、遺伝子改変で生まれた高知能の吸血鬼など——によって構成される特殊部隊を乗せた宇宙船〈テーセウス〉が発進する。

テーセウスの乗組員らが遭遇するのは、一般的にイメージされる「異星人」「エイリアン」とは様相が異なる存在だ。彼らが目的地に近づいていくと、無線で呼びかけられ、〈ロールシャッハ〉を名乗る何者かから、英語から中国語までさまざまな言語で話しかけられる。どのメッセージも「危険だから接近するな」という意味のことを伝えてくるだけで、それ以外の意図は一切わからない。

まさに未知との遭遇であり、船内の専門家たちは歴史学や社会学、言語学などあらゆる角度から相手の真意をはかろうとする。相手は明確な意図を持ってコンタクトを取ろうとしているのか？　はたまた、機械的にメッセージを発しているだけなのか。

ロールシャッハの制止を押し切って探査機の内部に侵入したテーセウスの乗組員たちだが、そんな彼らにホラー的な恐怖が次々と襲いかかる。船内には致死レベルの放射線が充満しており、クルーらにはなぜか見えないはずのものが見え、見えるはずのものが見えなくなる。いわゆる「盲視（ブラインドサイト）」と呼ばれる現象だ。そして彼らは、動きの速い9本足の生物である〈スクランブラー〉を船内に発見する。

どこがスゴいのか

進化の果てに「自意識」が淘汰される可能性を提示

このスクランブラーとはいかなる生物なのか。その探求と設定が、本作の読みどころのひとつだ。彼らの外見は扁平で放射対称形、石灰質の外骨格とプラスティックの皮膚を持つ、見るからに異質な存在だ。加えて、「複雑で大きな組織を動かし、維持するためには、エネルギー源として良質の酸素を使わなくてはならない」という生物学の常識に反し、スクランブラーは嫌気性の多細胞生物であり、エネルギーを体外の磁場から補っている。

また、スクランブラーが「遺伝子」を持たない生物であることも明かされる。特定の遺伝子を持たないだけでなく、遺伝子そのものを持たないなどということがありえるのだろうか？　こうした疑問を、本作は次のようにあっさりと退ける。《遺伝子はプロセスを開始するための初期条件を決定するだけだ。そのあと増殖する構造体は特別な指示を必要としない。古典的な複雑性の顕現だよ》と。

未知なる生物に遭遇したとき、まずは相手に「知性があるのか、ないのか」「敵意があるのか、ないのか」を考えるのは、いたって普通の思考だろう。しかし本作では、そもそも相手が「意識」すら持たない可能性を示唆する。意識がなければ、敵意も好意もない。スクランブラーは自意識に基づくコミュニケーションではなく、自動的な応答の積み重ねで発展を遂げ、巨大な建造物や無数の探査機を生み出してきたように見える。だとすれば、人類に備わっている「意識」は、本当に必要なものなのだろうか？　われわれは意識を進化の果てに獲得したものだと思っているが、いずれは意識が不要なもの、もしくは持っていることでかえって生存が不利になる要素として、消滅していく可能性もあるのではないか——これが、本作の後半で展開される重要な問いかけだ。

もっと言えば、スクランブラーのような生物が、宇宙生物学における基本形だという可能性もありうる。だとすれば、われわれ人類が獲得した「意識」なるものは、偶発的に誕生した、ごくごく希少な性質なのかもしれない。

われわれの凝り固まった常識を破壊してくれるのはＳＦの醍醐味のひとつであり、『ブラインドサイト』における生物観にはそれがある。

ピーター・ワッツ

１９５８年、カナダ生まれ。海洋哺乳類の生物学者でもある。本作『ブラインドサイト』は、ヒューゴー賞・キャンベル記念賞ほか５賞の候補となった。

『プロジェクト・ヘイル・メアリー』
――「科学」で結びつく人類と地球外生命体

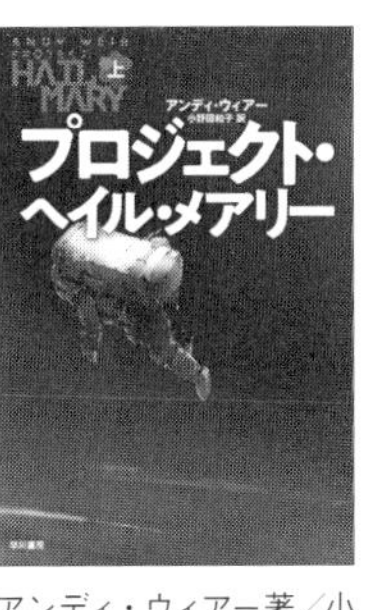

アンディ・ウィアー著／小野田和子訳、早川書房、2021年（原著刊行2021年）

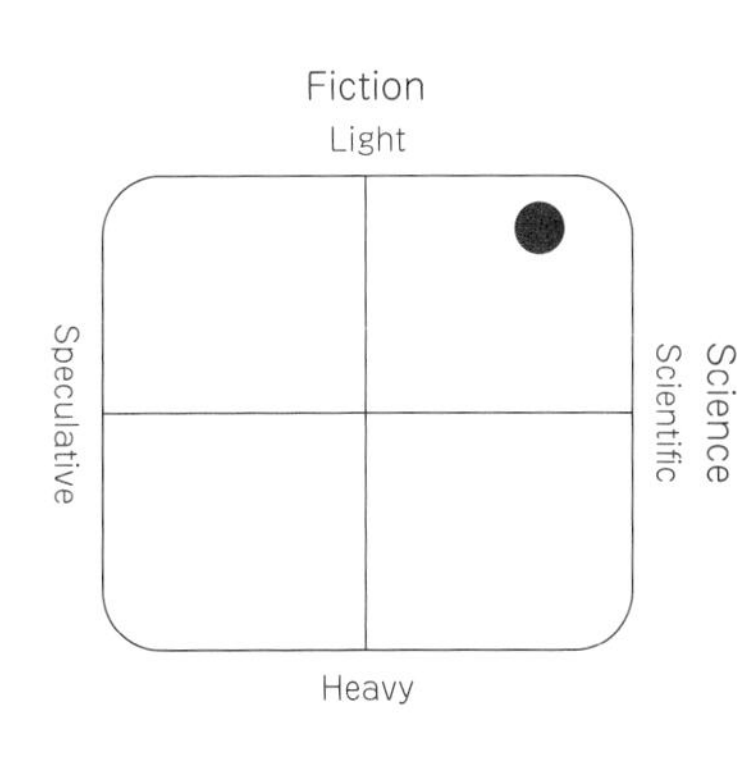

どんな作品か

太陽の出力が激減し、存亡の危機に瀕した地球

火星にたった一人残された男がサヴァイヴする過程を、とことん科学的に正確に描写した宇宙開発ＳＦの傑作**『火星の人』**（２０１１）。同作でデビューしたアンディ・ウィアーの**『アルテミス』**（２０１７）に続く長編第三作が、この**『プロジェクト・ヘイル・メア**

リー』である。バラク・オバマ元大統領やビル・ゲイツが２０２１年のおすすめ本として挙げるなど、各方面で評価の高い本作は、まったく異なる文化と身体構造を持つ地球外生命体と人類が、科学を通してコミュニケーションできる可能性を示してみせた、宇宙生物学＆ファーストコンタクトものの傑作だ。

本作は、昏睡状態から目覚めた男が、自分の名前すら思い出せない状況の中で、目の前の問題に対処していく「現在」パートと、その現在に至るまでに何が起こったのかを描く「過去」パートが交互に繰り返される構成になっている。最初は語り手が人間で、生物学的に男性であることしかわからないが、過去が明らかになるたびにそういうことなのか！と驚きが積み重なっていく。

名前さえ思い出せないとはいえ、主人公の中には一般的な記憶が残っており、ＡＩと対話しながら周囲を動き回るうちに、その知識量から本人の正体が少しずつ判明していく。

部屋に置かれた機材——８０００倍顕微鏡、高圧蒸気滅菌機、レーザー干渉計など——の名前と用途がわかるということは、科学者かそれに類する職種の人間だということだ。さらに、持ち前の観察力と実験力を駆使してさまざまな検証を繰り返したのち、主人公は自分が存在している空間が地球ではないということを突き止める。

しかし、それが宇宙ステーションのような場所なのか、はたまた航行中の宇宙船内なのかまではわからず、「現在」パートではそうした細部が徐々に解き明かされていく。

では、なぜ主人公はこのような状況に置かれているのか？　その謎にせまる「過去」パートでは、太陽の出力が急速に落ちていて、地球がこのままでは氷河期に突入してしまう危機的状況が描かれる。なんの手も打たなければ、約20年で人類の半分が飢餓で死亡するというのだ。この異変を引き起こした原因として浮上するのが、太陽と金星をつなぐように存在する〈ペドロヴァ・ライン〉と呼ばれる特殊な現象だ。太陽の出力が落ちるのと同じ割合で、このペドロヴァ・ラインの光の出力が増しているのである。

人類が無人の探査船を送り込み、ペトロヴァ・ラインの構成物質を採取、調査したところ、その正体は単細胞の生命体であることが判明する。後に〈アストロファージ〉と命名されるその生命体は、太陽の表面もしくはその近くに陣取り、太陽からの出力を養分として繁殖しているらしい。その変換効率が凄まじいからこそ、太陽はまるで食い殺されるようにその出力を落としているのだ。地球の研究者は総力を挙げて、アストロファージの生態を研究し、対処法を突き止めようと奔走する。

地球の命運をかけたこの一大プロジェクトに、中心人物として関わっていたのが本作の主人公だ。物語の序盤では中学校の教師として登場するが、彼はもともと研究者で、『水基盤説の分析と進化モデル期待論の再検討』という、水を生命の基盤としない生命についての仮説を追究していた。そんな仮説はありえないと猛反発をくらって一度は研究の世界を去っている。ところが「太陽近郊で活動できる生命体がいるとすれば、超高温に耐えられるのだから、水を基盤としない生命なのではないか」という推論が出てきたことにより、ふたたび研究の世界に戻ることになったのだ。

緊急的に招集された主人公が、アストロファージに対してX線分光計にかけたり、数千度まで加熱してみたり、冷やしてみたり――こうした手順を一個一個踏みながら、これがどのような生物なのかを確かめていく。地球外生命体の性質を、科学的な過程をたどりつつしっかりと描き出している点が、本作を宇宙生物学SFとして特別なものとしている。

どこがスゴいのか

ひとつの危機に対して、異星人と「共闘」する

物語が進む中で、「現在」の主人公は〈恒星タウ・セチ〉を目指していることがわかる。実は、太陽系以外の恒星系でもアストロファージの侵食が起きているのだが、なぜかタウ・セチだけはその被害を免れている。その秘密にこそ、地球を救う手がかりがあるかもしれないからだ。

その道中で、主人公はアストロファージとはまた別の地球外生命、それもちゃんと独自の言語を持ち、コミュニケーションができる存在との遭遇を果たす。最初は、その相手こそがアストロファージをばら撒いたか、収穫にきた存在なのではないか——と様々な仮説を検討するが、次第に相手もアストロファージによって恒星の出力を落とされ、存亡の危機に陥った異星の種族であることが明らかになる。そして両種族は共闘し、この未曽有の事態に対応していくことになる。

なぜこのタイミングで、人類が異星種族と出くわすことができるのか？　まったく別の場所（主人公が出会った種族は〈エリダニ40星系〉の生まれ。実在しており、太陽から16光年ほどの場所にある）で進化したはずの両者が、ほぼ同程度の科学水準（宇宙船を飛ばせるほどには技術があるが、ただちにアストロファージを駆逐できるほどには技術がない）にあるのはなぜか？　つまり、物語的に都合がよすぎないか？　という疑問が湧いてくるわけだが、本作のファーストコンタクトものとしての面白さは、そうした無数の疑問点に科学的に「答え」を用意している点にある。

本作をファーストコンタクトものとして傑作たらしめているもうひとつのポイントは、体のつくりも、生活環境も何もかもが異なる2つの種族が、科学を用いることで、流暢にコミュニケーションできることを描き出している点にある。

エリディアン（エリダニ星系生まれなので、主人公がそう命名）は目や顔のない、ラブラドール犬ぐらいの大きさの蜘蛛のような生物であると描写される。さらに、彼らは物を知覚するのに光ではなく音を使う。コウモリやイルカが音の反響で空間を把握するように、エリディアンも音波によって周囲の環境を分析する。言葉も当然、最初は一切通じない。

それでも、両者の「科学」は共通している。エリディアンは最初、主人公にボールを渡してくるが、その中には短い糸でつながった8つの数珠玉が入っており、それが原子と陽子の表現であることに主人公は気づく。数珠玉は陽子で、数珠の輪っかは原子、短いつなぎ糸は化学結合を表していた。陽子8つは酸素で、それが2セット入っているので、O_2。

つまり相手は、人類の生存に必要な酸素分子を、模型で表現してみせたのだ。
同じやり方で、エリディアンらの生存に必要なものはアンモニアであることが表現される。このようにして、ほとんど共通点を持たない、言葉も通じないはずの二種族は、科学を共通言語として、お互いのコミュニケーションを進展させていく。人と地球外生命体が争うSFは多いが、本作のように協調の可能性を示してみせるのもまた、SFならではの着眼点といえよう。

ちなみに、SFに初めてチャレンジしたいという人から、「最初に読むならどれ？」と聞かれたら、筆者は本作をおすすめする。SFの王道といえる地球外生命体とファーストコンタクトの物語であり、文章は本書で取り上げたすべての作品の中でも群を抜いて読みやすい。何より、科学の本質的な魅力に気づかせてくれる作品だからだ。

アンディ・ウィアー
1972年、米カリフォルニア州生まれ。コンピュータ・サイエンティストとして働く傍ら、Ｋｉｎｄｌｅで出版した『火星の人』で一躍ブレイクした。

『幼年期の終わり』
——人類は「個」を捨て「集合体」になる

アーサー・C・クラーク著／池田真紀子訳、光文社、2007年（原著刊行1952年）

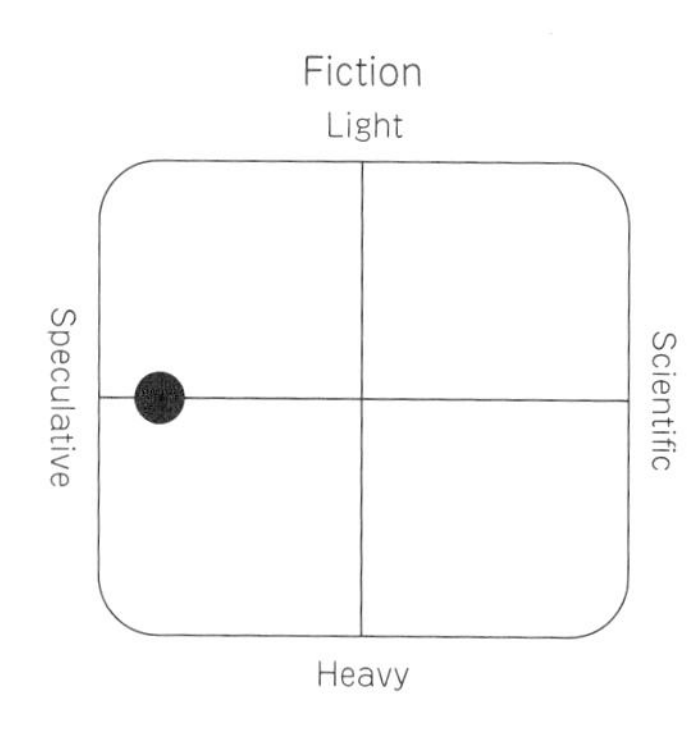

どんな作品か　**宇宙人がやってきて、人類に「道徳教育」を施す**

本書でも『楽園の泉』『神の鉄槌』『都市と星』など、たびたび作品を取り上げてきたSF界の巨匠、アーサー・C・クラーク。その代表作のひとつが『**幼年期の終わり**』である。

クラーク作品の特徴は、豊富な科学・技術への知見に基づき、できるかぎり科学的に正確な描写を志向するハードSF的な性格を持ちながら、人類そのものの行く末まで見通すような、スケールの壮大さにある。

なかでも本作は、地球外文明とのファーストコンタクト、ユートピア、超能力や群体知能といった複数のテーマを内包しながら、「人類の進化」というテーマに深く踏み込んでいる点で抜群のインパクトを誇り、後代のSF作家のヴィジョンにも多大な影響を与えた。

舞台は21世紀のどこか。ある日、人々が空を見上げると、そこには「鈍く輝く怪物の群れ」が航行していた——という印象的なシーンから物語は幕を開ける。「怪物」の正体は、後に人類が〈オーヴァーロード〉と呼ぶことになる地球外知性体が乗ってきた宇宙船であった。この光景を目撃したある人物は「人類はもはや孤独ではない」と独白する。

オーヴァーロードは明らかに人類を超越した科学技術を有している。だが、地球来訪より6日間、彼らは人類に対して一切のアクションを起こそうとしない。その後、地球文明について理解し尽くしたことを宣言するかのように、彼らはラジオの全周波数をジャックして、人類に対して演説を行う。完璧な英語で発信されたその演説は、地球上の争いがなくならない限り、ここから動かないというものだった。

この演説を聞いた多くの国々は、自分たちの都合に従って国を統制してきた時代に終わりが告げられたことを悟る。すべての国がおとなしく従ったわけではなく、宇宙船に攻撃を仕掛ける国もあった。だが、それが効果を上げることはない。反撃されるわけでもなく、ただ黙殺されたのだ。


オーヴァーロードは人類が初めて接触した地球外知性体だが、彼らは決して敵ではなく、一貫して人類の上位存在として描かれる。いわば赤子と親のような関係であり、人類が少しばかり反抗したところで、「困ったやつらだな」と受け流されてしまう。

オーヴァーロードは自分たちの姿を決して見せようとしないまま、地球上の争いを防ぎ、差別をなくし、動物の虐待をやめるよう要請してくる。その要請に従わない者たちも、太陽の光を奪われたり、外傷が一切残らない形で苦痛だけを与えられたりといった、天罰のような形で行動を制御されていく。

要は、オーヴァーロードは地球人に対して、自分たちの理性と科学を押し付けようとしているわけだが、結果として世界からは初めて戦争がなくなり、事実上の「世界平和」が実現されることになる。

いったい、オーヴァーロードの目的は何なのか。彼らは、唯一の接触相手として選んだ国際連合事務総長のストルムグレンに、次のように告げる。いまはまだ、人類にオーヴァーロードの存在を受け入れさせるための準備期間であり、それが完了すれば「約束の時」が訪れる。そのとき人類は「精神の断絶としか呼びようのないもの」を経験するだろう、と。

続く第二部では、ファーストコンタクトから50年の月日が経過し、ついにオーヴァーロードがその姿をさらす。それは、人間が悪魔と聞いて思い浮かべる姿そのものだった。

ファーストコンタクトの当時なら、間違いなく嫌悪されたであろうその姿も、半世紀を経て完全にオーヴァーロード式につくり変えられた世界では自然と受け入れられる。犯罪も戦争も病気も労働もなくなり、ゆったりと日々が進むユートピアがそこにはある。

一方で、負の側面もある。人類は自らの手で宇宙を開拓する手段を失い、事実上オーヴァーロードの力を借りなければ地球外に出ることもできない。オーヴァーロードは争いをなくしたかわりに、冒険もなくしてしまったのだ。

クラーク作品の中心的なモチーフのひとつに、「人類はどれほど抑圧されても、果てなき宇宙を探求するロマンを捨て去ることはできない」というものがある。本作では、ジャンという天文学者の青年が、この冒険者精神を体現する人物として描かれる。

オーヴァーロードの船に「密航」して、彼らの母星へと乗り込むことになったジャンだが、そこで明らかになるのは、オーヴァーロードが長い時間をかけて人類を教育してきた、そもそもの目的だ。

どこがスゴいのか

まるごと別の「種」へと進化する人類

第三部で明かされるオーヴァーロードの目的とは、人類に変化＝メタモルフォーゼを起こすことだった。

人類から見れば、オーヴァーロードは神そのものだが、実際にはさらなる上位存在が君臨している。オーヴァーロードは、彼らの指示を受けて行動しているに過ぎない。人類のメタモルフォーゼは、この上位存在が企図したことであり、オーヴァーロードはそれをサポートする「助産婦役」として地球にやってきたのだった。

全世界で最初に確認されたメタモルフォーゼの事例は、ジェフとジェニーという名の二人の子どもだった。しかし間もなく、大陸から大陸へと瞬く間に勢力を拡大する感染症のように、メタモルフォーゼは全人類に伝染する。10歳以上には影響はないが、それ以下の子どもはほぼ全員、この「病」から逃れられない。

新しく生まれてきた子どもたちは、それまでの人類とは違った特性を備えている。時間と空間を飛び越え、行けるはずもないような遠くの惑星のことを知っている。それは人類からすれば、奇妙な「病」かもしれないが、別の種からすれば「進化」である。

科学的に高度な発展を遂げたオーヴァーロードたちだが、彼らにとって、それ以上の進化の可能性は閉ざされている。一方、人類にはまだ「伸びしろ」があるという。それゆえに、彼らは上位存在である〈オーヴァーマインド〉の命を受けて、人類を進化させるために地球にやってきたのだ。オーヴァーマインドとは、いわば宇宙を統べる精神体である。

人類がかつて経験した進化は、どれも長い年月をかけて進んでいった。しかし今度の進化は、肉体ではなく精神のメタモルフォーゼであり、ほとんど一瞬で完了する。メタモルフォーゼを経験した人類は、最終的に「個」が消失し、すべての精神が統合された「統一体」に変化している。いまや人類は、オーヴァーマインドの一部となった。かつての導き手であったオーヴァーロードさえ、アメーバのごとき下位の存在でしかない。

これは人類にとってはバッドエンドかもしれない。実質的に滅んでしまったのだから。だが、「種」全体としてはどうだろうか。オーヴァーロードのように、進化の可能性を断たれつつも「個」として生き延びるのか、それとも「統一体」としてさらなる発展を遂げるのか。この「個」か「全」かという議論は、後のSFでも繰り返しモチーフとして用いられていくことになる。

これは悲劇ではない。成就だ。人類という存在を作っていた何十億ものはかない意識の閃きは、もはや夜空を飛ぶホタルのように輝くことはないだろう。しかし、人類はただ無意味に存在したわけではないのだ。（p374）

すべてを与えてくれるオーヴァーロードに甘え、冒険心も好奇心も失った人類の姿は、その動作原理が誰にも理解できないたぐいのディープラーニングを用いたＡＩへの依存度を深める現代人とも部分的に重なって見える。あるいは、人間の意識をサーバ上にアップロードするという研究が進められている昨今、「すべてが溶け合って統一体となった知性」というヴィジョンも、完全な絵空事ではないかもしれない。

いろいろと今日的な読み方ができる作品だが、筆者にとっては初めて「人類がまるごと別の種に変質する」という発想、情景を見せてくれた、鮮烈で美しいＳＦである。

※アーサー・Ｃ・クラークのプロフィールは１６０ページ。

Chapter
17 地球外生命・宇宙生物学

「宇宙人」の研究が、人類存続のカギを握る理由

「地球外生命」は、科学的にホットなテーマのひとつであり、生物学や物理学など様々な領域の学問で、その可能性が追求されている。

だがなぜ、私たちは「宇宙人」について大真面目に研究しなくてはならないのだろうか。いまや地球にとって、人類の存在はとてつもなく大きくなっている。人類の活動は、かつての小惑星の衝突や火山の大噴火に匹敵するほどの重大な変化を地球に及ぼすようになった。それが、地質学で言うところの「人新世（ひとしんせい）」だ。

ここで「人類は地球にとってのがんだ」といった発想に行き着くのは無意味だ。地球とはもっとタフな存在であり、一時的にその活動が衰え人間が死滅したとしても、長い時間

をかけてゆっくりと再生していくだろう（超長期的には地球も死に至るのだが）。

そんな（人間にとっての）悲劇的な運命を回避するには、どうすればいいのか？ そのヒントを探るときの手段のひとつが、「宇宙生物学（アストロバイオロジー）」だ。広く宇宙全体の生命体について考察し、生物が生存するための条件や生命の起源などを解き明かそうとする学問である。

著名な天文学者のアダム・フランクは、著書『**地球外生命と人類の未来 人新世の宇宙生物学**』（青土社）の中で、「地球外生命はほぼ確実に存在する」と述べている。

有名な「ドレイクの方程式[※14]」は、「われわれの銀河系に存在し、人類とコンタクトする可能性のある地球外文明の数」を推定するための数式だが、これを少し変形させて、「宇宙の全歴史を通じて誕生した文明が人類文明のみである確率」を問うてみると、系外惑星のデータに基づけば、答えは100億×1兆分の1になるという。そう聞けば、地球外生命の存在がぐっと現実味を帯びてくるのではないだろうか。

実際に地球外生命が存在するのだとすれば、それはどのような生物なのだろうか。人間と同じような姿をしているのか。知能を持つものは存在するのか。あるいは存在しないのか――。

結論から言うと、地球外の生物と地球上の生物はよく似ている可能性が高いと考えられている。というのも、この宇宙は一定の物理法則に支配されているからだ。生物が動いたり、泳いだりするのに適した形状は決まっている。また、生物が生きていくためには、摂取できるエネルギー量を上回る力を逃走や捕食に用いることはできない。こうした条件に最適化して動物の体は形づくられていくが、そこには必然ともいえる方向性が生まれる。

たとえば、昆虫には肺がないが、体内に気管がはりめぐらされていて、その中を空気が移動して酸素を行き渡らせる。管の距離が長いほど、酸素分子の移動には時間がかかってしまうので、物理的に昆虫は一定以上の大きさになることができない。これが、ゾウほどの大きさの昆虫がいない理由だ。そうした物理法則は、地球から何千何万光年離れた場所であっても変わりがないから、そうかけ離れた姿と構成物質の生物は生まれないと考えられる。

しかし、このような「科学的に正しい推論」の枠を超えていくところに、ＳＦの面白さがある。それを堪能させてくれる作品を、本項では紹介していこう。

『ソラリス』
――「異質な他者」に、どう向き合うか

スタニスワフ・レム著／沼野充義訳、早川書房、2015年（原著刊行1961年）

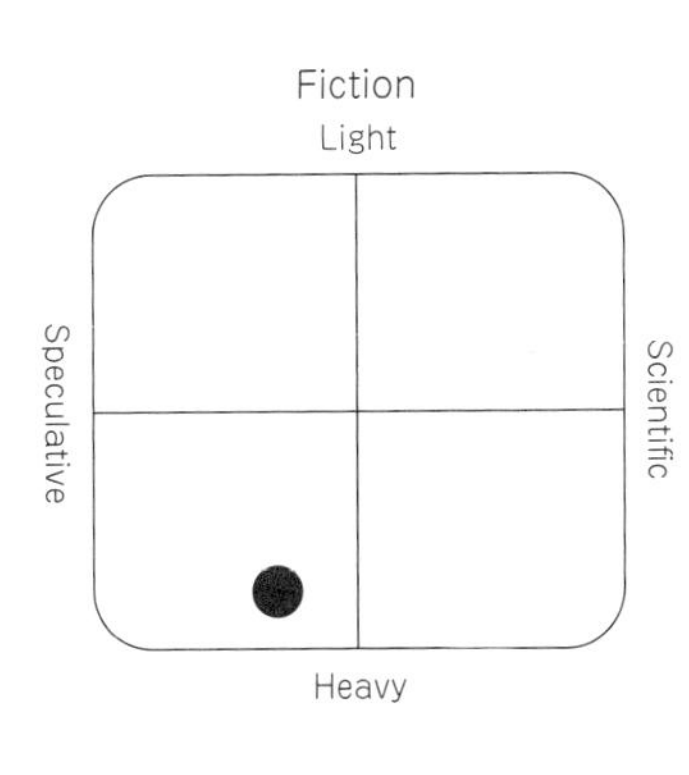

どんな作品か　SF×哲学×ラブロマンス

『ソラリス』は、20世紀最高のSF作家と呼ばれるスタニスワフ・レムの代表作である。世界中で翻訳され、過去に二度、映画化もされている。SFの枠を超えて、世界文学として評価されているといってもいいだろう。

『ソラリス』の内容をひとことで表現すると、「意志のようなものを持った海」という、

人類がいまだかつて出会ったことがないタイプの生命体との遭遇を通じて、人間が自身の存在への再考を促される「哲学ＳＦ」である。類似のテーマはレムの他の著作にも見られるものだが、中でも本作がひときわ高い人気を誇っている理由は、おそらくは、本作が最も直球で「未知」と「他者」を描いているからだ。そこに加えて（レムの著作の中では）例外的にラブロマンスの要素が投入されているからでもあるだろう。

本作の主な舞台は、赤と青の2つの太陽を周回する惑星ソラリス。本来であればソラリスは、どちらかの太陽の重力に引き寄せられるはずだが、なぜかそうした軌道をとらず、安定した位置をキープし続けている。それを不審に思った人類が調査団を派遣すると、ソラリスを覆う海が、何らかの方法によって重力制御を行う高機能な有機物であることが明らかになる。

物語は、心理学者であるクリス・ケルヴィンが研究用のステーションに交代要員として着陸した場面から始まる。そこには3人の人間が赴任しているはずなのに、なぜか1人、スナウトという人物しか現れない。スナウトは混乱しきっており、この地で何が起こったのかも定かではない。時間を置いて聞き出すと、もう1人は自殺し、残りの1人は閉じこもって姿を見せないのだという。

スナウトを問いただしてもらちが明かず、次第にケルヴィンは彼の正気を疑い始める。そのうち、ケルヴィン自身もスナウトらと同様、実体を持った幻覚――もはや自分の記憶の中にしかいないはずの、自殺した若妻ハリーの姿――を目の当たりにすることになる。

いったい、ここで何が起こっているのか。実体を持った幻覚は、海が生み出しているものなのか。だとしたら、それは海からの何らかのコンタクトなのだろうか。ホラー的に始まった物語が、海が生み出した偽物だと知りながら亡き妻の幻覚に惹きつけられてしまう悲しきラブロマンスへと変容していき、同時に「海はなぜこんなことを仕掛けてくるのか？　そこに敵意や友好など、何らかの意図は存在するのか？」というSF的な追究へとつながっていく。

どこがスゴいのか　まったく未知なる他者との「知的格闘技」

本作のロシア語版の序文の中で、レムは「この小説で何を一番大切にしているのか」を語っている。

要約すると、「ＳＦでは地球外生物とのファーストコンタクトが数多く描かれているが、そのパターンは大きく３つのステレオタイプに分類される。意思疎通がある場合、人間が彼らを征服する場合、彼らが人間を征服する場合だ」と。

レムはそうしたステレオタイプからの脱出をはかった。広い宇宙を地球と人類の延長線の解釈で考えるのは間違っている。異質な道筋をたどった地球外生物は、どのような形態・性質がありえるのだろうか。そうした問いから生み出された『ソラリス』の海の存在は、人類の側からは意思疎通がとれているのか、あるいは攻撃しようとしているのかすらわからない「未知なるもの」として描かれていく。「仮に地球外生物がいるとしても、それは地球の生物と似た形か、似ていなくとも動物のような形をしているのだろう」という固定観念に凝り固まった「世界観」が、この『ソラリス』を読むことで塗り替えられるのだ。

ソラリスの海は、万華鏡のような性質を持った「未知なるもの」だ。そうした「未知なるもの」と出会ったとき、人間はどのようにそれと相対するのか。どのように知識を、認識を駆使して未知に取り組むのか。本作が描き出すのは、未知との知的格闘技ともいうべきプロセスである。

たとえば、ソラリスの海は多様な形態をとる。グランド・キャニオンをはるかに上回る規模の、弾力性のある構造に変化することもあれば、周囲のものを模倣した「擬態形成体（ミモイド）」になることもある。ミモイドは単純な模倣にとどまらず、ときに対象物を拡大し、歪め、劇画化したり、単純化したりと、様々にアレンジを加えていく。

この謎に対して、数学者、物理学者、生物学者、情報理論、電気生理学など、多岐にわたる分野の研究者があらゆる仮説や主張を並べ立てる。海がこちらに何かを伝えようとしているのではと考える「コミュニケーション説」、この海は誰かの手で創造されたものだとする「自動機械説」、ミモイドが生み出すものを研究するだけでも得られるものがあるはずだという「コンタクト放棄論」など様々な言説が登場するのだが、最終的な解釈を決めるのは難しい。「これは何なのだ?」と理解するために、終わりなき思考を積み重ねることになる。

本作を読んだときの筆者の驚きは、ＳＦ、小説を読む醍醐味そのものだ。「仮に地球外生物がいるとしても、それは地球の生物と似た形か、似ていなくとも動物のような形をしているのだろう」。固定観念に凝り固まった「世界観」が、『ソラリス』を読むことで一気に塗り替えられたのだ。

人間よりも強力な存在、人間が持っている既存の概念やイメージには決して還元できない「未知」を、なんとかして還元できないのかと苦闘を続けること。そこには、普遍的な人生の闘争が重なるように思う。

意志があるのかすらもわからない異質な他者と遭遇したとき、われわれはどのようにそれと組み合えばいいのか。『ソラリス』という物語は、こうした問いへのヒントを与えてくれるのだ。

※スタニスワフ・レムのプロフィールは234ページ。

『時の子供たち』

——他種族の目から見た人類の「異質さ」

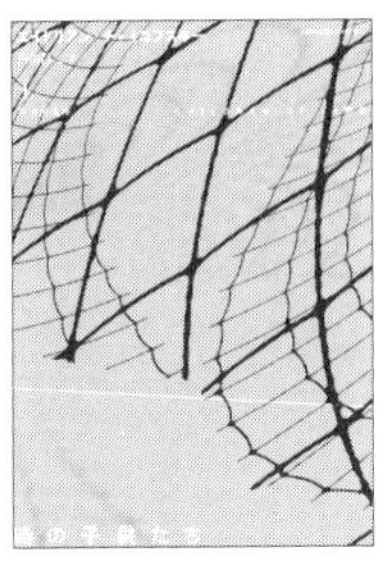
エイドリアン・チャイコフスキー著／内田昌之訳、竹書房、2021年（原著刊行2015年）

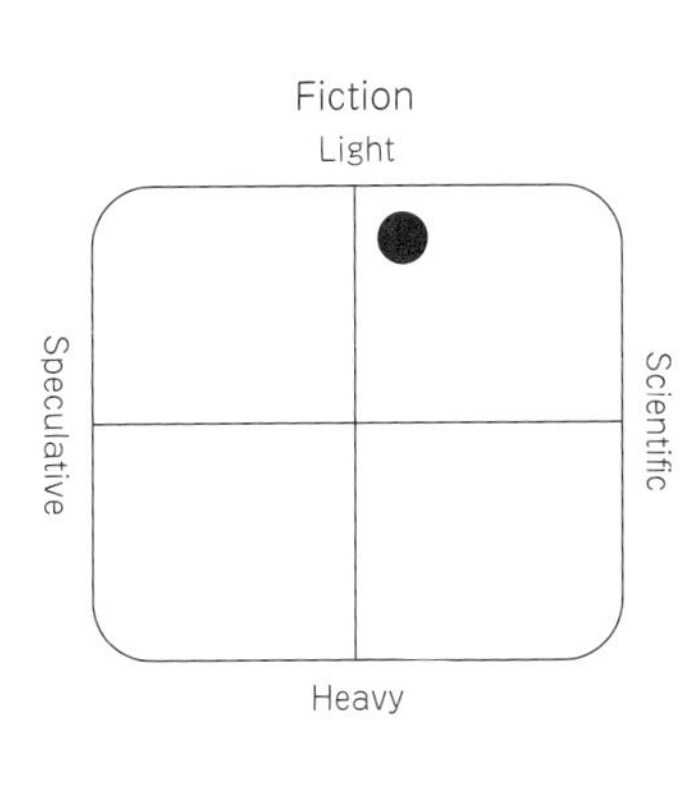

どんな作品か

他惑星で進化を遂げた「知性を持つ蜘蛛」の生態

地球外生命を扱ったSFの醍醐味のひとつは、想像もしなかったような特殊な生態や、それがもたらす社会を見せてくれるところにある。いま、地球ではたまたま人間が支配的な位置を占めているが、たとえばこれが蜘蛛や蟻だったらどうなるだろう？　そんな「if」を描き出すのが『**時の子供たち**』だ。

本作の読みどころはなんといっても、異星で育ち、独自の知性を進化させた蜘蛛の生態だ。地球外生命を扱うＳＦ作品では、外見こそ異なるものの、中身は人間とよく似た存在が多く登場する。だが、本作における異星の蜘蛛はそれらとは一線を画しており、生態から社会の在り方まで完全に蜘蛛そのものだ。そんな彼らが、その生態を保ったまま知性を得たとしたら、一体どうなるのか。それは現実の蜘蛛を観察しているだけではわからないことで、ＳＦ作家の腕の見せどころとなる。

物語は、人類が他惑星をテラフォーミング（人類が居住できるよう、地球以外の天体の環境を人為的に改変すること）して移住を計画できるほど技術が発展した未来。さまざまな惑星に向けてテラフォーミングを担当する監督官が送られている。

その中でもドクター・カーンが担当する惑星では、人が居住可能な環境を構築する以外に、猿を特殊なナノウイルスに感染させることで人類以外の知性を持った種をつくりあげようという計画が進行していた。

しかし、いざ実行という矢先に、宇宙船内でカーンに対する反乱が起こり、計画は頓挫。

テラフォーミング先の惑星に残していくはずだった猿は全滅する。カーンはぎりぎりのタイミングで自身の意識をソフトウェアとしてアップロードし、その肉体は惑星の軌道上をまわる人工衛星の中で救難信号を発しながらコールドスリープに入った。本来、猿のために用意されたナノウイルスは、惑星上にすでに存在していた蟻や蜘蛛などに感染し、特殊な知性の進化を誘発する。

かくして、予期せぬ経緯からウイルスに感染した蜘蛛たちには複雑な神経系が生まれ、世代を重ねるごとに体の大きさも倍になっていく。それにともない、彼らはより複雑な動作や思考を獲得していく。

どこがスゴいのか　人間にとっての当たり前が「不合理」になる世界

蜘蛛の社会や文化は人間社会とは大きく異なっている。そこには厳密な階級制度が存在せず、新発見をした学者や、勝利をおさめた戦士は自然と才能を認められる。有能だと判断されれば、大きな社会的機動力を有することができる。そして、このようなシステムが成立しているのは、ありきたりで不快な労働が雄に集約されているからだ、と説明される。

蜘蛛たちは言語も持つようになるが、それも人間のような発話言語とは異なっていて、身振りやにおいで表現される。そのため蜘蛛たちは一流の化学者でもあり、蟻たちとの戦いでは化学合成の技術を用いて敵の感覚を麻痺させたり、敵軍を炎上させたりする。さらには、蟻たちをにおいやフェロモンで屈服させ、彼らを計算機として操ることで、高度なシミュレーションを行えるまでになる。

糸と軽量の木材を用いた工作技術を得た蜘蛛たちは、化学合成によって無尽蔵につくりだせるようになった水素を組み合わせて、羽のように軽く浮力のある飛行船〈空の巣〉を開発する。少し前まで地べたをはいずりまわっていた体長わずか8ミリ程度の昆虫が、宇宙にまでその糸を張りめぐらせるまでに至るのだ。

蜘蛛たちはあるとき、自分たちの惑星に降り立った巨人(=人間)に遭遇し、その存在に驚愕する。彼らからすれば、身振りや振動、においが言語そのものなので、人間の行動や佇まいを観察してその言語を解読しようと試みるが、当然ながらうまくいかない。

そのうち、人間が口を開閉するときに、周囲の網がざわめきを感知したのを見て、それが人間たちにとっての会話の手段なのではないかという説を唱えるものが出てくる。しかし、食事と会話に同じ開口部を使うのはあまりにも非効率的だという理由から、この仮説は却下されてしまう。人間からすれば当たり前のことが、まったく別の文化から見れば非常に不合理なことになりえるのだ。

われわれが「異質」だと思う存在と遭遇したとき、相手から見たわれわれも同様に「異質」である。

本作で活写される蜘蛛の社会に馴染んだ後で、蜘蛛の立場から人間の生態を観察してみると、改めてわれわれ自身の不可思議さに気付かされるだろう。普段とは180度異なる視点からの世界を読者の目の前にありありと展開してみせる、まさにSFの面目躍如というべき作品だ。

エイドリアン・チャイコフスキー

1972年、英リンカンシャー州生まれ。本作『時の子供たち』で、2016年度アーサー・C・クラーク賞を受賞。

『竜の卵』
――時間の流れが異なる相手との非対称な友好関係

竜の卵
ロバート・L・フォワード　山高昭訳
DRAGON'S EGG

ロバート・L・フォワード著／山高昭訳、早川書房、1982年　※現在絶版（原著刊行1980年）

Fiction
Light
Speculative
Science
Scientific
Heavy

どんな作品か

「ありえない場所」に存在する知的生命体をシミュレート

「ありえない場所に存在するありえない生物」をシミュレーションしたSFとして紹介したいのが、ロバート・L・フォワードによるハードSF『竜の卵』である。本作で描かれるのは、太陽の約半分に相当する膨大な質量を持ち、表面温度8000℃の星に生息する知的生命体。普通に考えればそんなところには単純な生物さえ生まれようがない。だが著者は本職の物理学者、それも重力理論の専門家であり、渾身のリアリティでもって、ありえない存在を描き出してみせる。

物語の舞台は、〈竜の卵〉と後に名付けられことになる中性子星。中性子星とは、太陽のような恒星が超新星爆発を起こしたときに生まれる天体であり、巨大な恒星の質量が高密度に圧縮されて小さな星となる。〈竜の卵〉も、太陽の約半分の質量を持ちながらも直径はわずか20キロメートルしかない。この星は、毎秒ごとに5回自転し、地表では地球の670億倍（670億G）という途方もない重力がかかっている。

2050年、この星の観測が開始されて以来およそ30年のときを経て、人類は〈竜の卵〉に観測隊を派遣することになる。しかし、その決定がなされたときには誰も想像しなかったことに、そこには人間と同様に知性を持った生物が育っていたのだ。

とはいえ、重力が670億Gもあるような場所に、はたしてどのような生物が存在するというのか。最初にこの星で生まれたのは、地殻と低温の空との間に起きる熱サイクルを利用して繁殖した植物であり、後にそれが移動することのできる動物に進化したとされる。

〈チーラ〉と呼ばれるその動物は、人間と同格の知性を持ち、体重は人間とほぼ同じ70キログラム。ただし全長は5ミリほどしかなく、一立方センチあたり7トンの密度を持つ、アメーバ状の生物である。

中性子星の特徴は凄まじい磁場を持つことだが、〈竜の卵〉でもそれは同じだ。強烈な磁場は、大気圧や溶岩の流れなどすべてに影響していて、磁場を横切るか、磁場に沿って移動するかで移動に必要なエネルギーは大きく異なってくる。そのため、チーラの体は、磁場の方向によって縦横比が10対1まで変化する。磁極にいるチーラは、赤道にいるチーラよりも背が5倍も高くなる。こうした変動性を持つために、チーラたちの文化では長さの概念の発展が遅れた。

こうしたディテールが直接物語の本筋に絡むことはないにせよ、緻密な考証がチーラという生物とそれが生み出した文化のもっともらしさに寄与していることは間違いない。

どこがスゴいのか 人間にすれば一瞬、相手からすれば果てしない交流

本作はただノンフィクション的な描写の緻密さを楽しむだけの作品ではない。〈竜の卵〉の付近にまで到達した人類だが、観測体制を整えてしばらく経ってもチーラたちの存在に気が付かない。なにしろ、相手はミリ単位の大きさしか持たない生物なのである。その時点では、チーラたちの文明はまだ人間には遠く及ばず、ぱっと見てわかるような建造物も存在しない。ただし、知性を持っているチーラたちは、自分たちを観測している存在に先に気が付き、彼らなりの手段でメッセージを送り始める。そこから、この特別な星に生まれた生物と、地球からやってきた人類という非対称な関係が織りなすドラマが展開していく。

チーラはその途方もない密度の体を維持するために、体は分子結合ではなく核結合によって結びついている。そのため、彼らの生活速度は人類の約１００万倍にもなってしまう。

つまり、人間同士が情報をやりとりするようには、チーラとは交流できないということ

だ。チーラから通信を受け取り、人間側が返信を考えて送信する間に、チーラ側の主観では何十年という時間が経過してしまう。通信を受け取った後、人間が8時間ほどたっぷり睡眠をとって、起きてから返信しようものなら、その間にチーラ側では1000年近い年月が経過し、蒸気機関も何もない状態からロケットを飛ばして宇宙に送れるくらいの進歩が起きていてもおかしくない。

チーラたちの一生は、人間の時間にしてわずか37分程度。そのため、本作では人間からしてみれば一瞬の、チーラたちからしてみれば果てしなく長い、特殊な友好関係が描写される。世代交代の末に、チーラ人は空に浮かぶ地球人の宇宙船を神として崇拝するようになる。一方で、彼らの文明はすさまじい勢いで発展し、やがては地球のそれを追い抜いていく。

物語のクライマックスでは、地球をはるかに凌駕する科学力を得たチーラたちが、人類との直接対面を果たすため、観測用の宇宙船を訪れる。

低重力下では体が崩壊してしまうチーラたちが、どのようにして重力を保ったまま地球の宇宙船に接触するのか。時間の流れの異なる両者の接触は、どのような形をとりうるのか。そもそも、これほど極端な「違い」のある生物と、コミュニケーションを取ることが可能なのか。刊行から40年が経ついまもなお、ハードな設定が好奇心を駆り立ててやまない傑作である。

ロバート・L・フォワード

1932年、米ニューヨーク州生まれ。物理学者として200以上の論文などを執筆する傍ら、SF小説家として『竜の卵』『火星の虹』ほかを発表。

『銀河ヒッチハイク・ガイド』
——宇宙の真理をもギャグにする傑作コメディ

ダグラス・アダムス著／安原和見訳、河出書房新社、2005年（原著刊行1979年）

Fiction
Light
Speculative
Science
Scientific
Heavy

どんな作品か

銀河を放浪する「元地球人」の珍道中

『銀河ヒッチハイク・ガイド』は、1979年に刊行されたSFコメディの大傑作である。もともとは、1978年にイギリスのBBCラジオ4でラジオドラマのシリーズとして始まったものだが、口コミで大きく話題が広がっていき、翌年にはラジオドラマの脚本家であるダグラス・アダムス自身の手によるノベライゼーションが刊行された。それが、本稿で取り上げる、小説版『**銀河ヒッチハイク・ガイド**』だ。

宇宙の真理の探求に地球がまるごと巻き込まれていく壮大な／バカバカしいプロットに、イギリスらしいユーモアをふんだんに盛り込んだ作風で、小説版も世界的な人気を博した。知性そのものをネタに扱ったユーモアは、いまでもその切れ味を失っていない。

物語は次のように始まる――ある日突然、ヴォゴンという宇宙人が来襲し、地球は2分後に「取り壊される」ことになったと宣告する。銀河の開発計画にもとづいた超空間高速道路の建設予定地になっているためだ。これがヒーローものの小説であれば、誰かがこの事態を阻止するために立ち上がるはずだが、あいにくコメディなので本当に地球は破壊されてしまう。実は高速道路の建設計画も、地球の破壊命令も、最寄りのアルファ・ケンタウリ星に（地球年にして）50年も前から掲示してあったというのだが、地球人類は誰も気がついていなかったのだ。

かくして地球は滅亡してしまうのだが、ごくごく平凡な英国人であるアーサー・デントだけは奇跡的に生き残っていた。実は宇宙人であった友人、フォード・プリーフェクトの助けにより、間一髪のところで地球を脱出していたからだ。フォードの正体は、銀河を渡り歩くものの必読書『銀河ヒッチハイク・ガイド』の執筆者兼現地調査員だった。

ヒッチハイクで銀河を放浪することになったアーサーとフォードは、やがて光速を超えて航行する宇宙船〈黄金の心〉号に拾われる。銀河帝国大統領ゼイフォード・ビーブルブロックスが操るこの船は、ゼイフォードが探し求める伝説の惑星〈マグラシア〉を目指していた。マグラシアはその昔、金持ちのためにオーダーメイドの豪華惑星を建造するという、とんでもない技術を持っていたとされる。

その後、マグラシアの発見に成功した一行は、この星に降り立ち、たった一人生き残っている老人と出会う。老人が彼らに明かしたのは、地球生物の知性に関する驚くべき真相だった。

その真相とは「人間よりイルカのほうが賢い」というもの。イルカたちは惑星・地球の最期が迫っていることに早くから気づいていて、人類に危険を知らせようと数々の努力をした。しかし、いくら努力してもおやつ欲しさに愉快な曲芸をしていると誤解されるだけだったので、しまいにはイルカたちも諦めて、ヴォゴン人がやってくる直前に独自の手段で地球をあとにしたのだという。

さらにいえば、地球にはイルカよりも上位の知性体が存在した——ネズミである（つまり人間は3番目）。ネズミの正体は、宇宙からやってきた超知性を備える汎次元生物であったのだ。

彼らはかつてスーパーコンピュータである〈ディープ・ソート〉をつくりあげ、「生命、宇宙、そして万物についての究極の疑問の答え」を解き明かそうとした。しかし、計算に750万年を費やしたあげく、コンピュータが導き出したのは「42」という謎の答え。なぜこのような、意味不明な答えになったのか？　それは「問い」が適切ではなかったからだとコンピュータは説明する。そこで今度は、問いそのものを計算するために、さらに高性能なコンピュータが設計された。実は、そのコンピュータこそが「地球」だったのだが（大きすぎて惑星と間違えられていた）、「究極の問い」が導き出されるまであと5分というところで、破壊されてしまったというわけだ。

（ちなみに、「生命、宇宙、そして万物についての究極の疑問の答え」という問いと、「42」という数字は、現代でもインターネット・ミームとして根強く生き残っており、グーグルで「the answer to life the universe and everything」と検索すると、グーグル電卓で

「42」という計算結果が表示される）

どこがスゴいのか

あらゆる「固定観念」を軽やかにリセット

このように、シニカルな笑いが全編にちりばめられているのが本作の特徴だ。よく知られているネタのひとつは、作中に登場する『銀河ヒッチハイク・ガイド』の「地球」の項目に書かれた説明文だ。そこにはたった一言「無害」としか記されていない。ぞんざいな扱いに憤慨するアーサーに対して、改訂版では「ほとんど無害」に情報をアップデートした……とフォードは弁解する。

これはもちろんジョークなのだが、そこには「広い宇宙の中では、地球の存在感などちっぽけなものだ」といった、ある種の冷徹な視線が感じられる。

科学の発展は、人間と地球の地位の低下と共に進行してきた。地球はこの宇宙で中心的な存在ではないし、他の生命体こそ発見されていないものの、環境だけ見ればそう珍しいものでもない。「自分たちは特別だ」という思い込みは人の目をくもらせ、自由な発想を制限する。本作に、そうした気づきを見いだすこともできるだろう。

また、特筆すべきは本作が起業家や作家に多大なインスピレーションを与えてきたことだ。イーロン・マスクは14歳で、「人生の意味や目的を完全に」見失ったことがあるというが、その時期に読みあさった本の中でも、とりわけ大きな影響を受けたのが、この『銀河ヒッチハイク・ガイド』だったという。

マスクは、本作について次のように語っている。

「『本当に難しいのは、何を問えばいいのかを見つけることだ』とアダムスは指摘している。つまり問いが見つかりさえすれば、答えを出すのは比較的簡単なんだ。そして、質問したいことをしっかりと理解するには、人間の意識の範囲と規模を広げることが大切だという結論に達した」

（アシュリー・バンス著、斉藤栄一郎訳『イーロン・マスク　未来を創る男』／講談社　p30）

さらに、そこから「唯一、人生において意味のあることといえば、啓蒙による人類全体の底上げに努力することだ」という境地に達したと、マスクは語る。

彼の壮大な発想力がＳＦを下敷きにしていることがよくわかる発言だが、『銀河ヒッチハイク・ガイド』はまさに、われわれの凝り固まった宇宙観、人類観、知性観をリセットしてくれる作品といえる。

ダグラス・アダムス

１９５２年、英ケンブリッジ生まれ。ラジオドラマ発の『銀河ヒッチハイク・ガイド』がベストセラーになり、以後４冊の続編を執筆している。

『スターメイカー』
――宇宙の創生から終局までを描く壮大なクロニクル

オラフ・ステープルドン著／浜口稔著、筑摩書房、2021年（原著刊行1937年）

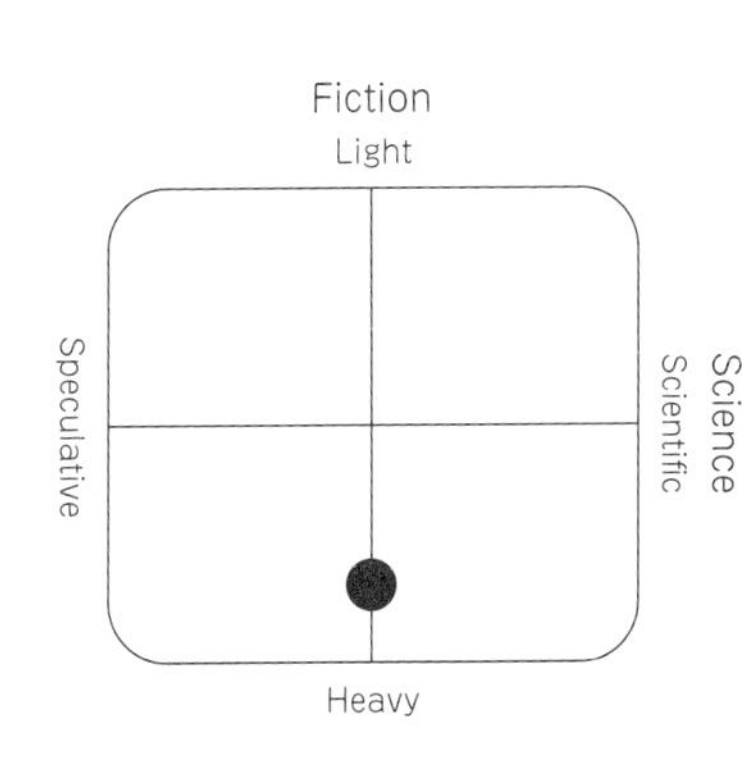

どんな作品か

精神体となった地球人が観察する、宇宙文明の興亡

イギリスの作家オラフ・ステープルドンによって1937年に発表された『**スターメイカー**』は、宇宙の創生から終局まで、その中で生まれ、途絶えていく数多の生命の歴史を描き出していく壮大な長編だ。本邦では1990年に国書刊行会から書が刊行された後、

2004年に（同じく国書刊行会から）新版が刊行、その後2021年にちくま文庫から全面改訳版が刊行されるなど、定期的に話題となる古典のひとつである。

本作は、一般的なSF小説からは外れた位置にある作品だ。名前のあるキャラクターも、登場人物同士の会話もほぼ登場せず、ただひたすらに宇宙の長大な時間の流れ、そしてその中で繰り返される惑星と文明、その生成と消滅が紡がれていく。

物語の冒頭では、イギリスで暮らす一人の男が、ヒースの丘で昏睡状態に陥っている。その後、彼の精神はなぜか肉体を離脱し、宇宙空間に飛び出るのだが、すぐに光をはるかに超える速度を獲得し、さらには時間さえも過去へ未来へと自由に飛び越える形で飛翔する。男は様々な文明や惑星を探索しながら、この宇宙が存在する意味を追究していくことになる。

まず彼は、太陽のような恒星を持つ星系に降り立ち、その星のひとつで人類に匹敵する知的生物を発見する。鳥のような脚で直立二足歩行し、ピグミーよりは大きく巨人よりは小さいと描写されるこの生物は、味覚と嗅覚が驚異的にすぐれている。一方で、視覚や聴覚は地球人類よりも劣っており、彼らが取り扱う情報のほとんどは味とにおいに関するものとして分類される。人種や民族の違いさえ、味とにおいの差によって決定されている。

この〈別地球〉とでも呼ぶべき惑星の人々は、食料を自動生産し、ベッドにこもってラジオ番組を聴きながら、生殖も死も自動で行われるレベルにまで文明を発展させている。その代償として、この社会では知性や倫理観が衰退し、新しく独創的なアイデアも生まれてこない。環境の悪化も伴って、最終的にこの文明はゆるやかに破滅へと向かう。

高度な文明が、後に何らかの理由で崩壊に向かうという流れは、本作でたびたび描かれるものだ。これは文明というものの避けがたい帰結なのか。あるいは、原因を特定して取り除くことができるのか――という問いもまた、作品を通じて繰り返されることになる。

〈別地球〉の文明を観察するうちに、哲学者ブヴァルトゥなる人物と対話することに成功した語り手は、その後自らの精神体にブヴァルトゥを取り込んで、別の惑星の探索へと向かう。

二人が接触する様々な知的生命や文明の描写には、作者の奇想が惜しみなくそそがれ、興味が尽きない。たとえば、甲殻人と魚類人の二種族が、争いの果てに共棲関係を獲得するも、甲殻人が地上で科学を発展させたために魚類人との格差が生まれ、再び戦争へと至った惑星。貝類から帆船そっくりな外見に進化した水棲人類の特殊な文化（育てられたのが親船の左舷か右舷かで、支配階級と労働者階級のどちらに属するかが分かれる）。無線電波によって精神的につながった複合存在と、個体主義者が抗争している惑星などだ。

どこがスゴいのか

宇宙の〈創造主〉を考察する哲学的な視点

だが、こうした描写以上に魅力的で、いまなお本作の唯一性を担保しているのは、個々の生物・文明をより大きな視点からまとめあげるそのスケール性である。

精神体である語り手は、文明を渡り歩きながら各地の知的生命を取り込み、多様性を持った集合的な精神へと変質していく。彼らが宇宙を旅するなかで、様々な文明が興る一方で、様々な文明が消えていく。

医療科学が成熟する前に病原菌に破壊された人類種。気候の変化に屈した人類種。巨大隕石群と衝突して滅んだ人類種。衛星が消えたせいで立ち行かなくなってしまった世界

――片や、無事に発展を遂げて平穏な世界をつくり上げている文明もある。

しかし、一時破滅へと向かわなかった幸運な文明にも「その先」がある。科学技術が発展した結果、星間旅行が普及し、それが自分たちの文明を宇宙に伝播しようとするムーブメントにつながって、宇宙戦争を引き起こしてしまうのだ。

幸いにも（あるきっかけによって）戦争が終わると、次の時代の宇宙はテレパシー能力で空間を超えて繫がった〈銀河共同体〉によるユートピアを目指すことになる。だが、これで「めでたしめでたし」になるわけでもない。今度は惑星そのものの寿命が尽き、次々と崩壊していく終局が始まるのだ。

この局面に至る頃には、文明は惑星や恒星を高度に制御できるようになっている。テレパシーで繫がった遠隔の文明と接触するために、星の軌道をずらして銀河を横断させたり、太陽のような恒星が放つエネルギーを無駄なく利用できるよう、光を網で捕獲したり（アメリカの物理学者フリーマン・ダイソンは、この『スターメイカー』の記述に着想を得て、恒星のエネルギーを利用した人工生物圏「ダイソン球」を発案した）と、やりたい放題だ。しかし、これらの操作が徒となり、宇宙では新星爆発が多発するようになっていく。

そうでなくとも、何百億年という時間が経てば自然と恒星は死に、エネルギーを放射しなくなるので、これを利用する周辺の文明も死に絶えてしまう。どこか別の恒星系に避難することもできなくはないが、宇宙のエントロピーは増大し続けるため、生存可能領域は時間の経過と共に小さくなっていく。いまや宇宙の終局を見届けようとしている語り手は、そのとき何を思うのか――。

最初は一惑星の文明の興亡に焦点を当てていた物語が、続いて銀河文明の興亡、さらに宇宙そのものの存亡へとスケールを広げていく様子は、まさに圧巻。その合間合間には、この宇宙が生まれた目的と、創造主として存在する可能性のある〈スターメイカー〉についての考察が挟まれ、もはやSFを超えて哲学書のような趣を呈している。

日本ではさほど知名度の高くないオラフ・ステープルドンだが、アーサー・C・クラークは本作を「おそらくこれまでに書かれた中で最も強力な想像力を持った作品」と評した。1965年に出版された版では、ボルヘスが序文を書き「天才的な小説」と述べている。

他にもスタニスワフ・レム、ブライアン・W・オールディスら、名だたる作家たちが賛辞を惜しまず、その影響を公言していることからもわかるように、SF的な思考の広がりを比類ない形で体験させてくれる作品である。数多のSFを取り上げてきた本書の末尾にふさわしい、壮大なスケールの傑作だ。

オラフ・ステープルドン

1886年、英マージーサイド州生まれ。初の著作『現代の倫理学』を発表した翌年、『最後にして最初の人類』(1930)で注目を集めた。

おわりに 「楽しさ」からすべては始まる

56作（シリーズ）を紹介してきたが、この最も重要な選定基準は「筆者自身がのめり込むように楽しんで読んできたＳＦ」であることだ。すべてはこの「楽しい」という気持ちから始まるのだと僕は思っている。結局のところ、夢中になって読んだ本だからこそ、人は影響を受け、変化するのではないだろうか。

ＳＦを読み始めた当初、僕はほとんど小説専門の読み手で、ノンフィクションは守備範囲外だった。小学生の頃は司馬遼太郎や宮城谷昌光といった作家の歴史小説を読み、中高生の頃はひたすらミステリーを読み漁った。大学生になってはじめて神林長平による『戦闘妖精・雪風〈改〉』を読み、そこで一瞬でＳＦに引き込まれた。ＳＦに興味を持ったところから、本書で触れてきたようなノンフィクション領域への興味も、徐々に育ち、それがまたＳＦへの興味へと循環していくことになった。

ＳＦの世界には本書に載せた以外にも、多くのすばらしい作品が数多く存在する。紙幅の関係で泣く泣く削った作品も少なくない。そもそもの話でいえば、映画やゲーム、漫画にもすべてを射程に入れるのが最善である。検討したが、今回は、紙幅の制約もあり、僕が最も得意とする小説作品に限らせてもらった。

ＳＦの世界は広く、いまも魅力的な作品が生まれ続けている。本書をきっかけに、自分だけの「ＳＦ沼の地図」を作ってもらえれば幸いである。

最後に謝辞を。もちろん最初は、すべてのＳＦ作品、そしてその書き手たちに。皆さんがいなければ、本書は成立しません。企画が迷走しかけたときにも、方向性を決めてくれた編集の田中さんのおかげで完走できました。園田さん、西崎さん、米山さん、本書執筆への協力を感謝します。原稿を何年も書いている間、息抜きのゲームに付き合ってくれたTelBouzuへも感謝を。最大の感謝は、ずっと支えてくれた奥さんへ捧げます。

２０２３年２月

冬木糸一

参考文献、注釈

p9　※1
Why Business Leaders Need to Read More Science Fiction（筆者が英文を要約）
https://hbr.org/2017/07/why-business-leaders-need-to-read-more-science-fiction

p10　※2
https://twitter.com/elonmusk/status/1007665949044928517
https://www.forbes.com/sites/christianstadler/2022/03/22/elon-musk-and-jeff-bezos-were-inspired-by-sci-fi-and-so-should-you/?sh=2fd77f19771b

p11　※3
https://www.cnbc.com/2020/02/21/elon-musk-recommends-science-fiction-book-series-that-inspired-spacex.html

p11　※4
https://www.thespacereview.com/article/3457/1

p29　※5
ジェレミー・ベイレンソン著、倉田幸信訳『VRは脳をどう変えるか？仮想現実の心理学』（文藝春秋）

p97　※6
ベス・シャピロ著、宇丹貴代実訳『マンモスのつくりかた　絶滅生物がクローンでよみがえる』（筑摩書房）
山内一也『異種移植　医療は種の境界を超えられるか』（みすず書房）

p131　※7
https://www.liebertpub.com/doi/full/10.1089/space.2017.29009.emu

p144　※8
https://electricliterature.com/the-people-who-survive-an-interview-with-neal-stephenson-author-of-seveneves/

p187　※9
マイケル・オスターホルム／マーク・オルシェイカー著、五十嵐加奈子／吉嶺英美／西尾義人訳『史上最悪の感染症　結核、マラリアからエイズ、MERS、薬剤耐性菌、COVID19まで』（青土社）

p210　※10
https://www.businessinsider.jp/post-196538

p253　※11
https://scrapsfromtheloft.com/books/kurt-vonnegut-playboy-interview/

p357　※12
https://www.thenocooptimist.com/news/renowned-science-fiction-author-and-greeley-resident-connie-willis-finds-many-parallels-to-the-pandemic-in-doomsday-book

p374　※13
スティーヴン・ウェッブ著、松浦俊輔訳『広い宇宙に地球人しか見当たらない75の理由』（青土社）

p403　※14
N = R × fp × ne × fl × fi × fc × L（文明の数＝銀河系で1年間に誕生する星の数×誕生した星が惑星をもつ確率×生命が生存できる環境を備えた惑星の数×惑星上で生命が発生する確率×発生した生命が知性をもつ確率×進化した生命が高度な文明をもつ確率×ひとつの文明が生きながらえる年数）

［著者］
冬木糸一（ふゆき・いといち）
書評家、「HONZ」レビュアー。1989年生まれ。大学卒業後、IT企業でエンジニアとして勤務。開発者として多忙な日々を送るかたわら、2007年より、SF、サイエンス・ノンフィクションの書評ブログ「基本読書」を主宰。読者登録数は3700人超とファンが多い。これまでに読んできたSF小説は2000冊を超える。『SFマガジン』『家電批評』などでSFの書評を連載中。筆名の「冬木糸一」は、「終末」の文字をバラバラにして、再構築したもの。

ブログ：「基本読書」https://huyukiitoichi.hatenadiary.jp
ツイッター：@huyukiitoichi

「これから何が起こるのか」を知るための教養
SF超入門

2023年２月28日　第１刷発行

著　者――冬木糸一
発行所――ダイヤモンド社
〒150-8409　東京都渋谷区神宮前6-12-17
https://www.diamond.co.jp/
電話／03･5778･7233（編集）　03･5778･7240（販売）
ブックデザイン―小口翔平＋後藤司（tobufune）
本文デザイン―二ノ宮匡（ニクスインク）
本文DTP――エヴリ・シンク
校正――――鷗来堂
編集協力――藤田美菜子
製作進行――ダイヤモンド・グラフィック社
印刷――――三松堂
製本――――ブックアート
編集担当――田中怜子

ISBN 978-4-478-10936-6